S0-BAL-206

GOLDMANNS GELBE TASCHENBÜCHER
Band 1480

Conrad Ferdinand Meyer, Die Hochzeit des Mönchs
und andere Novellen

Conrad Ferdinand Meyer

Ausgewählte Werke in 6 Bänden

Gedichte
Band 1414

Huttens letzte Tage / Novellen
Huttens letzte Tage
Das Amulett · Der Schuß von der Kanzel
Band 1460

Gustav Adolfs Page und andere Novellen
Der Heilige · Plautus im Nonnenkloster
Gustav Adolfs Page
Band 1470

Die Hochzeit des Mönchs und andere Novellen
Das Leiden eines Knaben
Die Hochzeit des Mönchs · Die Richterin
Band 1480

Die Versuchung des Pescara · Angela Borgia
Band 1490

Jürg Jenatsch
Band 419

CONRAD FERDINAND MEYER

Die Hochzeit des Mönchs

und andere Novellen

Mit einem Nachwort

von

Walter Flemmer

MÜNCHEN

WILHELM GOLDMANN VERLAG

Das Einstellen von »Goldmanns Taschenbüchern«
in Leihbüchereien, Volksbibliotheken, Werkbüchereien und Lesezirkel
ist vom Verlag ausdrücklich untersagt

1964 · Made in Germany
Umschlagentwurf: Haimo Lauth. Foto: Historisches Bild-
archiv Handke, Bad Berneck. Gesetzt aus der Linotype-
Garamond-Antiqua. Druck: Presse-Druck- und Verlags-
GmbH. Augsburg. Verlagsnummer 1480 · H

Der König hatte das Zimmer der Frau von Maintenon[1] betreten und, luftbedürftig und für die Witterung unempfindlich wie er war, ohne weiteres in seiner souveränen Art ein Fenster geöffnet, durch welches die feuchte Herbstluft so fühlbar eindrang, daß die zarte Frau sich fröstelnd in ihre drei oder vier Röcke schmiegte.

Seit einiger Zeit hatte Ludwig der Vierzehnte seine täglichen Besuche bei dem Weibe seines Alters zu verlängern begonnen, und er erschien oft schon zu früher Abendstunde, um zu bleiben, bis seine Spättafel gedeckt war. Wenn er dann nicht mit seinen Ministern arbeitete, neben seiner diskreten Freundin, die sich aufmerksam und schweigend in ihren Fauteuil begrub; wenn das Wetter Jagd oder Spaziergang verbot; wenn die Konzerte, meist oder immer geistliche Musik, sich zu oft wiederholt hatten, dann war guter Rat teuer, welchergestalt der Monarch vier Glockenstunden lang unterhalten oder zerstreut werden konnte. Die dreiste Muse Molières[2], die Zärtlichkeiten und Ohnmachten der Lavallière[3], die kühne Haltung und die originellen Witzworte der Montespan[4] und so manches andere hatte seine Zeit gehabt und war nun gründlich vorüber, welk wie eine verblaßte Tapete. Maßvoll und fast genügsam wie er geworden, arbeitsam wie er immer gewesen, war der König auch bei einer die Schranke und das Halbdunkel liebenden Frau angelangt.

Dienstfertig, einschmeichelnd, unentbehrlich, dabei voller Grazie trotz ihrer Jahre, hatte die Enkelin des Agrippa d'Aubigné[5] einen lehrhaften Gouvernantenzug, eine Neigung, die Gewissen mit Autorität zu beraten, der sie in ihrem Saint-Cyr[6] unter den Edelfräulein, die sie dort erzog, behaglich den Lauf ließ, die aber vor dem Gebieter zu einem bescheidenen Sichanschmiegen an seine höhere Weisheit wurde. Dergestalt hatte, wann Ludwig schwieg, auch sie ausgeredet, besonders wenn etwa, wie heute, die junge Enkelfrau des Königs, die Savoyardin, das ergötzlichste Geschöpf von der Welt, das überallhin Leben und Gelächter brachte, mit ihren Kin-

---

[1] Françoise d'Aubigne, Marquise von Maintenon (1635–1719), 1684 heiratete sie der verwitwete König Ludwig XIV. heimlich. [2] Jean Baptiste Molière (1622 bis 1673), französischer Lustspieldichter. [3] Louise de La Vallière (1644–1710), Geliebte des Königs. [4] Frau des Königs. [5] Großvater der Frau von Maintenon (1552–1630), Dichter. [6] In Saint-Cyr hatte Frau von Maintenon eine Schule für Edelfräulein gegründet.

dereien und ihren trippelnden Schmeichelworten aus irgendeinem Grunde wegblieb.

Frau von Maintenon, welche unter diesen Umständen die Schritte des Königs nicht ohne eine leichte Sorge vernommen hatte, beruhigte sich jetzt, da sie dem beschäftigten und unmerklich belustigten Ausdrucke der ihr gründlich bekannten königlichen Züge entnahm: Ludwig selbst habe etwas zu erzählen, und zwar etwas Ergötzliches.

Dieser hatte das Fenster geschlossen und sich in einen Lehnstuhl niedergelassen. »Madame«, sagte er, »heute mittag hat mir Père Lachaise[7] seinen Nachfolger, den Père Tellier[8] gebracht.«

Père de Lachaise war der langjährige Beichtiger des Königs, welchen dieser, trotz der Taubheit und völligen Gebrechlichkeit des greisen Jesuiten, nicht fahren lassen wollte und sozusagen bis zur Fadenscheinigkeit aufbrauchte; denn er hatte sich an ihn gewöhnt, und da er – es ist unglaublich zu sagen – aus unbestimmten, aber doch vorhandenen Befürchtungen seinen Beichtiger in keinem andern Orden glaubte wählen zu dürfen, zog er diese Ruine eines immerhin ehrenwerten Mannes einem jüngeren und strebsamern Mitgliede der Gesellschaft Jesu vor. Aber alles hat seine Grenzen. Père Lachaise wankte sichtlich dem Grabe zu, und Ludwig wollte denn doch nicht an seinem geistlichen Vater zum Mörder werden.

»Madame«, fuhr der König fort, »mein neuer Beichtiger hat keine Schönheit und Gestalt: eine Art Wolfsgesicht und dann schielt er. Er ist eine geradezu abstoßende Erscheinung, aber er wird mir als ein gegen sich und andere strenger Mann empfohlen, welchem sich ein Gewissen übergeben läßt. Das ist doch wohl die Hauptsache.«

»Je schlechter die Rinne, desto köstlicher das darin fließende himmlische Wasser«, bemerkte die Marquise erbaulich. Sie liebte die Jesuiten nicht, welche dem Ehebunde der Witwe Scarrons mit der Majestät entgegengearbeitet und kraft ihrer weiten Moral das Sakrament in diesem königlichen Falle für überflüssig erklärt hatten. So tat sie den frommen Vätern gelegentlich gern etwas zuleide, wenn sie dieselben im stillen krallen konnte. Jetzt schwieg sie, und ihre dunkeln mandelförmigen, sanft schwermütigen Augen hingen an dem Munde des Gemahls mit einer bescheidenen Aufmerksamkeit.

Der König kreuzte die Füße, und den Demantblitz einer seiner Schuhschnallen betrachtend, sagte er leichthin: »Dieser Fagon! Er wird unerträglich! Was er sich nicht alles herausnimmt!«

Fagon war der hochbetagte Leibarzt des Königs und der Schütz-

[7] Beichtvater des Königs.   [8] Père Tellier, seit 1709 Beichtvater des Königs.

ling der Marquise. Beide lebten sie täglich in seiner Gesellschaft und hatten sich auf den Fall, daß er vor ihnen stürbe, Asyle gewählt, sie Saint-Cyr, er den botanischen Garten, um sich hier und dort nach dem Tode des Gebieters einzuschließen und zu begraben.

»Fagon ist Euch unendlich anhänglich«, sagte die Marquise.

»Gewiß, doch entschieden, er erlaubt sich zu viel«, versetzte der König mit einem leichten halb komischen Stirnrunzeln.

»Was gab es denn?«

Der König erzählte und hatte bald zu Ende erzählt. Er habe bei der heutigen Audienz seinen neuen Beichtiger gefragt, ob die Tellier mit dem Le Tellier, der Familie des Kanzlers, verwandt wären? Doch der demütige Père habe dieses schnell verneint und sich frank als den Sohn eines Bauers in der untern Normandie bekannt. Fagon habe unweit in einer Fensterbrüstung gestanden, das Kinn auf sein Bambusrohr gestützt. Von dort, hinter dem gebückten Rücken des Jesuiten, habe er unter der Stimme, aber vernehmlich genug, hergeflüstert: »Du Nichtswürdiger!« »Ich hob den Finger gegen Fagon«, sagte der König, »und drohte ihm.«

Die Marquise wunderte sich. »Wegen dieser ehrlichen Verneinung hat Fagon den Pater nicht schelten können, er muß einen andern Grund gehabt haben«, sagte sie verständig.

»Immerhin, Madame, war es eine Unschicklichkeit, um nicht mehr zu sagen. Der gute Père Lachaise, taub wie er endlich doch geworden ist, hörte es freilich nicht, aber mein Ohr hat es deutlich vernommen, Silbe um Silbe. ›Niederträchtiger!‹ blies Fagon dem Pater zu, und der Mißhandelte zuckte zusammen.«

Die Marquise schloß lächelnd aus dieser Variante, daß Fagon einen derbern Ausdruck gebraucht habe. Auch in den Mundwinkeln des Königs zuckte es. Er hatte sich von jung an zum Gesetze gemacht, wozu er übrigens schon von Natur neigte, und was er dann bis an sein Lebensende hielt, niemals, auch nicht erzählungsweise, ein gemeines oder beschimpfendes, kurz ein unkönigliches Wort in den Mund zu nehmen.

Der hohe Raum war eingedämmert, und wie der Bediente die traulichen zwei Armleuchter auf den Tisch setzte und sich rücklings schreitend verzog, siehe da wurde ein leise eingetretener Lauscher sichtbar, eine wunderliche Erscheinung, eine ehrwürdige Mißgestalt: ein schiefer, verwachsener, seltsam verkrümmter kleiner Greis, die entfleischten Hände unter dem gestreckten Kinn auf ein langes Bambusrohr mit goldenem Knopfe stützend, das feine Haupt vorgeneigt, ein weißes Antlitz mit geisterhaften blauen Augen. Es war Fagon.

»›Du Lump, du Schuft!‹ habe ich kurzweg gesagt, Sire, und nur die Wahrheit gesprochen«, ließ sich jetzt seine schwache, vor Erregung zitternde Stimme vernehmen. Fagon verneigte sich ehrfürchtig vor dem Könige, galant gegen die Marquise. »Habe ich einen Geistlichen in Eurer Gegenwart, Sire, dergestalt behandelt, so bin ich entweder der Niedertracht gegenüber ein aufbrausender Jüngling geblieben, oder ein würdiges Alter berechtigt die Wahrheit zu sagen. Brachte mich nur das Schauspiel auf, welches der Pater gab, da sich der vierschrötige und hartknochige Tölpel mit seiner Wolfsschnauze vor Euch, Sire, drehte und krümmte und auf Eure leutselige Frage nach seiner Verwandtschaft in dünkelhafter Selbsterniedrigung nicht Worte genug fand, sein Nichts zu beteuern? ›Was denkt die Majestät?‹ – ahmte Fagon den Pater nach – ›Verwandt mit einem so vornehmen Herrn? Keineswegs! Ich bin der Sohn eines gemeinen Mannes! eines Bauers in der untern Normandie! eines ganz gemeinen Mannes! ...‹ Schon dieses nichtswürdige Reden von dem eigenen Vater, diese kriechende, heuchlerische, durch und durch unwahre Demut, diese gründliche Falschheit verdiente vollauf schuftig genannt zu werden. Aber die Frau Marquise hat recht: es war noch etwas anderes, etwas ganz Abscheuliches und Teuflisches, was ich gerächt habe, leider nur mit Worten: eine Missetat, ein Verbrechen, welches der unerwartete Anblick dieses tückischen Wolfes mir wieder so gegenwärtig vor das Auge stellte, daß die karge Neige meines Blutes zu kochen begann. Denn, Sire, dieser Bösewicht hat einen edeln Knaben gemordet!«

»Ich bitte dich, Fagon«, sagte der König, »welch ein Märchen!«

»Sagen wir: er hat ihn unter den Boden gebracht«, milderte der Leibarzt höhnisch seine Anklage.

»Welchen Knaben denn?« fragte Ludwig in seiner sachlichen Art, die kurze Wege liebte.

»Es war der junge Boufflers, der Sohn des Marschalls aus seiner ersten Ehe«, antwortete Fagon traurig.

»Julian Boufflers? Dieser starb, wenn mir recht ist«, erinnerte sich der König und sein Gedächtnis täuschte ihn selten, »17 .. im Jesuitenkollegium an einer Gehirnentzündung, welche das arme Kind durch Überarbeitung sich mochte zugezogen haben, und da Père Tellier in jenen Jahren dort Studienpräfekt sein konnte, hat er allerdings, sehr figürlich gesprochen«, spottete der König, »den unbegabten, aber im Lernen hartnäckigen Knaben in das Grab gebracht. Der Knabe hat sich eben übernommen, wie mir sein Vater, der Marschall, selbst erzählt hat.« Ludwig zuckte die Achseln. Nichts weiter. Er hatte etwas Interessanteres erwartet.

»Den unbegabten Knaben . . .« wiederholte der Arzt nachdenklich.

»Ja, Fagon«, versetzte der König, »auffallend unbegabt, und dabei schüchtern und kleinmütig, wie kein Mädchen. Es war an einem Marly-Tage[9], daß der Marschall, welchem ich für dieses sein ältestes Kind die Anwartschaft auf sein Gouvernement gegeben hatte, mir ihn vorstellte. Ich sah, der schmucke und wohlgebildete Jüngling, über dessen Lippen schon der erste Flaum sproßte, war bewegt und wollte mir herzlich danken, aber er geriet in ein so klägliches Stottern und peinliches Erröten, daß ich, um ihn nur zu beruhigen oder wenigstens in Ruhe zu lassen, mit einem: ›Es ist gut‹ geschwinder, als mir um seines Vaters willen lieb war, mich wendete.«

»Auch mir ist jener Abend erinnerlich«, ergänzte die Marquise. »Die verewigte Mutter des Knaben war meine Freundin, und ich zog diesen nach seiner Niederlage zu mir, wo er sich still und traurig, aber dankbar und liebenswert erwies, ohne, wenigstens äußerlich, die erlittene Demütigung allzu tief zu empfinden. Er ermutigte sich sogar zu sprechen, das Alltägliche, das Gewöhnliche, mit einem herzgewinnenden Ton der Stimme, und – meine Nähe schaffte ihm Neider. Es war ein schlimmer Tag für das Kind, jener Marly. Ein Beiname, wie denn am Hofe alles, was nicht Ludwig heißt, den seinigen tragen muß« (die feinfühlige Marquise wußte, daß ihr gerades Gegenteil, die brave und schreckliche Pfälzerin, die Herzogin-Mutter von Orléans, ihr den allergarstigsten gegeben hatte), »einer jener gefährlichen Beinamen, die ein Leben vergiften können und deren Gebrauch ich meinen Mädchen in Saint-Cyr aufs strengste untersagt habe, wurde für den bescheidenen Knaben gefunden, und da er von Mund zu Munde lief, ohne viel Arg selbst von unschuldigen und blühenden Lippen gewispert, welche sich wohl dem hübschen Jungen nach wenigen Jahren nicht versagt haben würden.«

»Welcher Beiname?« fragte Fagon neugierig.

»Le bel idiot . . .[10] und das Zucken eines Paares hochmütiger Brauen verriet mir, wer ihn dem Knaben beschert hat.«

»Lauzun?« riet der König.

»Saint-Simon«[11], berichtete die Marquise. »Ist er doch an un-

---

[9] Marly, Lustschloß, auf dem sich der König oft aufhielt. [10] Der schöne Stumpfsinnige, Schwager Saint-Simons. [11] Claude Henri, Graf Saint-Simon (1760–1825), französischer Schriftsteller, utopischer Sozialist.

serm Hofe das lauschende Ohr, das spähende Auge, das uns alle beobachtet« – der König verfinsterte sich – »und die geübte Hand, die nächtlicherweile hinter verriegelten Türen von uns allen leidenschaftliche Zerrbilder auf das Papier wirft! Dieser edle Herzog, Sire, hat es nicht verschmäht, den unschuldigsten Knaben mit einem seiner grausamen Worte zu zeichnen, weil ich Harmlose, die er verabscheut, an dem Kinde ein flüchtiges Wohlgefallen fand und ein gutes Wort an dasselbe wendete.« So züngelte die sanfte Frau und reizte den König, ohne die Stirn zu falten und den Wohlklang ihrer Stimme zu verlieren.

»Der schöne Stumpfsinnige«, wiederholte Fagon langsam. »Nicht übel. Wenn aber der Herzog, der neben seinen schlimmen auch einige gute Eigenschaften besitzt, den Knaben gekannt hätte, wie ich ihn kennenlernte und er mir unvergeßlich geblieben ist, meiner Treu! der gallichte Saint-Simon hätte Reue gefühlt. Und wäre er wie ich bei dem Ende des Kindes zugegen gewesen, wie es in der Illusion des Fiebers, den Namen seines Königs auf den Lippen, in das feindliche Feuer zu stürzen glaubte, der heimliche Höllenrichter unserer Zeit – wenn die Sage wahr redet, denn niemand hat ihn an seinem Schreibtische gesehen – hätte den Knaben bewundert und ihm eine Träne nachgeweint.«

»Nichts mehr von Saint-Simon, ich bitte dich, Fagon«, sagte der König, die Brauen zusammenziehend. »Mag er verzeichnen, was ihm als die Wahrheit erscheint. Werde ich die Schreibtische belauern? Auch die große Geschichte führt ihren Griffel und wird mich in den Grenzen meiner Zeit und meines Wesens läßlich beurteilen. Nichts mehr von ihm. Aber viel und alles, was du weißt, von dem jungen Boufflers. Er mag ein braver Junge gewesen sein. Setze dich und erzähle!« Er deutete freundlich auf einen Stuhl und lehnte sich in den seinigen zurück.

»Und erzähle hübsch bequem und gelassen, Fagon«, bat die Marquise mit einem Blick auf die schmucken Zeiger ihrer Stockuhr, welche zum Verwundern schnell vorrückten.

»Sire, ich gehorche«, sagte Fagon, »und tue eine untertänige Bitte. Ich habe heute, den Père Tellier in Eurer Gegenwart mißhandelnd, mir eine Freiheit genommen und weiß, wie ich mich aus Erfahrung kenne, daß ich, einmal auf diesen Weg geraten, an demselben Tage leicht rückfällig werde. Als Frau von Sablière[12] den guten – oder auch nicht guten – Lafontaine[13], ihren Fabelbaum, wie sie ihn nannte, aus dem schlechten Boden, worein er seine Wur-

---

[12] Gönnerin des Dichters Lafontaine.   [13] Jean de Lafontaine (1621–1695), französischer Fabeldichter.

zeln gestreckt hatte, ausgrub und wieder in die gute Gesellschaft ver-
pflanzte, willigte der Fabeldichter ein, noch einmal unter anständigen Menschen zu leben, unter der Bedingung jedoch, jeden Abend
das Minimum von drei Freiheiten – was er so Freiheiten hieß – sich
erlauben zu dürfen. In ähnlicher und verschiedener Weise bitte ich
mir, meine Geschichte erzählen, drei Freiheiten aus –«

»Welche ich dir gewähre«, schloß der König.

Drei Köpfe rückten zusammen: der bedeutende des Arztes, das
olympische Lockenhaupt des Königs und das feine Profil seines
Weibes mit der hohen Stirn, den reizenden Linien von Nase und
Mund und dem leicht gezeichneten Doppelkinne.

»In den Tagen, da die Majestät noch den größten ihrer Dichter
besaß«, begann der Leibarzt, »und dieser, während schon der Tod
nach seiner kranken Brust zielte, sich belustigte, denselben auf der
Bühne nachzuäffen, wurde das Meisterstück ›Der Kranke in der
Einbildung‹[14] auch vor der Majestät hier in Versailles aufgeführt.
Ich, der ich sonst eine würdige mit Homer oder Virgil verlebte
Stunde und den Wellenschlag einer antiken Dichtung unter ge-
stirntem Himmel den grellen Lampen und den verzerrten Gesich-
tern der auf der Bühne gebrachten Gegenwart vorziehe, ich durfte
doch nicht wegbleiben da, wo mein Stand verspottet und vielleicht,
wer wußte, ich selbst und meine Krücke« – er hob sein Bambusrohr, auf welches er auch sitzend sich zu stützen fortfuhr – »ab-
bildlich zu sehen waren. Es geschah nicht. Aber hätte Molière mich
in einer seiner Possen verewigt, wahrlich, ich hätte es dem nicht
verargen können, der sein eigenes schmerzlichstes Empfinden komisch betrachtet und verkörpert hat. Diese letzten Stücke Molières,
nichts geht darüber! Das ist die souveräne Komödie, welche freilich
nicht nur das Verkehrte, sondern in grausamer Lust auch das
Menschlichste in ein höhnisches Licht rückt, daß es zu grinsen beginnt. Zum Beispiel, was ist verzeihlicher, als daß ein Vater auf
sein Kind sich etwas einbilde, etwas eitel auf die Vorzüge, und
etwas blind für die Schwächen seines eigenen Fleisches und Blutes
sei? Lächerlich freilich ist es und fordert den Spott heraus. So lobt
denn auch im ›Kranken in der Einbildung‹ der alberne Diafoirus
seinen noch alberneren Sohn Thomas, einen vollständigen Dummkopf. Doch die Majestät kennt die Stelle.«

»Mache mir das Vergnügen, Fagon, und rezitiere sie mir«, sagte
der König, welcher, seit Familienverluste und schwere öffentliche
Unfälle sein Leben ernst gemacht, sich der komischen Muse zu enthalten pflegte, dem die Lachmuskeln aber unwillkürlich zuckten in

[14] ›Le malade imaginaire‹ (›Der eingebildete Kranke‹), Komödie von Molière.

Erinnerung des guten Gesellen, den er einst gern um sich gelitten und an dessen Masken er sich ergötzt hatte.

»›Es ist nicht darum‹«, spielte Fagon den Doktor Diafoirus, dessen Rolle er seltsamerweise auswendig wußte, »›weil ich der Vater bin, aber ich darf sagen, ich habe Grund, mit diesem meinem Sohne zufrieden zu sein, und alle, die ihn sehen, sprechen von ihm als von einem Jüngling ohne Falsch. Er hat nie eine sehr tätige Einbildungskraft, noch jenes Feuer besessen, welches man an einigen wahrnimmt. Als er klein war, ist er nie, was man so heißt, aufgeweckt und mutwillig gewesen. Man sah ihn immer sanft, friedselig und schweigsam. Er sprach nie ein Wort und beteiligte sich niemals an den sogenannten Knabenspielen. Man hatte schwere Mühe, ihn lesen zu lehren, und mit neun Jahren kannte er seine Buchstaben noch nicht. Gut, sprach ich zu mir, die späten Bäume tragen die besten Früchte, es gräbt sich in den Marmor schwerer, als in den Sand‹ . . . und so fort. Dieser langsam geträufelte Spott wurde dann auf der Bühne zum gründlichen Hohn durch das unsäglich einfältige Gesicht des Belobten und zum unwiderstehlichen Gelächter in den Mienen der Zuschauer. Unter diesen fand mein Auge eine blonde Frau von rührender Schönheit und beschäftigte sich mit den langsam wechselnden Ausdrücken dieser einfachen Züge: zuerst demjenigen der Freude über die gerechte Belobung eines schwer, aber fleißig lernenden Kindes, so unvorteilhaft der Jüngling auf der Bühne sich ausnehmen mochte, dann dem andern Ausdrucke einer traurigen Enttäuschung, da die Schauende, ohne jedoch recht zu begreifen, inne wurde, daß der Dichter, der es mit seinen schlichten Worten ernst zu meinen schien, eigentlich nur seinen blutigen Spott hatte mit der väterlichen Selbstverblendung. Freilich hatte Molière, der großartige Spötter, alles so naturwahr und sachlich dargestellt, daß mit ihm nicht zu zürnen war. Eine lange und mühsam verhaltene, tief schmerzliche Träne rollte endlich über die zarte Wange des bekümmerten Weibes. Ich wußte nun, daß sie Mutter war und einen unbegabten Sohn hatte. Das ergab sich für mich aus dem Geschauten und Beobachteten mit mathematischer Gewißheit. Es war die erste Frau des Marschalls Boufflers.«

»Auch wenn du sie nicht genannt hättest, Fagon, ich erkannte aus deiner Schilderung meine süße Blondine«, seufzte die Marquise. »Sie war ein Wunder der Unschuld und Herzenseinfalt, ohne Arg und Falsch, ja ohne den Begriff der List und Lüge.«

Die Freundschaft der zwei Frauen, welche der Marquise einen so rührenden Eindruck hinterließ, war eine wahre und für beide Teile wohltätige gewesen. Frau von Maintenon hatte nämlich in den

langen und schweren Jahren ihres Emporkommens, da die still Ehr-
geizige mit zähester Schmiegsamkeit und geduldigster Konsequenz,
immer heiter, überall dienstfertig, sich einen König und den größten König der Zeit eroberte, mit ihren klugen Augen die arglose
Vornehme von den andern ihr mißgünstigen und feindseligen Hof-
weibern unterschieden und sie mit ein paar herzlichen Worten und
zutulichen Gefälligkeiten an sich gefesselt. Die beiden halfen sich
aus und deckten sich einander mit ihrer Geburt und ihrem Verstand.

»Die Marschallin hatte Tugend und Haltung«, lobte der König,
während er einen in seinem Gedächtnis auftauchenden anmutigen
Wuchs, ein liebliches Gesicht und ein aschenblondes Ringelhaar betrachtete.

»Die Marschallin war dumm«, ergänzte Fagon knapp. »Aber
wenn ich Krüppel je ein Weib geliebt habe – außer meiner Gönnerin«, er verneigte sich huldigend gegen die Marquise, »und für
ein Weib mein Leben hingegeben hätte, so war es diese erste Herzogin Boufflers.

Ich lernte sie dann bald näher kennen, leider als Arzt. Denn ihre
Gesundheit war schwankend, und alle diese Lieblichkeit verlosch
unversehens wie ein ausgeblasenes Licht. Wenige Tage vor ihrem
letzten beschied sie mich zu sich und erklärte mir mit den einfachsten Worten von der Welt, sie werde sterben. Sie fühlte ihren Zustand, den meine Wissenschaft nicht erkannt hatte. Sie ergebe sich
darein, sagte sie, und habe nur eine Sorge: die Zukunft und das
Schicksal ihres Knaben. ›Er ist ein gutes Kind, aber völlig unbegabt,
wie ich selbst es bin‹, klagte sie mir bekümmert, aber unbefangen.
›Mir ward ein leichtes Leben zuteil, da ich dem Marschall nur zu
gehorchen brauchte, welcher nach seiner Art, die nichts aus den Händen gibt, auch wenn ich ein gescheites Weib gewesen wäre, außer
dem einfachsten Haushalte mir keine Verantwortung überlassen
hätte – du kennst ihn ja, Fagon, er ist peinlich und regiert alles
selber. Wenn ich in der Gesellschaft schwieg oder meine Rede auf
das Nächste beschränkte, um nichts Unwissendes oder Verfängliches
zu sagen, so war ihm das gerade recht, denn eine Witzige oder
Glänzende hätte ihn nur beunruhigt. So bin ich gut durchgekom-
men. Aber mein Kind? Der Julian soll als der Sohn seines Vaters
in der Welt eine Figur machen. Wird er das können? Er lernt so
unglaublich schwer. An Eifer läßt er es nicht fehlen, wahrlich nicht,
denn er ist ein tapferes Kind . . . Der Marschall wird sich wieder
verheiraten, und irgendeine gescheite Frau wird ihm anstelligere
Söhne geben. Nun möchte ich nicht, daß der Julian etwas Außer-
ordentliches würde, was ja auch unmöglich wäre, sondern nur, daß

er nicht zu harte Demütigungen erleide, wenn er hinter seinen Geschwistern zurückbleibt. Das ist nun deine Sache, Fagon. Du wirst auch zusehen, daß er körperlich nicht übertrieben werde. Laß das nicht aus dem Auge, ich bitte dich! Denn der Marschall übersieht das. Du kennst ihn ja. Er hat den Krieg im Kopf, die Grenzen, die Festungen . . . Selbst über der Mahlzeit ist er in seine Geschäfte vertieft, der dem König und Frankreich unentbehrliche Mann, läßt sich plötzlich eine Karte holen, wenn er nicht selbst danach aufspringt, oder ärgert sich über irgendeine vormittags entdeckte Nachlässigkeit seiner Schreiber, welchen man bei der um sich greifenden Pflichtvergessenheit auch nicht das geringste mehr überlassen dürfe. Geht dann durch einen Zufall ein Täßchen oder Schälchen entzwei, vergißt sich der Reizbare bis zum Schelten. Gewöhnlich sitzt er schweigend oder einsilbig zu Tische, mit gerunzelter Stirn, ohne sich mit dem Kinde abzugeben, das an jedem seiner Blicke hängt, ohne sich nach seinen kleinen Fortschritten zu erkundigen, denn er setzt voraus: ein Boufflers tue von selbst seine Pflicht. Und der Julian wird bis an die äußersten Grenzen seiner Kräfte gehen . . . Fagon, laß ihn keinen Schaden leiden! Nimm dich des Knaben an! Bring ihn heil hinweg über seine zarten Jahre! Mische dich nur ohne Bedenken ein. Der Marschall hält etwas auf dich und wird deinen Rat gelten lassen. Er nennt dich den redlichsten Mann von Frankreich . . . Also du versprichst es mir, bei dem Knaben meine Stelle zu vertreten . . . Du hältst Wort und darüber hinaus . . .‹

Ich gelobte es der Marschallin, und sie starb nicht schwer.

Vor dem Bette, darauf sie lag, beobachtete ich den mir anvertrauten Knaben. Er war aufgelöst in Tränen, seine Brust arbeitete, aber er warf sich nicht verzweifelnd über die Tote, berührte den entseelten Mund nicht, sondern er kniete neben ihr, ergriff ihre Hand und küßte diese, wie er sonst zu tun pflegte. Sein Schmerz war tief, aber keusch und enthaltsam. Ich schloß auf männliches Naturell und früh geübte Selbstbeherrschung und betrog mich nicht. Im übrigen war Julian damals ein hübscher Knabe von etwa dreizehn Jahren, mit den seelenvollen Augen seiner Mutter, gewinnenden Zügen, wenig Stirn unter verworrenem blondem Ringelhaar und einem untadeligen Bau, der zur Meisterschaft in jeder Leibesübung befähigte.

Nachdem der Marschall das Weib seiner Jugend beerdigt und ein Jahr später mit der Jüngsten des Marschalls Grammont sich wiederverehelicht hatte, dem rührigen, grundgescheiten, olivenfarbigen, brennend magern Weibe, das wir kennen, beriet er aus freien Stükken mit mir die Schule, wohin wir Julian schicken sollten; denn seines Bleibens war nun nicht länger im väterlichen Hause.

Ich besprach mich mit dem geistlichen Hauslehrer, welcher das Kind bisher beaufsichtigt und beschäftigt hatte. Er zeigte mir die Hefte des Knaben, die Zeugnis ablegten von einem rührenden Fleiß und einer tapfern Ausdauer, aber zugleich von einem unglaublich mittelmäßigen Kopfe, einem völligen Mangel an Kombination und Dialektik, einer absoluten Geistlosigkeit. Was man im weitesten Sinne Witz nennt, jede leidenschaftliche – warme oder spottende – Beleuchtung der Rede, jede Überraschung des Scharfsinns, jedes Spiel der Einbildungskraft waren abwesend. Nur der einfachste Begriff und das ärmste Wort standen dem Knaben zu Gebote. Höchstens gefiel dann und wann eine Wendung durch ihre Unschuld oder brachte zum Lächeln durch ihre Naivität. Seltsamer- und trauriger-weise sprach der Hausgeistliche von seinem Zögling unwissentlich in den Worten Molières: ›ein Knabe ohne Falsch, der alles auf Treu und Glauben nimmt, ohne Feuer und Einbildungskraft, sanft, friedfertig, schweigsam und‹ – setzte er hinzu – ›mit den schönsten Herzenseigenschaften.‹

Der Marschall und ich wußten dann – die Wahl war nicht groß – keine bessere Schule für das Kind als ein Jesuitenkollegium; und warum nicht das in Paris, wenn wir Julian nicht von seinen Standes- und Altersgenossen sondern wollten? Man muß es den Vätern lassen: sie sind keine Pedanten, und man darf sie loben, daß sie angenehm unterrichten und freundlich behandeln. Mit einer Schule jansenistischer[15] Färbung konnten wir uns nicht befreunden: der Marschall schon nicht als guter Untertan, der Euer Majestät Abneigung gegen die Sekte kannte und Euer Majestät Gnade nicht mutwillig verscherzen wollte, ich aus eben diesem Grunde« – Fagon lächelte – »und weil ich für den durch seine Talentlosigkeit schon überflüssig gedrückten Knaben die herbe Strenge und die finstern Voraussetzungen dieser Lehre ungeeignet, die leichte Erde und den zugänglichen Himmel der Jesuiten dagegen hier für zuträglich oder wenigstens völlig unschädlich hielt, denn ich wußte, das Grundgesetz dieser Knabenseele sei die Ehre.

Dabei war auf meiner Seite die natürliche Voraussetzung, daß die frommen Väter nie von dem Marschalle beleidigt würden, und das war in keiner Weise zu befürchten, da der Marschall sich nicht um

---

[15] Jansenismus, gegen die Jesuiten und die Inquisition gewandte Richtung fortschrittlich gesinnter katholischer Kreise in Frankreich, nach dem holländischen Theologen Jansen genannt, der an eine unbedingte Prädestination (Vorbestimmung des Menschen zur Hölle oder zum Himmel) glaubte. 1718 wurde der Jansenismus von der Kirche verboten.

kirchliche Händel kümmerte und als Kriegsmann an der in diesem Orden streng durchgeführten Subordination sogar ein gewisses Wohlgefallen hatte.

Wie sollte aber der von der Natur benachteiligte Knabe mit einer öffentlichen Klasse Schritt halten? Da zählten der Marschall und ich auf zwei verschiedene Hilfen. Der Marschall auf das Pflichtgefühl und den Ehrgeiz seines Kindes. Er selbst, der nur mittelmäßig Begabte, hatte auf seinem Felde Rühmliches geleistet, aber kraft seiner sittlichen Eigenschaften, nicht durch eine geniale Anlage. Ohne zu wissen oder nicht wissen wollend, daß Julian jene mittlere Begabung, welche er selbst mit eisernem Fleiße verwertete, bei weitem nicht besitze, glaubte er, es gebe keine Unmöglichkeit für den Willenskräftigen, und selbst die Natur lasse sich zwingen, wie ihn denn seine Galopins[16] beschuldigen, er tadle einen während der Parade über die Stirn rollenden Schweißtropfen als ordonnanzwidrig, weil er selbst nie schwitze.

Ich dagegen baute auf die allgemeine Menschenliebe der Jesuiten und insonderheit auf die Berücksichtigung und das Ansehen der Person, wodurch diese Väter sich auszeichnen. Ich beredete mich mit mehreren derselben und machte sie mit den Eigenschaften des Knaben vertraut. Um ihnen das Kind noch dringender an das Herz zu legen, sprach ich ihnen von der Stellung seines Vaters, sah aber gleich, daß sie sich daraus nichts machten. Der Marschall ist ausschließlich ein Kriegsmann, dabei tugendhaft, ohne Intrige, und die Ehre folgt ihm nach wie sein Schatten. So hatten die Väter von ihm nichts zu hoffen und zu fürchten. Unter diesen Umständen glaubte ich Julian eine kräftigere Empfehlung verschaffen zu müssen und gab den frommen Vätern einen Wink –« Der Erzähler stockte.

»Was vertuschest du, Fagon?« fragte der König.

»Ich komme darauf zurück«, stotterte Fagon verlegen, »und dann wirst du, Sire, mir etwas zu verzeihen haben. Genug, das Mittel wirkte. Die Väter wetteiferten, dem Knaben das Lernen zu erleichtern, dieser fühlte sich in einer warmen Atmosphäre, seine Erstarrung wich, seine kargen Gaben entfalteten sich, sein Mut wuchs, und er war gut aufgehoben. Da änderte sich alles gründlich in sein Gegenteil.

Etwa ein halbes Jahr nach dem Eintritt Julians bei den Jesuiten ereignete sich zu Orléans, in dessen Weichbild die Väter Besitz und Schule hatten, welche beide sie zu vergrößern wünschten, eine schlimme Geschichte. Vier Brüder von kleinem Adel besaßen dort ein Gut, welches an den Besitz der Jesuiten stieß und das sie un-

[16] Laufburschen.

geteilt bewirteten. Alle vier dienten in Eurem Heere, Sire, verzehr-
ten, wie zu geschehen pflegt, für ihre Ausrüstung und mehr noch im
Umgang mit reichern Kameraden, ihre kurze Barschaft und ver-
schuldeten ihre Felder. Nun fand es sich, daß jenes Jesuitenhaus
durch Zusammenkauf dieser Pfandbriefe der einzige Gläubiger der
vier Junker geworden war und ihnen aus freien Stücken darüber
hinaus eine abrundende Summe vorschoß, drei Jahre fest, dann mit
jähriger Kündigung. Daneben aber verpflichteten sich die Väter den
Junkern gegenüber mündlich aufs feierlichste, die ganze Summe auf
dem Edelgute stehen zu lassen; es sei eben nur ein rein formales
Gesetz ihrer Ordensökonomie, Geld nicht länger als auf drei Jahre
auszutun.

Da begab es sich, daß die Väter jenes Hauses unversehens in ihrer
Vollzahl an das Ende der Welt geschickt wurden, wahrhaftig, ich
glaube nach Japan, und die an ihre Stelle tretenden begreiflicher-
weise nichts von jenem mündlichen Versprechen ihrer Vorgänger
wußten. Der dreijährige Termin erfüllte sich, die neuen Väter kün-
digten die Schuld, nach Jahresfrist konnten die Junker nicht zahlen, und es wurde gegen sie verfahren.

Schon hatte sich das fromme Haus in den Besitz ihrer Felder gesetzt, da gab es Lärm. Die tapfern Brüder polterten an alle Türen,
auch an die des Marschalls Boufflers, welcher sie als wackere Solda-
ten kannte und schätzte. Er untersuchte den Handel mit Ernst und
Gründlichkeit nach seiner Weise. Der entscheidende Punkt war, daß
die Brüder behaupteten, von den frommen Vätern nicht allein
mündliche Beteuerungen, sondern, was sie völlig beruhigt und sorg-
los gemacht, zu wiederholten Malen auch gleichlautende Briefe erhalten zu haben. Diese Schriftstücke seien auf unerklärliche Weise
verloren gegangen. Wohl fänden sich in Brieform gefaltete Papiere
mit gebrochenen, übrigens leeren Siegeln, welche den Briefen der
Väter zum Verwundern glichen, doch diese Papiere seien unbe-
schrieben und entbehren jedes Inhalts.

Dergestalt fand ich, eines Tages das Kabinett des Marschalls be-
tretend, denselben damit beschäftigt, in seiner genauen Weise jene
blanken Quadrate umzuwenden und mit der Lupe vorn und hinten
zu betrachten. Ich schlug ihm vor, mir die Blätter für eine Stunde
anzuvertrauen, was er mir mit ernsten Augen bewilligte.

Ihr schenktet, Sire, der Wissenschaft und mir einen botanischen
Garten, der Euch Ehre macht, und bautet mir im Grünen einen
stillen Sitz für mein Alter. Nicht weit davon, am Nordende, habe
ich mir eine geräumige chemische Küche eingerichtet, die Ihr einmal
zu besuchen mir versprachet. Dort unterwarf ich jene fragwürdigen

Papiere wirksamen und den gelehrten Vätern vielleicht noch unbekannten Agenzien[17]. Siehe da, die erblichene Schrift trat schwarz an das Licht und offenbarte das Schelmstück der Väter Jesuiten.

Der Marschall eilte mit den verklagenden Papieren stracks zu Deiner Majestät« – König Ludwig strich sich langsam die Stirn – »und fand dort den Pater Lachaise, welcher aufs tiefste erstaunte über diese Verirrung seiner Ordensbrüder in der Provinz, zugleich aber Deiner Majestät vorstellte, welche schreiende Ungerechtigkeit es wäre, die Gedankenlosigkeit weniger oder eines einzelnen eine so zahlreiche, wohltätige und sittenreine Gesellschaft entgelten zu lassen, und dieser einzelne, der frühere Vorsteher jenes Hauses, habe überdies, wie er aus verläßlichen Quellen wisse, kürzlich in Japan unter den Heiden das Martyrium durch den Pfahl erlitten.

Wer am besten bei dieser Wendung der Dinge fuhr, das waren die vier Junker. Die Hälfte der Schuld erließen ihnen die verblüfften Väter, die andere Hälfte tilgte ein Großmütiger.«

Der König, der es gewesen sein mochte, veränderte keine Miene.

»Dem Marschall dankte dann Père Lachaise insbesondere dafür, daß er in einer bemühenden Sache die Herstellung der Wahrheit unternommen und es seinem Orden erspart habe, sich mit ungerechtem Gute zu belasten. Dann bat er ihn, der Edelmann den Edelmann, den Vätern sein Wohlwollen nicht zu entziehen und ihnen das Geheimnis zu bewahren, was sich übrigens für einen Marschall Boufflers von selbst verstehe.

Der geschmeichelte Marschall sagte zu, wollte aber wunderlicherweise nichts davon hören, die verräterischen Dokumente herauszugeben oder sie zu vernichten. Es fruchtete nichts, daß Père Lachaise ihn zuerst mit den zartesten Wendungen versuchte, dann mit den bestimmtesten Forderungen bestürmte. Nicht daß der Marschall im geringsten daran gedacht hätte, sich dieser gefährlichen Briefe gegen die frommen Väter zu bedienen; aber er hatte sie einmal zu seinen Papieren gelegt, mit deren Aufräumen und Registrieren er das Drittel seiner Zeit zubringt. In diesem Archive, wie er es nennt, bleibt vergraben, was einmal drinne liegt. So schwebte kraft der Ordnungsliebe und der genauen Gewohnheiten des Marschalls eine immerwährende Drohung über dem Orden, die derselbe dem Unvorsichtigen nicht verzieh. Der Marschall hatte keine Ahnung davon und glaubte mit den von ihm geschonten Vätern auf dem besten Fuße zu stehn.

Ich war anderer Meinung und ließ es an dringenden Vorstellungen nicht fehlen. Hart setzte ich ihm zu, seinen Knaben ohne Zöge-

[17] Wirkstoffe.

rung den Jesuiten wegzunehmen, da der verbissene Haß und der verschluckte Groll, welchen getäuschte Habgier und entlarvte Schurkerei unfehlbar gegen ihren Entdecker empfinden, sich notwendigerweise über den Orden verbreiten, ein Opfer suchen und es vielleicht, ja wahrscheinlich in seinem unschuldigen Kinde finden würden. Er sah mich verwundert an, als ob ich irre rede und Fabeln erzähle. Gerade heraus: entweder hat der Marschall einen kurzen Verstand, oder er wollte sein gegebenes Wort mit Prunk und Glorie selbst auf Kosten seines Kindes halten.

›Aber, Fagon‹, sagte er, ›was in aller Welt hat mein Julian mit dieser in der Provinz begegneten Geschichte zu schaffen? Wo ist da ein richtiger Zusammenhang? Wenn ihm übrigens die Väter ein bißchen strenger auf die Finger sehen, das kann nichts schaden. Sie haben ihn nicht übel verhätschelt. Ihnen jetzt den Knaben wegnehmen? Das wäre unedel. Man würde plaudern, Gründe suchen, vielleicht die unreinliche Geschichte ausgraben, und ich stünde da als ein Wortbrüchiger.‹ So sah der Marschall nur den Nimbus seiner Ehre, statt an sein Kind zu denken, das er vielleicht, solang es lebte, noch keines eingehenden Blickes gewürdigt hatte. Ich hätte ihn für seinen Edelmut mit dieser meiner Krücke prügeln können.

Es ging dann, wie es nicht anders gehen konnte. Nicht in auffallender Weise, ohne Plötzlichkeit und ohne eigentliche Ungerechtigkeit ließen die Väter Professoren den Knaben sinken, in welchem sie den Sohn eines Mannes zu hassen begannen, der den Orden beleidigt habe. Nicht alle unter ihnen, die bessern am wenigsten, kannten die saubere Geschichte, aber alle wußten: Marschall Boufflers hat uns beschämt und geschädigt, und alle haßten ihn.

Eine feine Giftluft schleichender Rache füllte die Säle des Kollegiums. Nicht nur jedes Entgegenkommen, sondern auch jede gerechte Berücksichtigung hatten für Julian aufgehört. Das Kind litt. Täglich und stündlich fühlte es sich gedemütigt, nicht durch lauten Tadel, am wenigsten durch Scheltworte, welche nicht im Gebrauche der Väter sind, sondern fein und sachlich, einfach dadurch, daß sie die Armut des Blondkopfes nicht länger freundlich unterstützten und die geistige Dürftigkeit nach verweigertem Almosen beschämt in ihrer Blöße dastehen ließen. Jetzt begann das Kind, von einem verzweifelnden Ehrgeiz gestachelt, seine Wachen zu verlängern, seinen Schlummer gewalttätig abzukürzen, sein Gehirn zu martern, seine Gesundheit zu untergraben – ich mag davon nicht reden, es bringt mich auf . . .«

Fagon machte eine Pause und schöpfte Atem.

Der König füllte dieselbe, indem er ruhig bemerkte: »Ich frage mich, Fagon, wieviel Wirklichkeit alles dieses hat. Ich meine diese stille Verschwörung gelehrter und verständiger Männer zum Schaden eines Kindes und dieser brütende Haß einer ganzen Gesellschaft gegen einen im Grunde ihr so ungefährlichen Mann, wie der Marschall ist, der sie ja überdies ganz ritterlich behandelt hatte. Du siehst Gespenster, Fagon. Du bist hier Partei und hast vielleicht, wer weiß, gegen den verdienten Orden neben deinem ererbten Vorurteil noch irgendeine persönliche Feindschaft.«

»Wer weiß?« stammelte Fagon. Er hatte sich entfärbt, soweit er noch erblassen konnte, und seine Augen loderten. Die Marquise wurde ängstlich und berührte heimlich den Arm ihres Schützlings, ohne daß er die warnende Hand gefühlt hätte. Frau von Maintenon wußte, daß der heftige Alte, wenn er gereizt wurde, gänzlich außer sich geriet und unglaubliche Worte wagte, selbst dem Könige gegenüber, welcher freilich dem langjährigen und tiefen Kenner seiner Leiblichkeit nachsah, was er keinem andern so leicht vergeben hätte.

Fagon zitterte. Er stotterte unzusammenhängende Sätze, und seine Worte stürzten durcheinander, wie Krieger zu den Waffen.

»Du glaubst es nicht, Majestät, Kenner der Menschenherzen, du glaubst es nicht, daß die Väter Jesuiten jeden, der sie wissentlich oder unwissentlich beleidigt, hassen bis zur Vernichtung? Du glaubst nicht, daß diese Väter weder wahr noch falsch, weder gut noch böse kennen, sondern nur ihre Gesellschaft?« Fagon schlug eine grimmige Lache auf: »Du willst es nicht glauben, Majestät!

Sage mir, König, du Kenner der Wirklichkeit«, raste Fagon abspringend weiter, »da die Rede ist von der Glaubwürdigkeit der Dinge, kannst du auch nicht glauben, daß in deinem Reiche bei der Bekehrung der Protestanten Gewalt angewendet wird?«

»Diese Frage«, erwiderte der König sehr ernsthaft, »ist die erste deiner heutigen drei Freiheiten. Ich beantworte sie. Nein, Fagon. Es wird, verschwindend wenige Fälle ausgenommen, bei diesen Bekehrungen keine Gewalt angewendet, weil ich es ein für allemal ausdrücklich untersagt habe und weil meinen Befehlen nachgelebt wird. Man zwingt die Gewissen nicht. Die wahre Religion siegt gegenwärtig in Frankreich über Hunderttausende durch ihre innere Überzeugungskraft.«

»Durch die Predigten des Père Bourdaloue[18]!« höhnte Fagon mit gellender Stimme. Dann schwieg er. Entsetzen starrte aus seinen Augen über diesen Gipfel der Verblendung, diese Mauer des

---

[18] Bekannter Jesuit, Prediger.

Vorurteils, d i e s e gänzliche Vernichtung der Wahrheit. Er betrachtete den König und sein Weib eine Weile mit heimlichem Grauen.

»Sire, meine nicht«, fuhr er fort, »daß ich Partei bin und das Blut meiner protestantischen Vorfahren aus mir spreche. Ich bin von einer ehrwürdigen Kirche abgefallen. Warum? Weil ich, Gott vorbehalten, von dem ich nicht lasse und der in meinen alten Tagen mich nicht verlassen möge, über Religionen und Konfessionen samt und sonders denke, wie jener lukrezische Vers . . .«

Weder der König noch Frau von Maintenon wußten von diesem Verse, aber sie konnten vermuten, Fagon meine nichts Frommes.

»Kennt Ihr den Tod meines Vaters, Sire?« flüsterte Fagon. »Er ist ein Geheimnis geblieben, aber Euch will ich es anvertrauen. Er war ein sanfter Mann und nährte sich, sein Weib und seine Kinder, deren letztes und sechstes ich Verwachsener war, in Auxerre von dem Verkaufe seiner Latwergen[19] redlich und kümmerlich; denn Auxerre hat eine gesunde Luft und ein Schock[20] Apotheken. Die glaubenseifrigen Einwohner, die meinen Vater liebten, wollten ihm alles Gute und hätten ihn gern der Kirche zurückgegeben, aber nicht mit Gewalt, denn Ihr habet es gesagt, Sire, man zwingt die Gewissen nicht. Also verbrüderten sie sich, die calvinistische Apotheke zu meiden. Mein Vater verlor sein Brot, und wir hungerten. Die Väter Jesuiten taten dabei, wie überall, das Beste. Da wurde sein Gewissen in sich selbst uneins. Er schwur ab. Weil aber die scharfen calvinistischen Sätze ein Gehirn, dem sie in seiner Kindheit eingegraben wurden, nicht so leicht wieder verlassen, erschien sich der Ärmste bald als ein Judas, der den Herrn verriet, und er ging hin wie jener und tat desgleichen.«

»Fagon«, sagte der König mit Würde, »du hast den armen Père Tellier wegen einer geschmacklosen Rede über seinen Vater beschimpft, und redest selber so nackt und grausam von dem deinigen. Unselige Dinge verlangen einen Schleier!«

»Sire«, erwiderte der Arzt, »Ihr habet recht und seid für mich wie für jeden Franzosen das Gesetz in Dingen des Anstandes. Freilich kann man sich von gewissen Stimmungen hinreißen lassen, in dieser Welt der Unwahrheit und ihr zum Trotz von einer blutigen Tatsache, und wäre es die schmerzlichste, das verhüllende Tuch unversehens wegzuziehen . . .

Aber, Sire, wie vorzeitig habe ich die erste meiner Freiheiten verbraucht, und wahrlich, mich gelüstet, gleich noch meine zweite zu verwenden.« Die Marquise las in den veränderten Zügen des

[19] Arznei in Form von Brei, Mus.   [20] Anzahl.

Arztes, daß sein Zorn vorüber und nach einem solchen Ausbruche an diesem Abend kein Rückfall mehr zu befürchten sei.

»Sire«, sagte Fagon fast leichtsinnig, »habt Ihr Euern Untertan, den Tiermaler Mouton[21] gekannt? Ihr schüttelt das Haupt. So nehme ich mir die große Freiheit, Euch den wenig hoffähigen, aber in diese Geschichte gehörenden Künstler vorzustellen, zwar nicht in Natur, mit seinem zerlöcherten Hut, den Pfeifenstummel zwischen den Zähnen – ich rieche seinen Knaster –, hemdärmelig und mit hangenden Strümpfen. Überdies liegt er im Grabe. Ihr liebet die Niederländer nicht, Sire, weder ihre Kirmessen auf der Leinwand, noch ihre eigenen ungebundenen Personen. Wisset, Majestät: Ihr habt einen Maler besessen, einen Picarden, der sowohl durch die Sachlichkeit seines Pinsels als durch die Zwanglosigkeit seiner Manieren die Holländer bei weiten überholländerte.

Dieser Mouton, Sire, hat unter uns gelebt, seine grasenden Kühe und seine in eine Staubwolke gedrängten Hämmel malend, ohne eine blasse Ahnung alles Großen und Erhabenen, was dein Zeitalter, Majestät, hervorgebracht hat. Kannte er deine Dichter? Nicht von ferne. Deine Bischöfe und Prediger? Nicht dem Namen nach. Mouton hatte kein Taufwasser gekostet. Deine Staatsmänner, Colbert, Lionne und die andern? Darum hat sich Mouton nie geschoren. Deine Feldherren, Condé mit dem Vogelgesicht, Turenne, Luxembourg und den Enkel der schönen Gabriele[22]? Nur den letztern, welchem er in Anet einen Saal mit Hirschjagden von unglaublich frecher Mache füllte. Vendôme mochte Mouton, und dieser nannte seinen herzoglichen Gönner in rühmender Weise einen Viehkerl, wenn ich das Wort vor den Ohren der Majestät aussprechen darf. Hat Mouton die Sonne unserer Zeit gekannt? Wußte er von deinem Dasein, Majestät? Unglaublich zu sagen: den Namen, welcher die Welt und die Geschichte füllt – vielleicht hat er nicht einmal deinen Namen gewußt, wenn ihm auch, selten genug, deine Goldstücke durch die Hände laufen mochten. Denn Mouton konnte nicht lesen, so wenig als sein Liebling, der andere Mouton.

Dieser zweite Mouton, ein weiser Pudel mit geräumigem Hirnkasten und sehr verständigen Augen, über welche ein schwarzzottiges Stirnhaar in verworrenen Büscheln niederhing, war ohne Zweifel – in den Schranken seiner Natur – der begabteste meiner drei Gäste: so sage ich, weil Julian Boufflers, von dem ich erzähle, Mouton der Mensch und Mouton der Pudel oft lange Stunden vergnügt bei mir zusammensaßen.

[21] Von Meyer erfunden.   [22] Herzog von Vendôme, Enkel der Gabrielle d'Estrées, einer Geliebten König Heinrichs IV.

Ihr wisset, Sire, die Väter Jesuiten sind freigebige Ferienspender, weil ihre Schüler, den vornehmen, ja den höchsten Ständen angehörend, öfters zu Jagden, Komödien oder sonstigen Lustbarkeiten, freilich nicht alle, nach Hause oder anderswohin gebeten werden. So nahm ich denn Julian, welcher von seinem Vater, dem Marschall, grundsätzlich selten nach Hause verlangt wurde, zuweilen in Euern botanischen Garten mit, wo Mouton, der sich unter Pflanzen und Tieren heimisch fühlte, mich zeitweilig besuchte, irgendeine gelehrte Eule oder einen possierlichen Affen mit ein paar entschiedenen Kreidestrichen auf das Papier warf und wohl auch, wenn Fleiß und gute Laune vorhielten, mir ein stilles Zimmer mit seinen scheuenden Pferden oder saufenden Kühen bevölkerte. Ich hatte Mouton den Schlüssel einer Mansarde mit demjenigen des nächsten Mauerpförtchens eingehändigt, um dem Landstreicher eine Heimstätte zu geben, wo er seine Staffeleien und Mappen unterbringe. So erschien und verschwand er bei mir nach seinem Belieben.

Einmal an einem jener kühlen und erquicklichen Regensommertage, jener Tage stillen aber schnellen Wachstumes für Natur und Geist, saß ich in meiner Bibliothek und blickte durch das hohe Fenster derselben über einen aufgeschlagenen Folianten und meine Brille hinweg in die mir gegenüberliegende Mansarde des Nebengebäudes, das Nest Moutons. Dort sah ich einen blonden schmalen Knabenkopf in glücklicher Spannung gegen eine Staffelei sich neigen. Dahinter nickte der derbe Schädel Moutons, und eine behaarte Hand führte die schlanke des Jünglings. Außer Zweifel, da wurde eine Malstunde gegeben. Mouton der Pudel saß auf einem hohen Stuhle mit rotem Kissen daneben, klug und einverstanden, als billige er höchlich diese gute Ergötzung. Ich markierte mein Buch und ging hinüber.

In meinen Filzstiefeln wurde ich von den lustig Malenden nicht gehört und nur von Mouton dem Pudel wahrgenommen, der aber seinen Gruß, ohne das Kissen zu verlassen, auf ein heftiges Wedeln beschränkte. Ich ließ mich still in einen Lehnstuhl nieder, um dem wunderlichsten Gespräche beizuwohnen, welches je in Euerm botanischen Garten, Sire, geführt wurde. Zuerst aber betrachtete ich aus meinem Winkel das Bild, welches auf der Staffelei stand, den Geruch einatmend, den die flott und freigebig gehandhabten Ölfarben verbreiteten. Was stellte es dar? Ein Nichts: eine Abendstimmung, eine Flußstille, darin die Spiegelung einiger aufgelöster roter Wölkchen und eines bemoosten Brückenbogens. Im Flusse standen zwei Kühe, die eine saufend, die andere, der auch noch das Wasser aus den Maulwinkeln troff, beschaulich blickend. Natürlich tat Mouton das Beste daran. Aber auch der Knabe besaß eine gewisse Pinselführung, welche nur das Ergebnis mancher ohne mein Wissen mit Mouton vermalten Stunde sein konnte. Wie viel oder wenig er gelernt haben mochte, schon die Illusion eines Erfolges, die Teilnahme an einer genialen Tätigkeit, einem mühelosen und glücklichen Entstehen, einer Kühnheit und Willkür der schöpferischen Hand, von welcher wohl der Phantasielose sich früher keinen Begriff gemacht hatte und die er als ein Wunder bestaunte, ließ den Knaben nach so vielen Verlusten des Selbstgefühls eine große Glückseligkeit empfinden. Das wärmste Blut rötete seine keuschen Wangen, und ein Eifer beflügelte seine Hand, daß nichts darüber ging und auch ich eine helle väterliche Freude fühlte.

Inzwischen erklärte Mouton dem Knaben die breiten Formen und schweren Gebärden einer wandelnden Kuh und schloß mit der Behauptung, es gehe nichts darüber, als die Gestalt des Stieres. Diese sei der Gipfel der Schöpfung. Er sagte wohl, um genau zu sein, der Natur, nicht der Schöpfung, denn die letztere kannte er nicht, weder den Namen, noch die Sache, da er verwahrlost und ohne Katechismus aufgewachsen war.

Wenig Glück genügte, die angeborene Heiterkeit wie eine sprudelnde Quelle aus dem Knaben hervorzulocken. Die Achtung Moutons vor dem Hornvieh komisch findend, erzählte Julian unschuldig: ›Père Amiel hat uns heute morgen gelehrt, daß die alten Ägypter den Stier göttlich verehrten. Das finde ich drollig!‹

›Sapperment‹, versetzte der Maler leidenschaftlich, ›da taten sie recht. Gescheite Leute das, Viehkerle! Nicht wahr, Mouton? Wie? Ich frage dich, Julian, ist ein Stierhaupt in seiner Macht und drohenden Größe nicht göttlicher – um das dumme Wort zu gebrauchen – als ein Dreieck oder ein Tauber oder gar ein schales Menschengesicht? Nicht wahr, Mouton? Das fühlst du doch selber, Julian? Wenn ich sage: fades Menschengesicht, so rede ich unbeschadet der Nase deines Père Amiel. Alle Achtung!‹ Mouton zeichnete, übrigens ohne jeden Spott, mit einem frechen Pinselzug auf das Tannenholz der Staffelei eine Nase, aber eine Nase, ein Ungeheuer von Nase, von fabelhafter Größe und überwältigender Komik.

›Man sieht‹, fuhr er dann in ganzem Ernste fort, ›die Natur bleibt nicht stehen. Es würde sie ergötzen, zeitweilig etwas Neues zu bringen. Doch das ist verspätet: die Vettel hat ihr Feuer verloren.‹

›Père Amiel‹, meinte der Knabe schüchtern, ›wird der Natur nicht für seine Nase danken, denn sie macht ihn lächerlich, und er hat ihrethalben viel von meinen Kameraden auszustehen.‹

›Das sind eben Buben‹, sagte Mouton großmütig, ›denen der Sinn für das Erhabene mangelt. Aber beiläufig, wie kommt es, Julian, daß ich, neulich in deinem Schulhaus einen Besuch machend, um dir die Vorlagen zu bringen, dich unter lauter Kröten fand? Dreizehn- und vierzehnjährigen Jüngelchen? Paßt sich das für dich, dem der Flaum keimt und der ein Liebchen besitzt?‹

Dieser plötzliche Überfall rief den entgegengesetzten Ausdruck zweier Gefühle auf das Antlitz des Jünglings: eine glückliche, aber tiefe Scham, und einen gründlichen Jammer, der überwog. Julian seufzte. ›Ich bin zurückgeblieben‹, lispelte er mit unwillkürlichem Doppelsinne.

›Dummheit!‹ schimpfte Mouton. ›Worin zurückgeblieben? Bist du nicht mit deinen Jahren gewachsen und ein schlanker und schöner Mensch? Wenn dir die Wissenschaften widerstehen, so beweist das deinen gesunden Verstand. Meiner Treu! ich hätte mich als ein Bärtiger oder wenigstens Flaumiger nicht unter die Buben setzen lassen und wäre auf der Stelle durchgebrannt.‹

›Aber, Mouton‹, sagte der Knabe, ›der Marschall, mein Vater, hat es von mir verlangt, daß ich noch ein Jahr unter den Kleinen sitzen bleibe. Er hat mich darum gebeten, ihm diesen Gefallen zu tun.‹ Er sagte das mit einem zärtlichen Ausdruck von Gehorsam und ehrfürchtiger Liebe, der mich ergriff, obschon ich mich zu gleicher Zeit an dem die kindliche Verehrung mißbrauchenden Marschall ärgerte und auch darüber höchst mißmutig war, daß Julian, gegen mich und jedermann ein hartnäckiger Schweiger, einem Mouton Vertrauen bewies, einem Halbmenschen sich aufschloß. Mit Unrecht. Erzählen doch auch wir Erwachsenen einem treuen Tiere, welches uns die Pfoten auf die Knie legt, unsern tiefsten Kummer, und ist es nicht ein vernünftiger Trieb aller von der Natur Benachteiligten, ihre Gesellschaft eher unten zu suchen als bei ihresgleichen, wo sie sich als Geschonte und Bemitleidete empfinden?

›Weißt du was‹, fuhr Mouton nach einer Pause fort, und der andere Mouton spitzte die Ohren dazu, ›du zeichnest dein Vieh schon jetzt nicht schlecht und lernst täglich hinzu. Ich nehme dich nach dem Süden als meinen Gesellen. Ich habe da eine Bestellung nach Schloß Grignan. Die Dingsda – wie heißt sie doch? das fette lustige Weibsbild? Richtig: die Sévigné[23]! – schickt mich ihrem Schwiegersohn, dem Gouverneur dort herum. Du gehst mit und nährst dich ausgiebig von Oliven, bist ein freier loser Vogel, der flattert und pickt, wo er will, blickst dein Lebtag in nichts Gedrucktes und auf nichts Geschriebenes mehr und lässest den Marschall Marschall sein. Auch

[23] Marquise de Sévigné, Schriftstellerin, verheiratet mit dem Grafen von Grignan.

dein blaues kühles vornehmes Liebchen bleibt dahinten. Meinst, ich hätte dich nicht gesehen, Spitzbube, erst vorgestern, da der alte Quacksalber in Versailles war, vor den Affen stehen, mit der alten Kräuterschachtel und der großen blauen Puppe? Für diese wird sich schon ein brauner sonneverbrannter Ersatz finden.‹

Dieses letzte Wort, welches noch etwas zynischer lautete, empörte mich, wiewohl es den Knaben, wie ich ihn kannte, nicht beschädigen konnte. Jetzt räusperte ich mich kräftig, und Julian erhob sich in seiner ehrerbietigen Art mich zu begrüßen, während Mouton, ohne irgendeine Verlegenheit blicken zu lassen, sich begnügte in den Bart zu murmeln: ›Der!‹ Mouton war von einer gründlichen Undankbarkeit.

Ich nahm den Knaben, während Mouton lustig fortpinselte, mit mir in den Garten und fragte ihn, ob ihn wirklich der Zyniker in seinem Collège aufgesucht hätte, was mir aus naheliegenden Gründen unangenehm war. Julian bejahte. Es habe ihn etwas gekostet, sagte er aufrichtig, unter seinen Mitschülern im Hofraum den Händedruck Moutons zu erwidern, dem die nackten Ellbogen aus den Löchern seiner Ärmel und die Zehen aus den Schuhen geguckt hätten, ›aber‹, sagte er, ›ich tat es und begleitete ihn auch noch über die Straße; denn ich danke ihm Unterricht und heitere Stunden und habe ihn auch recht lieb, ohne seine Unreinlichkeit.‹

So redete der Knabe, ohne weiter etwas daraus zu machen, und erinnerte mich an eine Szene, die ich vor kurzem aus den obern, auf den Spielplatz blickenden Arkaden des Collège, wohin man mich zu einem kranken Schüler gerufen, beobachtet hatte und von welcher ich mich lange nicht hatte trennen können. Unten war Fechtstunde, und der Fechtmeister, ein alter benarbter Sergeant, der lange Jahre unter dem Marschall gedient hatte, behandelte den Sohn seines Feldherrn, welcher kurz vorher neben Kindern auf einer Schulbank gesessen, mit fast unterwürfiger Ehrerbietung, als erwarte er Befehl, statt ihn zu geben.

Julian focht ausgezeichnet, ich hätte fast gesagt: er focht edel. Der Knabe pflegte in den langen Stunden des Auswendiglernens das Handgelenk mechanisch zu drehen, wodurch dasselbe ungewöhnlich geschmeidig wurde. Dazu hatte er genauen Blick und sichern Ausfall. So wurde er, wie gesagt, ein Fechter erster Klasse, wie er auch gut und verständig ritt. Es lag nahe, daß der überall Gedemütigte diese seine einzige Überlegenheit seine Kameraden fühlen ließ, um ein Ansehen zu gewinnen. Aber nein, er verschmähte es. Die in dieser Körperübung Geschickten und Ungeschickten behandelte er, ihnen die Klinge in der Hand gegenüberstehend, mit der gleichen

Courtoisie, ohne jemals mit jenen in eine hitzige Wette zu geraten oder sich über diese, von welchen er sich zuweilen zu ihrer Ermutigung großmütig stechen ließ, lustig zu machen. So stellte er auf dem Fechtboden in einer feinen und unauffälligen Weise jene Gleichheit her, deren er selbst in den Schulstunden schmerzlich entbehrte, und genoß unter seinen Kameraden zwar nicht einen durch die Faust eroberten Respekt, sondern eine mit Scheu verbundene Achtung seiner unerklärlichen Güte, die freilich in ein der Jugend sonst unbekanntes aufrichtiges Mitleid mit seiner übrigen Unbegabtheit verfloß. Die Ungunst des Glückes, welche so viele Seelen verbittert, erzog und adelte die seinige.

Ich war mit Julian in Euerm Garten, Sire, lustwandelnd zu den Käfigen gelangt, wo Eure wilden Tiere hinter Eisenstäben verwahrt werden. Eben hatte man dort einen Wolf eingetan, der mit funkelnden Augen und in schrägem, hastigem Gange seinen Kerker durchmaß. Ich zeigte ihn dem Knaben, welcher nach einem flüchtigen Blick auf die ruhelose Bestie sich leicht schaudernd abwendete. Der platte Schädel, die falschen Augen, die widrige Schnauze, die tückisch gefletschten Zähne konnten erschrecken. Doch ich war die Furcht an dem Knaben, der schon Jagden mitgemacht hatte, durchaus nicht gewohnt. ›Ei, Julian, was ist dir‹, lächelte ich, und dieser erwiderte befangen: ›Das Tier mahnt mich an jemand –‹ ließ dann aber die Rede fallen, denn wir erblickten auf geringe Entfernung ein vornehmes weibliches Paar, das unsere Aufmerksamkeit in Anspruch nahm: eine purzlige Alte und ein junges Mädchen, die erstere die Gräfin Mimeure – Ihr erinnert Euch ihrer, Sire, wenn sie auch seit Jahrzehnten den Hof meidet, nicht aus Nachlässigkeit, denn sie verehrt Euch grenzenlos, sondern weil sie, wie sie sagt, mit ihren Runzeln Euern Schönheitssinn nicht beleidigen will. Garstig und witzig und wie ich an einem Krückenstock gehend, ein originelles und wackeres Geschöpf, war sie mir eine angenehme Erscheinung.

›Guten Tag, Fagon!‹ rief sie mir entgegen. ›Ich betrachte deine Kräuter und komme dich um ein paar Rhabarbersträuche zu bitten für meinen Garten zu Neuilly; du weißt, ich bin ein Stück von einer Ärztin!‹ und sie nahm meinen Arm. ›Begrüßet euch, ihr Jugenden! Tun sie, als hätten sie sich nie gesehen!‹

Julian, der schüchterne, begrüßte das Mädchen, welches ihm die Fingerspitzen bot, ohne große Verlegenheit, was mich wunderte und freute: ›Mirabelle Miramion‹, nannte sie mir die Gräfin, ›ein prächtiger Name, nicht wahr, Fagon?‹ Ich betrachtete das schöne Kind, und mir fiel gleich jenes ›blaue Liebchen‹ ein, mit welchem Mouton den Knaben aufgezogen. In der Tat, sie hatte große, blaue, flehende Augen, eine kühle, durchsichtige Farbe und einen kaum vollendeten Wuchs, der noch nichts als eine zärtliche Seele ausdrückte.

Mit einer kindlichen, glockenhellen Stimme, welche zum Herzen ging, begann sie, da mich ihr die Gräfin als den Leibarzt des Königs vorstellte, folgendermaßen: ›Erster der Ärzte und Naturforscher, ich verneige mich vor Euch in diesem weltberühmten Garten, welchen Euch die Huld des mächtigsten Herrschers, der dem Jahrhundert den Namen gibt, in seiner volkreichen und bewundernswerten Hauptstadt gebaut hat.‹ Ich wurde so verblüfft von dieser weitläufigen verblühten Rhetorik in diesem kleinen lenzfrischen Munde, daß ich der Alten das Wort ließ, welche gutmütig verdrießlich zu schelten begann: ›Laß es gut sein, Bellchen. Fagon schenkt dir das übrige. Unter Freunden, Kind – denn Fagon ist es und kein Spötter – wie oft hab’ ich dich schon gebeten in den drei Wochen, da ich dich um mich habe, von diesem verwünschten gespreizten provinzialen Reden abzulassen! So spricht man nicht. Dieser hier ist nicht der erste der Ärzte, sondern schlechthin Herr Fagon. Der botanische Garten ist kurzweg der botanische Garten, oder der Kräutergarten, oder der königliche Garten. Paris ist Paris und nicht die Hauptstadt, und der König begnügt sich damit, der König zu sein. Merke dir das.‹ Der Mund des Mädchens öffnete sich schmerzlich, und ein Tränchen rieselte über die blühende Wange.

Da wendete sich zu meinem Erstaunen Julian in großer Erregung gegen die Alte. ›Um Vergebung, Frau Gräfin!‹ sprach er kühn und heftig. ›Die Rhetorik ist eine geforderte, unentbehrliche Sache und schwierig zu lernen. Ich muß das Fräulein bewundern, wie reich sie redet, und Père Amiel, wenn er sie hörte –‹

›Père Amiel!‹ – die Gräfin brach in ein tolles Gelächter aus, bis sie das Zwerchfell schmerzte – ›Père Amiel hat eine Nase! aber eine Nase! eine Weltnase! Stelle dir vor, Fagon, eine Nase, welche die des Abbé Genest[24] beschämt! Was ich im Collège zu schaffen hatte? Ich holte dort meinen Neffen ab – du weißt, Fagon, ich habe die Kinder von zwei verstorbenen Geschwistern auf dem Halse – meinen Neffen, den Guntram – armer, armer Junge! – und wurde, bis Père Tellier, der Studienpräfekt zurückkäme, in die Rhetorik des Père Amiel geführt. O Gott! o Gott!‹ Die Gräfin hielt sich den wackelnden Bauch. ›Hab’ ich gelitten an verschlucktem Lachen! Zuerst das sich ermordende römische Weibsbild! Der Pater erdolchte sich mit dem Lineal. Dann verzog er süß das Maul und hauchte: ‚Päte, es schmerzt nicht!‘ Aber was wollte das heißen gegen die

[24] Hofdichter.

sterbende Kleopatra mit der Viper! Der Père setzte sich das Lineal
an die linke Brustwarze und ließ die Äuglein brechen. Daß du das
nicht gesehen hast, Fagon!... Ih!‹ kreischte sie plötzlich, daß es
mir durch Mark und Bein ging, ›da ist ja auch Père Tellier!‹ und sie
deutete auf den Wolf, von welchem wir uns nicht über zwanzig
Schritte entfernt hatten. ›Wahrhaftig, Père Tellier, wie er leibt und
lebt! Gehen wir weg von deinen garstigen Tieren, Fagon, zu deinen
wohlriechenden Pflanzen! Gib mir den Arm, Julian!‹

›Frau Gräfin erlauben‹, fragte dieser, ›warum nanntet Ihr den
Guntram einen armen Jungen, ihn, der jetzt den Lilien folgt, wenn
er nicht schon die Ehre hat, die Fahne des Königs selbst zu tragen?‹

›Ach, ach!‹ stöhnte die Gräfin mit plötzlich verändertem Gesichte,
und den Tränen des Gelächters folgten die gleichfarbigen des Jam-
mers, ›warum ich den Guntram einen armen Jungen nannte? Weil
er gar nicht mehr vorhanden ist, Julian, weggeblasen! Dazu bin ich
in den Garten gekommen, wo ich dich vermutete, um dir zu sagen,
daß Guntram gefallen ist, denke dir, am Tage nach seiner Ankunft
beim Heer. Er wurde gleich eingestellt und führte eine Patrouille so
tollkühn und unnütz vor, daß ihn eine Stückkugel zerriß, nicht
mehr, nicht weniger als den weiland Marschall Turenne. Stelle dir
vor, Fagon: der Junge hatte noch nicht sein sechzehntes erreicht,
strebte aber aus dem Collège, wo er rasch und glücklich lernte,
wachend und träumend nach der Muskete. Und dabei war er kurzsichtig, Fagon, du machst dir keinen Begriff! So kurzsichtig, daß er
auf zwanzig Schritte nichts vor sich hatte als Nebel. Natürlich haben ich und alle Vernünftigen ihm den Degen ausgeredet – nutzte
alles nichts, denn er ist ein Starrkopf erster Härte. Ich stritt mich
mütterlich mit dem Jungen herum, aber eines schönen Tages entlief
er und rannte zu deinem Vater, Julian, der eben in den Wagen
stieg, um sein niederländisches Kommando zu übernehmen. Dieser
befragte das Kind, wie er mir jetzt selbst geschrieben hat, ob es
unter einem väterlichen Willen stünde, und als der Junge verneinte,
ließ ihn der Marschall in seinem Reisezuge mitreiten. Nun fault der
kecke Bube dortüben‹ – sie wies nördlich – ›in einem belgischen
Weiler. Aber die schmalen Erbteile seiner fünf Schwestern haben
sich ein bißchen gebessert.‹

Ich las auf dem Gesichte Julians, wie tief und verschiedenartig
ihn der Tod seines Gespielen bewegte. Jenen hatte der Marschall in
den Krieg genommen und sein eigenes Kind auf einer ekeln Schulbank sitzen lassen. Doch der Knabe glaubte so blindlings an die
Gerechtigkeit seines Vaters, auch wenn er sie nicht begriff, daß die

Wolke rasch über die junge Stirn wegglitt und einem deutlichen Ausdruck der Freude Raum gab.

›Du lachst, Julian?‹ schrie die Alte entsetzt.

›Ich denke‹, sagte dieser bedächtig, als kostete er jedes Wort auf der Zunge, ›der Tod für den König ist in allen Fällen ein Glück.‹

Diese ritterliche, aber nicht lebenslustige Maxime und der unnatürlich glückliche Ton, in welchem der Knabe sie aussprach, beelendete die gute Gräfin. Ein halbverschluckter Seufzer bezeugte, daß sie das Leiden des Knaben und seine Mühe zu leben wohl verstand. ›Begleite Mirabellen, Julian‹, sagte sie, ›und geht uns voraus, dorthin nach den Palmen, nicht zu nahe, denn ich habe mit Fagon zu reden, nicht zu fern, damit ich euch hüte.‹

›Wie schlank sie schreiten!‹ flüsterte die Alte hinter den sich Entfernenden. ›Adam und Eva! Lache nicht, Fagon! Ob das Mädchen Puder und Reifrock trägt, wandeln sie doch im Paradiese, und auch unschuldig sind sie, weil eine leidenvolle Jugend auf ihnen liegt und sie die reine Liebe empfinden läßt, ohne den Stachel ihrer Jahre. Mich beleidigt nicht, was mir sonst mißfällt, daß das Mädel ein paar Jahre und Zolle‹ – sie übertrieb – ›mehr hat als der Junge. Wenn d i e nicht zusammengehören!

Es ist eine lächerliche Sache mit dem Mädchen, Fagon, und ich sah, wie es dich verblüffte, da du von dem schönen Kinde so geschmacklos angeredet wurdest. Und doch ist dieser garstige Höcker ganz natürlich gewachsen. Meine Schwester, die Vicomtesse, Gott habe sie selig, sie war eine Kostbare, eine Precieuse, die sich um ein halbes Jahrhundert verspätet hatte, und erzog das Mädchen in Dijon, wo ihr Mann dem Parlamente und sie selbst einem poetischen Garten vorsaß, mit den Umschreibungen und Redensarten des weiland Fräuleins von Scudéry[25]. Es gelang ihr, dem armen folgsamen Kinde den Geschmack gründlich zu verderben. Ich wette‹ – und sie wies mit ihrer Krücke auf die zweie, welche, aus den sich einander zärtlich aber bescheiden zuneigenden Gestalten zu schließen, einen seligen Augenblick genossen – ›jetzt plaudert sie ganz harmlos mit dem Knaben, denn sie hat eine einfache Seele und ein keusches Gemüt. Die Luft, die sie aushaucht, ist reiner als die, welche sie einatmet. Aber geht sie dann morgen mit mir in Gesellschaft und kommt neben ein großes Tier, einen Erzbischof oder Herzog zu sitzen, wird sie von einer tödlichen Furcht befallen, für albern oder nichtig zu gelten, und behängt ihre blanke Natur aus reiner Angst

[25] Madeleine de Scudéry (1607–1701), französische Schriftstellerin. Hier Anspielung auf den Stil ihrer Romane und der Unterhaltungen in ihrem Salon, der zu einem Mittelpunkt des geistigen und gesellschaftlichen Paris geworden war.

mit dem Lumpen einer geflickten Phrase. So wird die Liebliche unter uns, die wir klar und kurz reden, gerade zu dem, was sie fürchtet, zu einer lächerlichen Figur. Ist das ein Jammer und werde ich Mühe haben, das Kind zurecht zu bringen! Und der Julian, der dumme Kerl, der sie noch darin bestärkt!‹

›Uff!‹ keuchte die Gräfin, die das Gehen an der Krücke ermüdete, und ließ sich schwer auf die Steinbank nieder in dem Rondell von Myrten und Lorbeeren, wo, Sire, Eure Büste steht.

›Von dem Knaben zu reden, Fagon‹, begann sie wieder, ›den mußt du mir ohne Verzug von der Schulbank losmachen. Es war empörend, ich sage dir, empörend, Fagon, ihn unter den Jungen sitzen zu sehen. Der Marschall, dieser schreckliche Pedant, würde ihn bei den Jesuiten verschimmeln lassen! Nur damit er seine Klassen beendige! Bei den Jesuiten, Fagon! Ich habe dem Père Amiel auf den Zahn gefühlt. Ich kitzelte ihn mit seiner Mimik. Er ist ein eitler Esel, aber er hat Gemüt. Er beklagte den Julian und ließ dabei einfließen, sehr behutsam, doch deutlich genug: der Knabe wäre bei den Vätern schlecht aufgehoben. Diese seien die besten Leute von der Welt, nur etwas empfindlich, und man dürfe sie nicht reizen. Der Marschall sei ihnen auf die Füße getreten: der neue Studienpräfekt aber lasse mit der Ehre des Ordens nicht spaßen und gebe dem Kinde die Schuld des Vaters zu kosten. Dann erschrak er über seine Aufrichtigkeit, blickte um sich und legte den Finger auf den Mund.

Ich nahm die Knaben mit: den Guntram, unsern Julian, der mit ihm irgendein Geheimnis hatte, und noch einen dritten Freund, den Viktor Argenson, diesen zu meiner eigenen Ergötzung, denn er ist voller Mutwille und Gelächter.

An jenem Abend trieb er es zu toll. Er und Guntram quälten Mirabellen, die ich schon zu Mittag für eine ellenlange Phrase gezankt hatte, bis aufs Blut. ‚Schön ausgedrückt, Fräulein Mirobolante‘, spotteten sie, ‚aber noch immer nicht schön genug! Noch eine Note höher!‘ und so fort. Julian verteidigte das Mädchen, so gut er konnte, und vermehrte nur das Gelächter. Plötzlich brach die Mißhandelte in strömende Tränen aus, und ich trieb die Rangen in den großen Saal, wo ich mit ihnen ein Ballspiel begann. Nach einer Weile Julian und Mirabellen suchend, fand ich sie im Garten, wo sie auf einer stillen Bank zusammensaßen: Amor und Psyche. Sie erröteten, da ich sie überraschte, nicht allzusehr.

Merke dir's, Fagon, der Julian ist jetzt mein Adoptivkind, und wenn du ihn nicht von den Vätern befreiest und ihm ein mögliches Leben verschaffst, meiner Treu! dann stelze ich an dieser Krücke nach Versailles und bringe trotz meiner Runzeln die Sache an den hier!‹ und sie wies auf deine lorbeerbekränzte Büste, Majestät.

Die Alte plauderte mir noch hundert Dinge vor, während ich beschloß, sobald sie sich verabschiedet hätte, mit dem Knaben ein gründliches Wort zu reden.

Er und das Mädchen erschienen dann wieder, still strahlend. Der Wagen der Gräfin wurde gemeldet und Julian begleitete die Frauen an die Pforte, während ich meine Lieblingsbank vor der Orangerie aufsuchte. Ich labte mich an dem feinen Dufte. Mouton, einen lästerlichen Knaster dampfend und die Hände in den Taschen, schlenderte ohne Gruß an mir vorüber. Er pflegte seine Abende außerhalb des Gartens in einer Schenke zu beschließen. Mouton der Pudel dagegen empfahl sich mir heftig wedelnd. Ich bin gewiß, das kluge Tier erriet, daß ich seinen Meister gern dem Untergang entrissen hätte, denn Mouton der Mensch soff gebranntes Wasser, was zu berichten ich vergessen oder vor der Majestät mich geschämt habe.

Der Knabe kam zurück, weich und glücklich. ›Laß mich einmal sehen, was du zeichnest und malst‹, sagte ich. ›Es liegt ja wohl alles auf der Kammer Moutons.‹ Er willfahrte und brachte mir eine volle Mappe. Ich besah Blatt um Blatt. Seltsamer Anblick, diese Mischung zweier ungleichen Hände: Moutons freche Würfe von der bescheidenen Hand des Knaben nachgestammelt und – leise geadelt! Lange hielt ich einen blauen Bogen, worauf Julian einige von Mouton in verschiedenen Flügelstellungen mit Hilfe der Lupe gezeichnete Bienen unglaublich sorgfältig wiedergegeben. Offenbar hatte der Knabe die Gestalt des Tierchens liebgewonnen. Wer mir gesagt hätte, daß die Zeichnung eines Bienchens den Knaben töten würde!

Zu unterst in der Mappe lag noch ein unförmlicher Fetzen, worauf Mouton etwas gesudelt hatte, was meine Neugierde fesselte. ›Das ist nicht von mir‹, sagte Julian, ›es hat sich angehängt.‹ Ich studierte das Blatt, welches die wunderliche Parodie einer ovidischen Szene enthielt: jener, wo Pentheus rennt, von den Mänaden gejagt, und Bacchus, der grausame Gott, um den Flüchtenden zu verderben, ein senkrechtes Gebirge vor ihm in die Höhe wachsen läßt. Wahrscheinlich hatte Mouton den Knaben, der zuweilen seinen Aufgaben in der Malkammer oblag, die Verse Ovids mühselig genug übersetzen hören und daraus seinen Stoff geschöpft. Ein Jüngling, unverkennbar Julian in allen seinen Körperformen, welche Moutons Malerauge leichtlich besser kannte als der Knabe selbst, ein schlanker Renner, floh, den Kopf mit einem Ausdrucke tödlicher Angst nach ein paar ihm nachjagenden Gespenstern umgewendet. Keine Bacchantinnen, Weiber ohne Alter, verkörperte Vorstellungen, Ängstigungen, folternde Gedanken – eines dieser Scheusale trug einen langen Jesuitenhut auf dem geschorenen Schädel und einen Folianten in der Hand – und erst die Felswand, wüst und unerklimmbar, die vor dem Blicke zu wachsen schien, wie ein finsteres Schicksal!

Ich sah den Knaben an. Dieser betrachtete das Blatt ohne Widerwillen, ohne eine Ahnung seiner möglichen Bedeutung. Auch Mouton mochte sich nicht klar gemacht haben, welches schlimme Omen er in genialer Dumpfheit auf das Blatt hingeträumt hatte. Ich steckte dasselbe unwillkürlich, um es zu verbergen, in die Mitte der Blätterschicht, bevor ich diese in die Mappe schob.

›Julian‹, begann ich freundlich, ›ich beklage mich bei dir, daß du mir Mouton vorgezogen hast, ihn zu deinem Vertrauten machend, während du dich gegen mein Wohlwollen, das du kennst, in ein unbegreifliches Schweigen verschlossest. Fürchtest du dich, mir dein Unglück zu sagen, weil ich imstande bin, dasselbe klar zu begrenzen und richtig zu beurteilen, und du vorziehst, in hoffnungslosem Brüten dich zu verzehren? Das ist nicht mutig.‹

Julian verzog schmerzlich die Brauen. Aber noch einmal spielte ein Strahl der heute genossenen Seligkeit über sein Antlitz. ›Herr Fagon‹, sagte er halb lächelnd, ›eigentlich habe ich meinen Gram nur dem P u d e l Mouton erzählt.‹

Dieses artige Wort, welches ich ihm nicht zugetraut hätte, überraschte mich. Der Knabe deutete meine erstaunte Miene falsch. Er glaubte sich mißredet zu haben. ›Fraget mich, Herr Fagon‹, sagte er, ›ich antworte Euch die Wahrheit.‹

›Du hast Mühe zu leben?‹

›Ja, Herr Fagon.‹

›Man hält dich für beschränkt, und du bist es auch, doch vielleicht anders, als die Leute meinen.‹ Das harte Wort war gesprochen.

Der Knabe versenkte den Blondkopf in die Hände und brach in schweigende Tränen aus, welche ich erst bemerkte, da sie zwischen seinen Fingern rannen. Nun war der Bann gebrochen.

›Ich will Euch meine Kümmernis erzählen, Herr Fagon‹, schluchzte er, das Antlitz erhebend.

›Tue das, mein Kind, und sei gewiß, daß ich dich jetzt, da wir Freunde sind, verteidigen werde wie mich selbst. Niemand wird dir künftig etwas anhaben, weder du noch ein anderer! Du wirst dich wieder an Luft und Sonne freuen und dein Tagewerk ohne Grauen beginnen.‹

Der Knabe glaubte an mich und faßte mit hoffenden Augen Vertrauen. Dann begann er sein Leid zu erzählen, halb schon wie ein vergangenes.

>Einen schlimmen Tag habe ich gelebt, und die übrigen waren nicht viel besser. Es war an einem Herbsttage, daß ich mit Guntram zu seinem Ohm, dem Komtur, nach Compiègne fuhr. Wir wollten uns dort im Schießen üben, für uns beide ein neues Vergnügen und eine Probe unserer Augen.

Wir hatten ein leichtes Zweigespann, und Guntram unterhielt mich in einer Staubwolke von seiner Zukunft. Diese könne nur eine militärische sein. Zu anderem habe er keine Lust. Der Komtur empfing uns weitläufig, aber Guntram hielt nicht Ruhe, bis wir auf Distanz vor der Scheibe standen. Keinen einzigen Schuß brachte er hinein. Denn er ist kurzsichtig wie niemand. Er biß sich in die Lippe und regte sich schrecklich auf. Dadurch wurde auch seine Hand unsicher, während ich ins Schwarze traf, weil ich sah und zielte. Der Komtur wurde abgerufen, und Guntram schickte den Bedienten nach Wein. Er leerte einige Gläser, und seine Hand fing an zu zittern. Mit hervorquellenden Augen und verzerrtem Gesichte schleuderte er seine Pistole auf den Rasen, hob sie dann aber wieder auf, lud sie, lud auch die meinige und verlor sich mit mir in das Dickicht des Parkes.

Auf einer Lichtung hob er die eine und bot mir die andere. ,Ich mache ein Ende!' schrie er verzweifelt. ,Ich bin ein Blinder und die taugen nicht ins Feld, und wenn ich nicht ins Feld tauge, will ich nicht leben! Du begleitest mich! Auch du taugst nicht ins Leben, obwohl du beneidenswert schießest, denn du bist der größte Dummkopf, das Gespötte der Welt!' ,Und Gott?' fragte ich. ,Ein hübscher Gott', hohnlachte er und zeigte dem Himmel die Faust, ,der mir Kriegslust und Blindheit und dir einen Körper ohne Geist gegeben hat!' Wir rangen, ich entwaffnete ihn und er schlug sich in die Büsche.

Seit jenem Tage war ich ein Unglücklicher, denn Guntram hatte ausgesprochen, was ich wußte, aber mir selbst verhehlte, so gut es gehen wollte. Stets hörte ich das Wort Dummkopf hinter mir flüstern, auf der Straße wie in der Schule, und meine Ohren schärften sich, das grausame Wort zu vernehmen. Es mag auch sein, daß meine Mitschüler, über welche ich sonst nicht zu klagen habe, wenn sie sich außer dem Bereiche meines Ohres glauben, kürzehalber mich so nennen. Sogar das Semmelweib mit den verschmitzten Runzeln, die Lisette, welche vor dem Collège ihre Ware vertreibt, sucht mich zu betrügen, oft recht plump, und glaubt es zu dürfen, weil sie mich einen Dummen nennen hört. Und doch hangt an der Mauer des Collège Gott der Heiland, der in die Welt gekommen ist, um Gerechtigkeit gegen alle und Milde gegen die Schwachen zu lehren.< Er schwieg und schien nachzudenken.

Dann fuhr er fort: ›Ich will mich nicht besser machen, Herr Fagon, als ich bin. Auch ich habe meine bösen Stunden. Bei keinem Spiele würde ich Sonne und Schatten ungerecht verteilen, und wie kann Gott bei dem irdischen Wettspiel einem Einzelnen Bleigewichte anhängen und ihm dann zurufen: Dort ist das Ziel: lauf mit den andern! Oft, Herr Fagon, habe ich vor dem Einschlafen die Hände gefaltet und den lieben Gott brünstig angefleht, er möge, was ich eben mühselig erlernt, während des Schlafes in meinem Kopfe wachsen und erstarken lassen, was ja die bloße Natur den andern gewährt. Ich wachte auf und hatte alles vergessen und die Sonne erschreckte mich.

Vielleicht‹, flüsterte er scheu, ›tue ich dem lieben Gott unrecht. Er hülfe gern, gütig wie er ist, aber er hat wohl nicht immer die Macht. Wäre das nicht möglich, Herr Fagon? Wurde es dann allzu arg, besuchte mich die Mutter im Traum und sagte mir: ‚Halt aus, Julian! Es wird noch gut!‘‹

Diese unglaublichen Naivitäten und kindischen Widersprüche zwangen mich zu einem Lächeln, welches ein Grinsen sein mochte. Der Knabe erschrak über sich selbst und über mich. Dann sagte er, als hätte er schon zu lange gesprochen, hastig, nicht ohne Bitterkeit, denn die Zuversicht hatte ihn im Laufe seiner Erzählung wieder verlassen: ›Nun weiß jedermann, daß ich dumm bin, selbst der König, und diesem hätte ich es so gerne verheimlicht‹ – Julian mochte auf jenen Marly anspielen – ›einzig meinen Vater ausgenommen, der nicht daran glauben will.‹

›Mein Sohn‹, sagte ich und legte die Hand auf seine schlanke Schulter, ›ich philosophiere nicht mit dir. Willst du mir aber glauben, so trage ich dich durch die Wellen. Wie du bist, ich werde dich in den Port bringen. Zwar du wirst trotz deines schönen Namens kein Heer und keine Flotte führen, aber du wirst auch keine Schlacht leichtsinnig verlieren zum Schaden deines Königs und deines Vaterlandes. Dein Name wird nicht wie der deines Vaters in unsern Annalen stehen, aber im Buche der Gerechten, denn du kennst die erste Seligpreisung, daß das Himmelreich den Armen im Geiste gehört.

Merk auf! Der erste Punkt ist: du gehst ins Feld und kämpfst in unsern Reihen für den König und das jetzt so schwer bedrohte Frankreich. Im Kugelregen wirst du erfahren, ob du leben darfst. Daß du bald hinein kommst, dafür sorge ich. Du bleibst oder du kehrst heim mit dem Selbstvertrauen eines Braven. Ohne Selbstvertrauen kein Mann! Niemand wird dir leicht ins Gesicht spotten. Dann wirst du ein einfacher Diener deines Königs und erfüllst deine Pflicht aufs strengste, wie es in dir liegt. Du hast Ehre und Treue, und deren bedarf die Majestät. Unter denen, die sie umgeben, ist kein Überfluß daran. Marstall, Jagd oder Wache, ein Dienst wird sich finden, wie du ihn zu verrichten verstehst. Deine Geburt wird dich statt des eigenen Verdienstes vor andern begünstigen: das mache dich demütig. Die Majestät, wenn sie sich im Rate müde gearbeitet hat, liebt es, ein zwangloses Wort an einen Schweigsamen und unbedingt Getreuen zu richten. Du bist zu einfach, um dich in eine Intrige zu mischen; dafür wird dich keine Intrige zugrunde richten. Man wird, wie die Welt ist, hinter deinem Rücken höhnen und spotten, aber du blickst nicht um. Du wirst gütig und gerecht sein mit deinen Knechten und keinen Tag beendigen ohne eine Wohltat. Im übrigen: verzichte!‹

Der Knabe blickte mich mit gläubigen Augen an. ›Das sind Worte des Evangeliums‹, sagte er.

›Verzichtet nicht jedermann‹, scherzte ich, ›selbst deine Gönnerin, Frau von Maintenon, selbst der König auf einen Schmuck oder eine Provinz? Habe ich, Fagon, nicht ebenfalls verzichtet, vielleicht bitterer als du, wenn auch auf meine eigene Weise? Verwaist, arm, mit einem elenden Körper, der sich gerade in deinen Jahren von Tag zu Tag verwuchs und verbog, habe ich nicht eine strenge Muse gewählt, die Wissenschaft? Glaubst du, ich hatte kein Herz, keine Sinne? Ein zärtliches Herzchen, Julian! – und entsagte ein für allemal dem größten Reiz des Daseins, der Liebe, welche deinem schlanken Wuchse und deinem leeren Blondkopf nur so angeworfen wird!‹« Fagon trug, was ihn vielleicht in seiner Jugend schwer bedrängt hatte, mit einem so komischen Pathos vor, daß es den König belustigte und der Marquise schmeichelte.

»Ich begleitete Julian bis an die Pforte und zog ihn mit Mirabellen auf. ›Ihr habt rasch gemacht‹, sagte ich. Es ist so gekommen‹, antwortete er unbefangen. ›Man hat sie mit dem Geiste gequält, sie weinte und da faßte ich ein Vertrauen. Auch gleicht sie meiner Mutter.‹

Eine Arie aus irgendeiner verschollenen Oper meiner Jugendzeit trällernd, die einzige, deren ich mächtig bin, kehrte ich zu meiner Bank vor der Orangerie zurück. Er muß gleich ins Feld, sagte ich mir. Wenig fehlte, ich schlug ihm vor: ohne weiteres eines meiner Rosse zu satteln und stracks an die Grenze zum Heere zu jagen; aber dieser kühne Ungehorsam hätte den Knaben nicht gekleidet. Überdies wußte man, daß der Marschall für einmal nur die Grenzen sicherte und die Festungen in Flandern instand setzte, um vor einer entscheidenden Schlacht nach Versailles zurückzukehren und die endgültigen Befehle deiner Majestät zu empfangen. Dann wollte ich ihn fassen.

Als ich, die liegengebliebene Mappe noch einmal öffnend, den Inhalt zurechtschüttelte, da, siehe! lag der Pentheus mit der grausigen Felswand obenauf, den ich geschworen hätte in die Mitte der Blätter geschoben zu haben ...

Wenig später begab es sich, daß Mouton der Pudel, in dem Gedränge der Rue Saint-Honoré seinen Herrn suchend, verkarrt wurde. Er schläft in deinem Garten, Majestät, wo ihn Mouton der Mensch unter einer Catalpa[26] beerdigte und mit seinem Taschenmesser in die Rinde des Baumes schnitt: >II Moutons<.

Und wirklich lag er bald neben seinem Pudel. Es war Zeit. Der Trunk hatte ihn unterhöhlt, und sein Verstand begann zu schwanken. Ich beobachtete ihn mitunter aus meinem Bibliothekfenster, wie er in seiner Kammer vor der Staffelei saß und nicht nur vernehmlich mit dem Geiste seines Pudels plauderte, sondern auch mit hündischer Miene gähnte oder schnellen Maules nach Fliegen schnappte, ganz in der Art seines abgeschiedenen Freundes. Eine Wassersucht zog ihn danieder. Es ging rasch, und als ich eines Tages an sein Lager trat, in der Hand einen Löffel voll Medizin, drehte er seinem Wohltäter mit einem unaussprechlichen Worte den Rükken, kehrte das Gesicht gegen die Wand und war fertig.

Es begab sich ferner, daß der Marschall aus dem Felde nach Versailles zurückkehrte. Da sein Aufenthalt kein langer sein konnte, ergriff ich den Augenblick. Ich war entschlossen, Julian an der Hand, vor ihn zu treten und ihm die ganze Wahrheit zu sagen.

Ich fuhr bei den Jesuiten vor. In der Nähe der Hauptpforte hielt das von den Dienern kaum gebändigte feurige Viergespann des Marschalls, Julian erwartend, um den Knaben rasch nach Versailles zu bringen. Das Tor des Jesuitenhauses öffnete sich, und Julian wankte heraus, in welchem Zustande! Das Haupt vorfallend, den Rücken gebrochen, die Gestalt geknickt, auf unsichern Füßen, den Blick erloschen, während die Augen Viktor Argensons, welcher den Freund führte, loderten wie Fackeln. Die verblüfften Diener in ihren reichen Livreen beeiferten sich, ihren jungen Herrn rasch und behutsam in den Wagen zu heben. Ich sprang aus dem meinigen, den Knaben von einer tückischen Seuche ergriffen glaubend.

>Um Gottes willen, Julian<, schrie ich, >was ist mit dir?< Keine Antwort. Der Knabe starrte mich mit abwesendem Geiste an. Ich weiß nicht, ob er mich kannte. Ich begriff, daß der sonst schon Verschlossene jetzt nicht reden werde, und da überdies der Stallmeister

[26] Trompetenbaum.

drängte: ›Hinein, Herr, oder zurück!‹, denn die ungeduldigen Rosse
bäumten sich, so ließ ich das Kind fahren, mir versprechend, ihm
bald nach Versailles zu folgen. Schon hatte sich um die aufregende
Szene vor dem Jesuitenhause ein Zusammenlauf gebildet, dessen
Neugierde ich zu entrinnen wünschte, und Viktor erblickend, welcher mit leidenschaftlicher Gebärde dem im Sturm davongetragenen
Gespielen nachrief: ›Mut, Julian! Ich werde dich rächen!‹, stieß ich
den Knaben vor mich in meinen Wagen und stieg ihm nach. ›Wohin,
Herr?‹ fragte mein Kutscher. Bevor ich antwortete, schrie das geistes-
gegenwärtige Kind: ›Ins Kloster Faubourg Saint-Antoine!‹

In dem genannten Kloster hat sich, wie Ihr wisset, Sire, Euer
Ideal von Polizeiminister einen stillen Winkel eingerichtet, wo er
nicht überlaufen wird und heimlich für die öffentliche Sicherheit
von Paris sorgen kann. ›Viktor‹, fragte ich durch das Geräusch der
Räder, ›was ist? was hat sich begeben?‹

›Ein riesiges Unrecht!‹ wütete der Knabe. ›Père Tellier, der Wolf,
hat Julian mit Riemen gezüchtigt, und er ist unschuldig! Ich bin der
Anstifter! Ich bin der Täter! Aber ich will dem Julian Gerechtigkeit
verschaffen, ich fordere den Pater auf Pistolen!‹ Diese Absurdität,
mit dem Geständnisse Viktors, das Unglück verschuldet zu haben,
brachte mich dergestalt auf, daß ich ihm ohne weiteres eine salzige
Ohrfeige zog. ›Sehr gut!‹ sagte er. ›Kutscher, du schleichst wie eine
Schnecke!‹ Er steckte ihm sein volles Beutelchen zu. ›Rasch! peitsche!
jage! Herr Fagon, seid gewiß, der Vater wird dem Julian Gerechtigkeit verschaffen! O, er kennt die Jesuiten, diese Schurken, diese
Schufte, und ihre schmutzige Wäsche! Ihn aber fürchten sie wie den
Teufel!‹ Ich hielt es für unnötig, das rasende Kind weiter zu fragen,
da er ja seine Beichte vor dem Vater ablegen würde, und die fliegenden Rosse schon das schlechte Pflaster der Vorstadt mit ihren Hufen
schlugen, daß die Funken spritzten. Wir waren angelangt und wurden sogleich vorgelassen.

Argenson blätterte in einem Aktenstoß. ›Wir überfallen, Argenson!‹ entschuldigte ich.

›Nicht, nicht, Fagon‹, antwortete er mir die Hand schüttelnd und
rückte mir einen Stuhl. ›Was ist denn mit dem Jungen? Er glüht ja
wie ein Ofen.‹ ›Vater –‹ ›Halt das Maul! Herr Fagon redet.‹

›Argenson‹, begann ich, ›ein schwerer Unfall, vielleicht ein großes
Unglück hat sich zugetragen. Julian Boufflers‹ – ich blickte den
Minister fragend an – ›Weiß von dem armen Knaben‹, sagte er –
›wurde bei den Jesuiten geschlagen, und der Knabe fuhr nach Versailles in einem Zustande, der, wenn ich richtig sah, der Anfang
einer gefährlichen Krankheit ist. Viktor kennt den Hergang.‹

›Erzähle!‹ gebot der Vater. ›Klar, ruhig, umständlich. Auch der kleinste Punkt ist wichtig. Und lüge nicht!‹

›Lügen?‹ rief der empörte Knabe, ›werde ich da lügen, wo nur die Wahrheit hilft? Diese Schufte, die Jesuiten –‹

›Die Tatsachen!‹ befahl der Minister mit einer Rhadamanthusmiene[27]. Viktor nahm sich zusammen und erzählte mit erstaunlicher Klarheit.

›Es war vor der Rhetorik des Père Amiel, und wir steckten die Köpfe zusammen, welchen Possen wir dem Nasigen spielen würden. ,Etwas Neues!‘ rief man von allen Seiten, ,etwas noch nicht Dagewesenes! eine Erfindung!‘ Da fiel uns ein –‹

›Da fiel m i r ein‹, verbesserte der Vater.

›– mir ein, Julian, der so hübsch zeichnet, zu bitten, uns etwas mit der Kreide an die schwarze Tafel zu malen. Ich legte ihm, der auf seiner Bank über den Büchern saß, eine Lektion einlernend – er lernt so unglaublich schwer – den Arm um den Hals. ,Zeichne uns etwas!‘ schmeichelte ich. ,Ein Rhinozeros!‘ Er schüttelte den Kopf. ,Ich merke‘, sagte er, ,ihr wollt damit nur den guten Pater ärgern, und da tue ich nicht mit. Es ist eine Grausamkeit. Ich zeichne euch keine Nase.‘

,Aber einen Schnabel, eine Schleiereule, du machst die Eulen so komisch!‘

,Auch keinen Schnabel, Viktor.‘

Da sann ich ein wenig und hatte einen Einfall. Der Minister runzelte seine pechschwarze Braue. Viktor fuhr mit dem Mute der Verzweiflung fort: ,Zeichne uns ein Bienchen, Julian‘, sagte ich, ,du kannst das so allerliebst!‘ ,Warum nicht?‘ antwortete er dienstfertig und zeichnete mit sorgfältigen Zügen ein nettes Bienchen auf die Tafel.

,Schreibe etwas bei!‘

,Nun ja, wenn du willst‘, sagte er und schrieb mit der Kreide: ,abeille[28]‘.

,Ach, du hast doch gar keine Einbildungskraft, Julian! Das lautet trocken.‘

,Wie soll ich denn schreiben, Viktor?‘

,Wenigstens das Honigtierchen, bête à miel.‘‹

Der Minister begriff sofort das alberne Wortspiel: bête à miel und bête Amiel[29]. ›Da hast du etwas dafür!‹ rief er empört und gab

---

[27] Rhadamanthus, Bruder des Königs Minos von Kreta; nach dessen Tod einer der drei Richter in der Unterwelt. – Hier: Richtermiene. [28] Biene. [29] Der dumme Amiel.

dem Erfinder des Calembourgs[30] eine Ohrfeige, gegen welche die meinige eine Liebkosung gewesen war.

›Sehr gut!‹ sagte der Knabe, dem das Ohr blutete.

›Weiter! und mach es kurz!‹ befahl der Vater, ›damit du mir aus den Augen kommst!‹

›— In diesem Augenblick trat Père Amiel ein, schritt auf und nieder, beschnüffelte die Tafel, verstand und tat dergleichen, der Schäker, als ob er nicht verstünde. Aber: ‚Bête Amiel! dummer Amiel!‘ scholl es erst vereinzelt, dann aus mehreren Bänken, dann vollstimmig, ‚bête Amiel! dummer Amiel!‘

Da – Schrecken – wurde die Tür aufgerissen. Es war der reißende Wolf, der Père Tellier. Er hatte durch die Korridore spioniert und zeigte jetzt seine teuflische Fratze.

‚Wer hat das gezeichnet?‘

‚Ich‘, antwortete Julian fest. Er hatte sich die Ohren verhalten, seine Lektion zu studieren fortfahrend, und verstand und begriff, wie er ja überhaupt so schwer begreift, nichts von nichts.

‚Wer hat das geschrieben?‘

‚Ich‘, sagte Julian.

Der Wolf tat einen Sprung gegen ihn, riß den Verblüfften empor, preßte ihn an sich, ergriff einen Bücherriemen und –‹ Dem Erzählenden versagte das Wort.

›Und du hast geschwiegen, elende Memme?‹ donnerte der Minister. ›Ich verachte dich! Du bist ein Lump!‹

›Geschrien habe ich wie einer, den sie morden‹, rief der Knabe, ›‚ich war es! ich! ich!‘ Auch Père Amiel hat sich an den Wolf geklammert, die Unschuld Julians beteuernd. Er hörte es wohl, der Wolf! Aber mir krümmte er kein Haar, weil ich dein Sohn bin und dich die Jesuiten fürchten und achten. Den Marschall aber hassen sie und fürchten ihn nicht. Da mußte der Julian herhalten. Aber ich will dem Wolf mein Messer‹ – der Knabe langte in die Tasche – ›zwischen die Rippen stoßen, wenn er nicht –‹

Der gestrenge Vater ergriff ihn am Kragen, schleppte ihn gegen die Türe, öffnete sie, warf ihn hinaus und riegelte. Im nächsten Augenblicke schon wurde draußen mit Fäusten gehämmert und der Knabe schrie: ›Ich gehe mit zum Père Tellier! Ich trete als Zeuge auf und sage ihm: Du bist ein Ungeheuer!‹

›Im Grunde, Fagon‹, wendete sich der Minister kaltblütig gegen mich, ohne sich an das Gepolter zu kehren, ›hat der Junge recht: wir beide suchen den Pater auf, ohne Verzug, fallen ihn mit der

---

[30] Sinnreiches Wortspiel.

nackten Wahrheit an, breiten sie wie auf ein Tuch vor ihm aus und nötigen ihn mit uns zu Julian zu gehen, heute noch, sogleich, und in unsrer Gegenwart dem Mißhandelten Abbitte zu tun.‹ Er blickte nach einer Stockuhr. ›Halb zwölf. Père Tellier hält seine Bauer-zeiten fest. Er speist Punkt Mittag mit Schwarzbrot und Käse. Wir finden ihn.‹

Argenson zog mich mit sich fort. Wir stiegen ein und rollten.

›Ich kenne den Knaben‹, wiederholte der Minister. ›Nur eines ist mir in seiner Geschichte unklar. Es ist Tatsache, daß die Väter damit anfingen, ihn zu hätscheln und in Baumwolle einzuwickeln. Seine Kameraden, auch mein Halunke, haben sich oft darüber aufgehal-ten. Ich begreife, daß die Väter, wie sie beschaffen sind, das Kind hassen, seit der Marschall das Mißgeschick hatte, sie zu entlarven. Aber warum sie, denen der Marschall gleichgültig war, einen Vorteil darin fanden, das Kind zuerst über die dem Schwachen gebührende Schonung hinaus zu begünstigen, das entgeht mir.‹

›Hm‹, machte ich.

›Und gerade das muß ich wissen, Fagon.‹

›Nun denn, Argenson‹, begann ich mein Bekenntnis – auch dir, Majestät, lege ich es ab, denn dich zumeist habe ich beleidigt – ›da ich Julian bei den Vätern um jeden Preis warm betten wollte und ihm keine durchschlagende Empfehlung wußte – man plaudert ja zuweilen ein bißchen, und so erzählte ich den Vätern Rapin und Bouhours, die ich in einer Damengesellschaft fand, Julians Mutter sei dir, dem Könige, eine angenehme Erscheinung gewesen. Die reine Wahrheit. Kein Wort darüber hinaus, bei meiner Ehre, Argen-son!‹ Dieser verzog das Gesicht.

Du, Majestät, zeigest mir ein finsteres und ungnädiges. Aber, Sire, trage ich die Schuld, wenn die Einbildungskraft der Väter Jesuiten das Reinste ins Zweideutige umarbeitet?

›Als sie dann‹, fuhr ich fort, ›den Marschall zu hassen und sich für ihn zu interessieren begannen, lauschten und forschten sie nach ihrer Weise, erfuhren aber nichts, als daß Julians Mutter das reinste Ge-schöpf der Erde war, bevor sie der Engel wurde, der jetzt über die Erde lächelt. Leider kamen die Väter zur Überzeugung ihres Irr-tums gerade, da das Kind desselben am meisten bedurft hätte.‹ Ar-genson nickte.«

»Fagon«, sagte der König fast strenge, »das war deine dritte und größte Freiheit. Spieltest du so leichtsinnig mit meinem Namen und dem Rufe eines von dir angebeteten Weibes, hättest du m i r wenig-stens diesen Frevel verschweigen sollen, selbst wenn deine Ge-schichte dadurch unverständlicher geworden wäre. Und sage mir,

Fagon: hast du da nicht nach dem verrufenen Sätze gehandelt, daß der Zweck die Mittel heilige? Bist du in den Orden getreten?«

»Wir alle sind es ein bißchen, Majestät«, lächelte Fagon und fuhr fort:

»Mitte Weges begegneten wir dem Père Amiel, der wie ein Unglücklicher umherirrte und, meinen Wagen erkennend, sich so verzweifelt gebärdete, daß ich halten ließ. Am Kutschenschlage entwickelte er seine närrische Mimik und war im Augenblicke von einem Kreise toll lachender Gassenjungen umgeben. Ich hieß ihn einsteigen.

›Der Mutter Gottes sei gedankt, daß ich Euch finde, Herr Fagon! Dem Julian, welchen Ihr beschützet, ist ein Leid geschehen, und unschuldig ist er, wie der zerschmetterte kleine Astyanax[31]!‹ deklamierte der Nasige. ›Wenn Ihr, Herr Fagon, den seltsamen Blick gesehen hättet, welchen der Knabe gegen seinen Henker erhob, diesen Blick des Grauens und der Todesangst!‹ Père Amiel schöpfte Atem. ›Flöhe ich über Meer, mich verfolgte dieser Blick! Begrübe ich mich in einen finstern Turm, er dränge durch die Mauer! Verkröche ich mich —‹

›Wenn Ihr Euch nur nicht verkriechet, Professor‹, unterbrach ihn der Minister, ›jetzt, da es gilt, dem Père Tellier – denn zu diesem fahren wir und Ihr fahret mit – ins Angesicht Zeugnis abzulegen! Habt Ihr den Mut?‹

›Gewiß, gewiß!‹ beteuerte Père Amiel, der aber merklich erblaßte und in seiner Soutane zu schlottern begann. Père Tellier ist selbst in seinem feinen Orden als ein Roher und Gewaltsamer gefürchtet.

Da wir am Profeßhause ausstiegen, Père Amiel den Vortritt gebend, sprang Viktor vom Wagenbrett, wo er neben dem Bedienten die Fahrt aufrecht mitgemacht hatte. ›Ich gehe mit!‹ trotzte er. Argenson runzelte die Stirn, ließ es aber zu, nicht unzufrieden, einen zweiten Zeugen mitzubringen.

Père Tellier verleugnete sich nicht. Argenson bedeutete den Pater und den Knaben, im Vorzimmer zurückzubleiben. Sie gehorchten, jener erleichtert, dieser unmutig. Der Pater Rektor bewohnte eine dürftige, ja armselige Kammer, wie er auch eine verbrauchte Soutane trug, Tag und Nacht dieselbe. Er empfing uns mit gekrümmtem Rücken und einem falschen Lächeln in den ungeschlachten und wilden Zügen. ›Womit diene ich meinem Herrn?‹ fragte er süßlich grinsend.

---

[31] Sohn des Hektor und der Andromache; nach der Eroberung Trojas wurde er von den Griechen von der Mauer herabgestürzt.

›Hochwürden‹, antwortete Argenson und wies den gebotenen Stuhl, der mit Staub bedeckt war und eine zerbrochene Lehne hatte, zurück, ›ein Leben steht auf dem Spiel. Wir müssen eilen es zu retten. Heute wurde der junge Boufflers im Kollegium irrtümlich gezüchtigt. Irrtümlich. Ein durchtriebener Range hat den beschränkten Knaben etwas auf die Tafel zeichnen und schreiben lassen, das sich zu einer albernen Verspottung des Père Amiel gestaltete, ohne daß Julian Boufflers die leiseste Ahnung hatte, wozu er mißbraucht wurde. Es ist leicht zu beweisen, daß er der einzige seiner Klasse war, der solche Possen tadelte und nach Kräften verhinderte. Hätte er den fraglichen Streich in seinem Blondkopfe ersonnen, dann war die Züchtigung eine zweifellos verdiente. So aber ist sie eine fürchterliche Ungerechtigkeit, die nicht schnell und nicht voll genug gesühnt werden kann. Dazu kommt noch etwas unendlich Schweres. Der mißverständlich Gezüchtigte, ein Kind an Geist, hatte die Seele eines Mannes. Man glaubte einen Jungen zu strafen und hat einen Edelmann mißhandelt.‹

›Ei, ei‹, erstaunte der Pater, ›was Exzellenz nicht alles sagen! Kann eine einfache Sache so verdreht werden? Ich gehe durch die Korridore. Das ist meine Pflicht. Ich höre Lärm in der Rhetorik. Père Amiel ist ein Gelehrter, der den Orden ziert, aber er weiß sich nicht in Respekt zu setzen. Unsre Väter lieben es nicht, körperlich zu züchtigen, aber das konnte nicht länger gehn, ein Exempel mußte statuiert werden. Ich trete ein. Eine Sottise steht auf der Tafel. Ich untersuche. Boufflers bekennt. Das übrige verstand sich.

Unbegabt? beschränkt? Im Gegenteil, durchtrieben ist er, ein Duckmäuser. Stille Wasser sind tief. Was ihm mangelt, ist die Aufrichtigkeit, er ist ein Heuchler und Gleisner. Hat's geschmerzt? O die zarte Haut! Ein Herrensöhnchen, wie? Tut mir leid, wir Väter Jesu kennen kein Ansehn der Person. Auch hat uns der Marschall selbst gebeten, sein Kind nicht zu verziehn. Ich war älter als jener, da ich meine letzten und besten Streiche erhielt, im Seminar, vierzig weniger einen wie Sankt Paulus, der auch ein Edelmann war. Bin ich draufgegangen? Ich rieb mir die Stelle, mit Züchten geredet, und mir war wohler als zuvor. Und ich war unschuldig, von der Unschuld dieses Verstockten aber überzeugt mich niemand!‹

›Vielleicht doch, Hochwürden!‹ sagte Argenson und rief die zwei Harrenden herein.

›Viktor‹, bleckte der Jesuit den eintretenden Knaben an, ›du hast es nicht getan! Für dich stehe ich. Du bist ein gutartiges Kind. Ein Dummkopf wärest du, dich für schuldig zu erklären, den niemand anklagt!‹

Viktor, der in trotzigster Haltung nahte, schaute dem Unhold tapfer ins Gesicht, aber der Mut sank ihm. Sein Herz erbebte vor der wachsenden Wildheit dieser Züge und den funkelnden Wolfsaugen.

Er machte rasch. ›Ich habe den Julian verleitet, der nichts davon verstand‹, sagte er. ›Das schrie ich Euch in die Ohren, aber Ihr wolltet nicht hören, weil Ihr ein Bösewicht seid!‹

›Genug!‹ befahl Argenson und wies ihm die Türe. Er ging nicht ungern. Er begann sich zu fürchten.

›Père Amiel‹, wandte sich der Minister gegen diesen, ›Hand aufs Herz, konnte Julian das Wortspiel erfinden?‹

Der Pater zauderte, mit einem bangen Blick auf den Rektor. ›Mut, Pater‹, flüsterte ich, ›Ihr seid ein Ehrenmann!‹

›Unmöglich, Exzellenz, wenn nicht Achill[32] eine Memme und Thersites[33] ein Held war!‹ beteuerte Père Amiel, sich mit seiner Rhetorik ermutigend. ›Julian ist schuldlos wie der Heiland!‹

Das erdfarbene Gesicht des Rektors verzerrte sich vor Wut. Er war gewohnt, im Kollegium blinden Gehorsam zu finden und ertrug nicht den geringsten Widerspruch.

›Wollt Ihr kritisieren, Bruder?‹ schäumte er. ›Kritisiert zuerst Euer tolles Fratzenspiel, das Euch dem Dümmsten zum Spotte macht! Ich habe den Knaben gerecht behandelt!‹

Diese Herabwürdigung seiner Mimik brachte den Pater gänzlich außer sich und ließ ihn für einen Augenblick alle Furcht vergessen. ›Gerecht?‹ jammerte er. ›Daß Gott erbarm'! Wie oft hab' ich Euch gebeten, dem Unvermögen des Knaben Rechnung zu tragen und ihn nicht zu zerstören! Wer antwortete mir: ,Meinethalben gehe er drauf!' wer hat das gesprochen?‹

›Mentiris impudenter[34]!‹ heulte der Wolf.

›Mentiris impudentissime, pater reverende[35]!‹ überschrie ihn der Nasige, an allen Gliedern zitternd.

›Mir aus den Augen!‹ herrschte der Rektor, mit dem Finger nach der Türe weisend, und der kleine Pater rettete sich, so geschwind er konnte.

Da wir wieder zu Dreien waren, ›Hochwürden‹, sprach der Minister ernst, ›es wurde der Vorwurf gegen Euch erhoben, den Knaben zu hassen. Eine schwere Anklage! Widerlegt und beschämt dieselbe, indem Ihr mit uns geht und Julian Abbitte tut. Niemand wird dabei zugegen sein, als wir zwei.‹ Er deutete auf mich. ›Das genügt.

---

[32] Tapferer Griechenheld, Haupthheld der ›Ilias‹. [33] Ein durch seine Häßlichkeit und seine Lästerzunge bekannter Grieche, ein Maulheld. [34] Das ist schamlos gelogen! [35] Das ist am schamlosesten gelogen, ehrwürdiger Vater!

Dieser Herr ist der Leibarzt des Königs und um die Gesundheit des Knaben in schwerer Sorge. Ihr entfärbet Euch? Laßt es Euch kosten und bedenket: Der, dessen Namen Ihr traget, gebietet, die Sonne nicht über einem Zorne untergehen zu lassen, wieviel weniger über einer Ungerechtigkeit!‹

Ein Unrecht bekennen und sühnen! Der Jesuit knirschte vor Ingrimm.

›Was habe ich mit dem Nazarener zu schaffen?‹ lästerte er, in verwundetem Stolze sich aufbäumend, und der Häßliche schien gegen die Decke zu wachsen wie ein Dämon. ›Ich bin der Kirche! Nein, des Ordens! . . . Und was habe ich mit dem Knaben zu schaffen? Nicht ihn hasse ich, sondern seinen Vater, der uns verleumdet hat! verleumdet! schändlich verleumdet!‹

›Nicht der Marschall‹, sagte ich verdutzt, ›sondern mein Laboratorium hat die Väter – verleumdet.‹

›Fälschung! Fälschung!‹ tobte der Rektor. ›Jene Briefe wurden nie geschrieben! Ein teuflischer Betrüger hat sie untergeschoben!‹ und er warf mir einen mörderischen Blick zu.

Ich war betroffen, ich gestehe es, über diese Macht und Gewalt: Tatsachen zu vernichten, Wahrheit in Lüge und Lüge in Wahrheit zu verwandeln.

Père Tellier rieb sich die eiserne Stirn. Dann veränderte er das Gesicht und beugte sich vor dem Minister halb kriechend, halb spöttisch:

›Exzellenz, ich bin Euer gehorsamer Diener, aber Ihr begreift: ich kann die Gesellschaft nicht so tief erniedrigen, einem Knaben Abbitte zu leisten.‹

Argenson wechselte den Ton nicht minder gewandt. Er stellte sich neben Tellier mit einem unmerklichen Lächeln der Verachtung in den Mundwinkeln. Der Pater bot das Ohr.

›Seid Ihr gewiß‹, wisperte der Minister, ›daß Ihr den Sohn des Marschalls gegeißelt habt, und nicht das edelste Blut Frankreichs?‹

Der Pater zuckte zusammen. ›Es ist nichts daran‹, wisperte er zurück. ›Ihr narrt mich, Argenson.‹

›Ich habe keine Gewißheit. In solchen Dingen gibt es keine. Aber die bloße Möglichkeit würde Euch als – Ihr wißt, was ich meine und wozu Ihr vorgeschlagen seid – unmöglich machen.‹

Ich glaubte zu sehen, Sire, wie Hochmut und Ehrgeiz sich in den düstern Zügen Eures Beichtvaters bekämpften, aber ich konnte den Sieger nicht erraten.

›Ich denke, ich gehe mit den Herren‹, sagte Père Tellier.

›Kommt, Pater!‹ drängte der Minister und streckte die Hand gegen ihn aus.

›Aber ich muß die Soutane wechseln. Ihr seht, diese ist geflickt, und ich könnte in Versailles der Majestät begegnen.‹ Er öffnete ein Nebenzimmer.

Argenson blickte ihm über die Schulter und sah in einen niedern Verschlag mit einem nackten Schragen und einem wurmstichigen Schreine.

›Mit Vergunst, Herren‹, lispelte der Jesuit schämig, ›ich habe mich noch nie vor weltlichen Augen umgekleidet.‹

Argenson faßte ihn an der Soutane. ›Ihr haltet Wort?‹

Père Tellier streckte drei schmutzige Finger gegen etwas Heiliges, das im Dunkel einer Ecke klebte, entschlüpfte und schloß die Tür bis auf eine kleine Spalte, welche Argenson mit der Fußspitze offen hielt.

Wir hörten den Schrank öffnen und schließen. Zwei stille Minuten verstrichen. Argenson stieß die Türe auf. Weg war Père Tellier. Hatte er der Einflüsterung Argensons nicht geglaubt und nur die Gelegenheit ergriffen, aus unserer Gegenwart zu entrinnen? Oder hatte er sie geglaubt, der eine Dämon seines Ordens aber den andern, der Stolz den Ehrgeiz überwältigt? Wer blickt in den Abgrund dieser finstern Seele?

›Meineidiger!‹ fluchte der Minister, öffnete den Schrein, erblickte eine Treppe und stürzte sich hinab. Ich stolperte und fiel mit meiner Krücke nach. Unten standen wir vor den höchlich erstaunten Mienen eines vornehmen Novizen mit den feinsten Manieren, welcher auf unsere Frage nach dem Pater bescheiden erwiderte, seines Wissens sei derselbe vor einer Viertelstunde in Geschäften nach Rouen verreist.

Argenson gab jede Verfolgung auf. ›Eher schleppte ich den Cerberus[36] aus der Hölle als dieses Ungeheuer nach Versailles! . . . Überdies, wo ihn finden in den hundert Schlupfwinkeln der Gesellschaft? Ich gehe. Schickt nach frischen Pferden, Fagon, und eilet nach Versailles. Erzählt alles der Majestät. Sie wird Julian die Hand geben und zu ihm sprechen: Der König achtet dich, dir geschah zuviel! und der Knabe ist ungegeißelt.‹ Ich gab ihm recht. Das war das Beste, das einzig gründlich Heilsame, wenn es nicht zu spät kam.«

Fagon betrachtete den König unter seinen buschigen greisen Brauen hervor, welchen Eindruck auf diesen die ihm entgegengehaltene Larve seines Beichtigers gemacht hätte. Nicht daß er sich schmeichelte, Ludwig werde seine Wahl widerrufen. Warnen aber hatte er

[36] Der vielköpfige Hund Plutos, der den Eingang der Unterwelt bewachte.

den König wollen vor diesem Feinde der Menschheit, der mit seinen Dämonenflügeln das Ende einer glänzenden Regierung verschatten sollte. Allein Fagon las in den Zügen des Allerchristlichsten nichts als ein natürliches Mitleid mit dem Lose des Sohnes einer Frau, die dem Gebieter flüchtig gefallen hatte, und das Behagen an einer Erzählung, deren Wege wie die eines Gartens in einen und denselben Mittelpunkt zusammenliefen: der König, immer wieder der König!

»Weiter, Fagon«, bat die Majestät, und dieser gehorchte, gereizt und in verschärfter Laune.

»Da die Pferde vor einer Viertelstunde nicht anlangen konnten, trat ich bei einem dem Profeßhause gegenüber wohnenden Bader, meinem Klienten, ein und bestellte ein laues Bad, denn ich war angegriffen. Während das Wasser meine Lebensgeister erfrischte, machte ich mir die herbsten Vorwürfe, den mir anvertrauten Knaben vernachlässigt und seine Befreiung verschoben zu haben. Nach einer Weile störte mich durch die dünne Wand ein unmäßiges Geplauder. Zwei Mädchen aus dem untern Bürgerstande badeten nebenan. ›Ich bin so unglücklich!‹ schwatzte die eine und kramte ein dummes Liebesgeschichtchen aus, ›so unglücklich!‹ Eine Minute später kicherten sie zusammen. Während ich meine Lässigkeit verklagte und eine zentnerschwere Last auf dem Gewissen trug, schäkerten und bespritzten sich neben mir zwei leichtfertige Nymphen.

In Versailles –«

König Ludwig wendete sich jetzt gegen Dubois, den Kammerdiener der Marquise, der, leise eingetreten, flüsterte: »Die Tafel der Majestät ist gedeckt.« »Du störst, Dubois«, sagte der König, und der alte Diener zog sich zurück mit einem leisen Ausdrucke des Erstaunens in den geschulten Mienen, denn der König war die Pünktlichkeit selber.

»In Versailles«, wiederholte Fagon, »fand ich den Marschall tafelnd mit einigen seiner Standesgenossen. Da war Villars, jeder Zoll ein Prahler, ein Heros, wie man behauptet und ich nicht widerspreche, und der unverschämteste Bettler, wie du ihn kennst, Majestät; da war Villeroy, der Schlachtenverlierer, der nichtigste der Sterblichen, der von den Abfällen deiner Gnade lebt, mit seinem unzerstörlichen Dünkel und seinen großartigen Manieren; Grammont mit dem vornehmen Kopfe, der mich gestern in deinem Saale, Majestät, und an deinen Spieltischen mit gezeichneten Karten betrogen hat, und Lauzun, der unter seiner sanften Miene gründlich Verbitterte und Boshafte. Vergib, ich sah deine Höflinge verzerrt im grellen Lichte meiner Herzensangst. Auch die Gräfin Mimeure war geladen und Mirabelle, die neben Villeroy saß, welcher dem armen Kinde mit seinen siebzigjährigen Geckereien angst und bange machte.

Julian war von seinem Vater zur Tafel befohlen und bleich wie der Tod. Ich sah, wie ihn der Frost schüttelte, und betrachtete unverwandt das Opfer mit heiliger Scheu.

Das Gespräch – gibt es beschleunigende Dämonen, die den Steigenden stürmisch emporheben und den Gleitenden mit grausamen Füßen in die Tiefe stoßen? – das Gespräch wurde über Disziplinarstrafen im Heere geführt. Man war verschiedener Meinung. Es wurde gestritten, ob überhaupt körperlich gezüchtigt werden solle, und wenn ja, mit welchem Gegenstande, mit Stock, Riemen oder flacher Klinge. Der Marschall, menschlich wie er ist, entschied sich gegen jede körperliche Strafe, außer bei unbedingt entehrenden Vergehen, und Grammont, der falsche Spieler, stimmte ihm bei, da die Ehre, wie Boileau sage, eine Insel mit schroffen Borden sei, welche, einmal verlassen, nicht mehr erklommen werden könne. Villars gebärdete sich, wenn ich es sagen soll, wie ein Halbnarr und erzählte, einer seiner Grenadiere habe, wahrscheinlich ungerechterweise gezüchtigt, sich mit einem Schusse entleibt, und er – Marschall Villars – habe in den Tagesbefehl gesetzt: Lafleur habe Ehre besessen auf seine Weise. Das Gespräch kreuzte sich. Der Knabe folgte ihm mit irren Augen. ›Schläge‹, ›Ehre‹, ›Ehre‹, ›Streiche‹ scholl es hin- und herüber. Ich flüsterte dem Marschall ins Ohr: ›Julian ist leidend, er soll zu Bette.‹ ›Julian darf sich nicht verwöhnen‹, erwiderte er. ›Der Knabe wird sich zusammennehmen. Auch wird die Tafel gleich aufgehoben.‹ Jetzt wendete sich der galante Villeroy gegen seine schüchterne Nachbarin. ›Gnädiges Fräulein‹, näselte er und spreizte sich, ›sprecht und wir werden ein Orakel vernehmen!‹ Mirabelle, schon auf Kohlen sitzend, überdies geängstigt durch das entsetzliche Aussehen Julians, verfiel natürlich in ihre Gewöhnung und antwortete: ›Körperliche Gewalttat erträgt kein Untertan des stolzesten der Könige: ein so Gebrandmarkter lebt nicht länger!‹ Villeroy klatschte Beifall und küßte ihr den Nagel des kleinen Fingers. Ich erhob mich, faßte Julian und riß ihn weg. Dieser Aufbruch blieb fast unbemerkt. Der Marschall mag denselben bei seinen Gästen entschuldigt haben.

Während ich den Knaben entkleidete – er selbst kam nicht mehr damit zustande – sagte er: ›Herr Fagon, mir ist wunderlich zumute. Meine Sinne verwirren sich. Ich sehe Gestalten. Ich bin wohl krank. Wenn ich stürbe –‹ er lächelte. ›Wisset Ihr, Herr Fagon, was heute bei den Jesuiten geschehen ist? Lasset meinen Vater nichts davon wissen! nie! nie! Es würde ihn töten!‹ Ich versprach es ihm und hielt Wort, obgleich es mich Überwindung kostete. Noch zur Stunde ahnt der Marschall nichts davon.

Den Kopf schon im Kissen, bot mir Julian die glühende Hand. ›Ich danke Euch, Herr Fagon . . . für alles . . . Ich bin nicht undankbar, wie Mouton.‹

Deine Majestät zu bemühen, war jetzt überflüssig. In der nächsten Viertelstunde schon redete Julian irre. Prozeß und Urteil lagen in den Händen der Natur. Die Fieber wurden heftig, der Puls jagte. Ich ließ mir ein Feldbett in der geräumigen Kammer aufschlagen und blieb auf dem Posten. In das anstoßende Zimmer hatte der Marschall seine Mappen und Karten tragen lassen. Er verließ seinen Arbeitstisch stündlich, um nach dem Knaben zu sehen, welcher ihn nicht erkannte. Ich warf ihm feindselige Blicke zu. ›Fagon, was hast du gegen mich?‹ fragte er. Ich mochte ihm nur nicht antworten.

Der Knabe phantasierte viel, aber im Bereiche seines lodernden Blickes schwebten nur freundliche und aus dem Leben entschwundene Gestalten. Mouton erschien und auch Mouton der Pudel sprang auf das Bette. Am dritten Tage saß die Mutter neben Julian.

Drei Besuche hatte er erhalten. Viktor kratzte an der Türe und brach, von mir eingelassen, in ein so erschütterndes Wehgeschrei aus, daß ich ihn wegschaffen mußte. Dann klopfte der Finger Mirabellens. Sie trat an das Lager Julians, der eben in einem unruhigen Halbschlummer lag, und betrachtete ihn. Sie weinte wenig, sondern drückte ihm einen brünstigen Kuß auf den dürren Mund. Julian fühlte weder den Freund noch die Geliebte.

Unversehens meldete sich auch Père Amiel, den ich nicht abwies. Da ihn der Kranke mit fremden Augen anstarrte, sprang er possierlich vor dem Bette herum und rief: ›Kennst du mich nicht mehr, Julian, deinen Père Amiel, den kleinen Amiel, den Nasen-Amiel? Sage mir nur mit einem Wörtchen, daß du mich lieb hast!‹ Der Knabe blieb gleichgültig. Gibt es elysische Gefilde, denke ich dort den Père zu finden, ohne langen Hut, mit proportionierter Nase, und Hand in Hand mit ihm einen Gang durch die himmlischen Gärten zu tun.

Am vierten Abende ging der Puls rasend. Ein Gehirnschlag konnte jeden Augenblick eintreten. Ich trat hinüber zum Marschall.

›Wie steht es?‹

›Schlecht.‹

›Wird Julian leben?‹

›Nein. Sein Gehirn ist erschöpft. Der Knabe hat sich überarbeitet.‹

›Das wundert mich‹, sagte der Marschall, ›ich wußte das nicht.‹ In der Tat, ich glaube, daß er es nicht wußte. Meine Langmut war zu

Ende. Ich sagte ihm schonungslos die Wahrheit und warf ihm vor, sein Kind vernachlässigt und zu dessen Tode geholfen zu haben. Das Golgatha bei den Jesuiten verschwieg ich. Der Marschall hörte mich schweigend an, den Kopf nach seiner Art etwas auf die rechte Seite geneigt. Seine Wimper zuckte, und ich sah eine Träne. Endlich erkannte er sein Unrecht. Er faßte sich mit der Selbstbeherrschung des Kriegers und trat in das Krankenzimmer.

Der Vater setzte sich neben seinen Knaben, der jetzt unter dem Drucke entsetzlicher Träume lag. ›Ich will ihm wenigstens‹, murmelte der Marschall, ›das Sterben erleichtern, was an mir liegt. Julian!‹ sprach er in seiner bestimmten Art. Das Kind erkannte ihn.

›Julian, du mußt mir schon das Opfer bringen, deine Studien zu unterbrechen. Wir gehen miteinander zum Heere ab. Der König hat an der Grenze Verluste erlitten, und auch der Jüngste muß jetzt seine Pflicht tun.‹ Diese Rede verdoppelte die Reiselust eines Sterbenden . . . Einkauf von Rossen . . . Aufbruch . . . Ankunft im Lager . . . Einritt in die Schlachtlinie . . . Das Auge leuchtete, aber die Brust begann zu röcheln. ›Die Agonie!‹ flüsteret ich dem Marschall zu.

›Dort die englische Fahne! Nimm sie!‹ befahl der Vater. Der sterbende Knabe griff in die Luft. ›Vive le roi![37]‹ schrie er und sank zurück wie von einer Kugel durchbohrt.«

Fagon hatte geendet und erhob sich. Die Marquise war gerührt. »Armes Kind!« seufzte der König und erhob sich gleichfalls.

»Warum arm«, fragte Fagon heiter, »da er hingegangen ist als ein Held?«

---

[37] Es lebe der König!

Es war in Verona. Vor einem breiten Feuer, das einen weiträumigen Herd füllte, lagerte in den bequemsten Stellungen, welche der Anstand erlaubt, ein junges Hofgesinde männlichen und weiblichen Geschlechtes um einen ebenso jugendlichen Herrscher und zwei blühende Frauen. Dem Herde zur Linken saß diese fürstliche Gruppe, welcher die übrigen in einem Viertelkreise sich anschlossen, die ganze andere Seite des Herdes nach höfischer Sitte freilassend. Der Gebieter war derjenige Scaliger[38], welchen sie Cangrande[39] nannten. Von den Frauen, in deren Mitte er saß, mochte die nächst dem Herd etwas zurück und ins Halbdunkel gelehnte sein Eheweib, die andere, vollbeleuchtete, seine Verwandte oder Freundin sein, und es wurden mit bedeutsamen Blicken und halblautem Gelächter Geschichten erzählt.

Jetzt trat in diesen sinnlichen und mutwilligen Kreis ein gravitätischer Mann, dessen große Züge und lange Gewänder aus einer andern Welt zu sein schienen. »Herr, ich komme, mich an deinem Herde zu wärmen«, sprach der Fremdartige halb feierlich, halb geringschätzig, und verschmähte hinzuzufügen, daß die lässige Dienerschaft trotz des frostigen Novemberabends vergessen oder versäumt hatte, Feuer in der hochgelegenen Kammer des Gastes zu machen.

»Setze dich neben mich, mein Dante[40]«, erwiderte Cangrande, »aber wenn du dich gesellig wärmen willst, so blicke mir nicht nach deiner Gewohnheit stumm in die Flamme! Hier wird erzählt, und die Hand, welche heute Terzinen[41] geschmiedet hat – auf meine astrologische Kammer steigend, hörte ich in der deinigen mit dumpfem Gesange Verse skandieren[42] –, diese wuchtige Hand darf es heute nicht verweigern, das Spielzeug eines kurzweiligen Geschichtchens, ohne es zu zerbrechen, zwischen ihre Finger zu nehmen. Beurlaube die Göttinnen« – er meinte wohl die Musen[43] – »und vergnüge dich mit diesen schönen Sterblichen.« Der Scaliger zeigte seinem Gaste mit einer leichten Handbewegung die zwei Frauen, von welchen die größere, die scheinbar gefühllos im Schatten saß, nicht daran dachte zu rücken, während die kleinere und aufgeweckte dem

---

[38] Italienisches Fürstengeschlecht in Verona. [39] Cangrande della Scala (1291 bis 1329), Herrscher von Verona. [40] Dante Alighieri (1265–1321), größter italienischer Dichter. [41] Versmaß von Dantes ›Göttlicher Komödie‹, Dreizeiler. [42] Nach Versfüßen lesen. [43] Die neun Schutzgöttinnen der Künste und Wissenschaften.

Florentiner bereitwillig neben sich Raum machte. Aber dieser gab der Einladung seines Wirtes keine Folge, sondern wählte stolz den letzten Sitz am Ende des Kreises. Ihm mißfiel entweder die Zwei-weiberei des Fürsten – wenn auch vielleicht nur das Spiel eines Abends – oder dann ekelte ihn der Hofnarr, welcher, die Beine vor sich hingestreckt, neben dem Sessel Cangrandes auf dem herab-geglittenen Mantel desselben am Boden saß.

Dieser, ein alter zahnloser Mensch mit Glotzaugen und einem schlaffen, verschwätzten und vernaschten Maul – neben Dante der einzige Bejahrte der Gesellschaft – hieß Gocciola, das heißt das Tröpfchen, weil er die letzten klebrigen Tropfen aus den geleerten Gläsern zusammenzunaschen pflegte, und haßte den Fremdling mit kindischer Bosheit, denn er sah in Dante seinen Nebenbuhler um die nicht eben wählerische Gunst des Herrn. Er schnitt ein Gesicht und erfrechte sich, seine hübsche Nachbarin zur Linken auf das an der hellen Decke des hohen Gemaches sich abschattende Profil des Dichters höhnisch grinsend aufmerksam zu machen. Das Schatten-bild Dantes glich einem Riesenweibe mit langgebogener Nase und hangender Lippe, einer Parze[44] oder dergleichen. Das lebhafte Mäd-chen verwand ein kindliches Lachen. Ihr Nachbar, ein klug blicken-der Jüngling, der Ascanio hieß, half ihr dasselbe ersticken, indem er sich an Dante wendete mit jener maßvollen Ehrerbietung, in wel-cher dieser angeredet zu werden liebte.

»Verschmähe es nicht, du Homer und Virgil Italiens[45]«, bat er, »dich in unser harmloses Spiel zu mischen. Laß dich zu uns herab und erzähle, Meister, statt zu singen.«

»Was ist euer Thema?« warf Dante hin, weniger ungesellig, als er begonnen hatte, aber immer noch mürrisch genug.

»Plötzlicher Berufswechsel«, antwortete der Jüngling bündig, »mit gutem oder schlechtem oder lächerlichem Ausgange.«

Dante besann sich. Seine schwermütigen Augen betrachteten die Gesellschaft, deren Zusammensetzung ihm nicht durchaus zu miß-fallen schien; denn er entdeckte in derselben neben mancher flachen einige bedeutende Stirnen. »Hat einer unter euch den entkutteten Mönch behandelt?« äußerte der schon milder Gestimmte.

»Gewiß, Dante!« antwortete, sein Italienisch mit einem leichten deutschen Akzent aussprechend, ein Kriegsmann von treuherzigem Aussehen, Germano mit Namen, der einen Ringelpanzer und einen lang herabhängenden Schnurrbart trug. »Ich selbst erzählte den

[44] Schicksalsgöttinnen der Griechen. [45] D. h. der größte Dichter Italiens, wie Homer der größte Dichter der Griechen und Virgil der der Römer gewesen war.

jungen Manuccio, welcher über die Mauern seines Klosters sprang, um Krieger zu werden.«

»Er tat recht«, erklärte Dante, »er hatte sich selbst getäuscht über seine Anlage.«

»Ich, Meister«, plauderte jetzt eine kecke, etwas üppige Paduanerin, namens Isotta, »habe die Helene Manente erzählt, welche eben die erste Locke unter der geweihten Schere verscherzt hatte, aber schnell die übrigen mit den beiden Händen deckte und ihr Nonnengelübde verschluckte, denn sie hatte ihren in barbareske Sklaverei geratenen und höchst wunderbar daraus erretteten Freund unter dem Volk im Schiff der Kirche erblickt, wie er die gelösten Ketten« – sie wollte sagen: an der Mauer aufhing, aber ihr Geschwätze wurde von dem Munde Dantes zerschnitten.

»Sie tat gut«, sagte er, »denn sie handelte aus der Wahrheit ihrer verliebten Natur. Von alledem ist hier die Rede nicht, sondern von einem ganz andern Falle: wenn nämlich ein Mönch nicht aus eigenem Triebe, nicht aus erwachter Weltlust oder Weltkraft, nicht weil er sein Wesen verkannt hätte, sondern einem andern zuliebe, unter dem Druck eines fremden Willens, wenn auch vielleicht aus heiligen Gründen der Pietät, untreu an sich wird, sich selbst mehr noch als der Kirche gegebene Gelübde bricht, und eine Kutte abwirft, die ihm auf dem Leibe saß und ihn nicht drückte. Wurde das schon erzählt? Nein? Gut, so werde ich es tun. Aber sage mir, wie endet solches Ding, mein Gönner und Beschützer?« Er hatte sich ganz gegen Cangrande gewendet.

»Notwendig schlimm«, antwortete dieser ohne Besinnen. »Wer mit freiem Anlaufe springt, springt gut; wer gestoßen wird, springt schlecht.«

»Du redest die Wahrheit, Herr«, bestätigte Dante, »und nicht anders, wenn ich ihn verstehe, meint es auch der Apostel, wo er schreibt: daß Sünde sei, was nicht aus dem Glauben gehe, das heißt aus der Überzeugung und Wahrheit unserer Natur.«

»Muß es denn überhaupt Mönche geben?« kicherte eine gedämpfte Stimme aus dem Halbdunkel, als wollte sie sagen: jede Befreiung aus einem an sich unnatürlichen Stande ist eine Wohltat.

Die dreiste und ketzerische Äußerung erregte hier kein Ärgernis, denn an diesem Hofe wurde das kühnste Reden über kirchliche Dinge geduldet, ja belächelt, während ein freies oder nur unvorsichtiges Wort über den Herrscher, seine Person oder seine Politik, verderben konnte.

Dantes Auge suchte den Sprecher und entdeckte denselben in einem vornehmen jungen Kleriker, dessen Finger mit dem kostbaren Kreuze tändelten, welches er über dem geistlichen Gewande trug.

»Nicht meinetwegen«, gab der Florentiner bedächtig zur Antwort. »Mögen die Mönche aussterben, sobald ein Geschlecht ersteht, welches die beiden höchsten Kräfte der Menschenseele, die sich auszuschließen scheinen, die Gerechtigkeit und die Barmherzigkeit vereinigen lernt. Bis zu jener späten Weltstunde verwalte der Staat die eine, die Kirche die andere. Da aber die Übung der Barmherzigkeit eine durchaus selbstlose Seele fordert, so sind die drei mönchischen Gelübde gerechtfertigt; denn es ist weniger schwer, wie die Erfahrung lehrt, der Lust ganz, als halb zu entsagen.«

»Gibt es aber nicht mehr schlechte Mönche als gute?« fragte der geistliche Zweifler weiter.

»Nein«, behauptete Dante, »wenn man die menschliche Schwachheit berücksichtigt. Es müßte denn mehr ungerechte Richter als gerechte, mehr feige Krieger als beherzte, mehr schlechte Menschen als gute geben.«

»Und das ist nicht der Fall«, flüsterte der im Halbdunkel.

»Nein«, entschied Dante, und eine himmlische Verklärung erleuchtete seine strengen Züge. »Fragt und untersucht unsere Philosophie nicht: wie ist das Böse in die Welt gekommen? Wären die Bösen in der Mehrzahl, so frügen wir: wie kam das Gute in die Welt?«

Diese stolzen und dunkeln Sätze imponierten der Gesellschaft, erregten aber auch die Besorgnis, der Florentiner möchte sich in seine Scholastik[46] vertiefen statt in seine Geschichte.

Cangrande sah, wie seine junge Freundin ein hübsches Gähnen verwand. Unter solchen Umständen ergriff er das Wort und fragte: »Erzählst du uns eine wahre Geschichte, mein Dante, nach Dokumenten? oder eine Sage des Volksmundes? oder eine Erfindung deiner bekränzten Stirne?«

Dieser antwortete langsam betonend: »Ich entwickle meine Geschichte aus einer Grabschrift.«

»Aus einer Grabschrift?«

»Aus einer Grabschrift, die ich vor Jahren bei den Franziskanern in Padua gelesen habe. Der Stein, welcher sie trägt, lag in einem Winkel des Klostergartens, allerdings unter wildem Rosengesträuch verdeckt, aber doch den Novizen zugänglich, wenn sie auf allen vieren krochen und sich eine von Dornen zerkritzte Wange nicht reuen ließen. Ich befahl dem Prior – will sagen, ich ersuchte ihn, den

[46] Die mittelalterliche Philosophie.

fraglichen Stein in die Bibliothek zu versetzen und unter die Hut eines Greises zu stellen.«

»Was sagte denn der Stein?« ließ sich jetzt die Gemahlin des Fürsten nachlässig vernehmen.

»Die Inschrift«, erwiderte Dante, »war lateinisch und lautete: Hic jacet monachus Astorre cum uxore Antiope. Sepeliebat Azzolinus.«

»Was heißt denn das?« fragte die andere neugierig.

Cangrande übersetzte fließend: »Hier schlummert der Mönch Astorre neben seiner Gattin Antiope. Beide begrub Ezzelin.«

»Der abscheuliche Tyrann!« rief die Empfindsame. »Gewiß hat er die beiden lebendig begraben lassen, weil sie sich liebten, und das Opfer noch in der Gruft gehöhnt, indem er es die Gattin des Mönchs nannte. Der Grausame!«

»Kaum«, meinte Dante. »Das hat sich in meinem Geiste anders gestaltet und ist auch nach der Geschichte unwahrscheinlich. Denn Ezzelin bedrohte wohl eher den kirchlichen Gehorsam als den Bruch geistlicher Gelübde. Ich nehme das ›sepeliebat‹ in freundlichem Sinne: er gab den beiden ein Begräbnis.«

»Recht«, rief Cangrande freudig, »du denkst wie ich, Florentiner! Ezzelino[47] war eine Herrschernatur und, wie sie einmal sind, etwas rauh und gewaltsam. Neun Zehntel seiner Frevel haben ihm die Pfaffen und das fabelsüchtige Volk angedichtet.«

»Möchte dem so sein!« seufzte Dante. »Wo er übrigens in meiner Fabel auftritt, ist er noch nicht das Ungeheuer, welches uns, wahr oder falsch, die Chronik schildert, sondern seine Grausamkeit beginnt sich nur erst zu zeichnen, mit einem Zug um den Mund sozusagen —«

»Eine gebietende Gestalt«, vollendete Cangrande feurig das Bildnis, »mit gesträubtem schwarzem Stirnhaar, wie du ihn in deinem zwölften Gesange als einen Bewohner der Hölle malst. Woher hast du dieses schwarzhaarige Haupt?«

»Es ist das deinige«, versetzte Dante kühn, und Cangrande fühlte sich geschmeichelt.

»Auch die übrigen Gestalten der Erzählung«, fuhr er mit lächelnder Drohung fort, »werde ich, ihr gestattet es?« — und er wendete sich gegen die Umsitzenden — »aus eurer Mitte nehmen und ihnen eure Namen geben: euer Inneres lasse ich unangetastet, denn ich kann nicht darin lesen.«

---

[47] Ezzelino da Romano (1194—1259), Statthalter von Verona. Parteigänger Friedrichs II. Wegen seiner Grausamkeit gefürchtet.

»Meine Miene gebe ich dir preis«, sagte großartig die Fürstin, deren Gleichgültigkeit zu weichen begann.

Ein Gemurmel der höchsten Aufregung lief durch die Zuhörer, und: »Deine Geschichte, Dante!« raunte es von allen Seiten, »deine Geschichte!«

»Hier ist sie«, sagte dieser und erzählte.

»Wo sich der Gang der Brenta[48] in einem schlanken Bogen der Stadt Padua nähert, ohne diese jedoch zu berühren, glitt an einem himmlischen Sommertage unter gedämpftem Flötenschall eine bekränzte, von festlich Gekleideten überfüllte Barke auf dem schnellen, aber ruhigen Wasser. Es war die Brautfahrt des Umberto Vicedomini und der Diana Pizzaguerra. Der Paduaner hatte sich seine Verlobte aus einem am obern Laufe des Flusses gelegenen Kloster geholt, wohin, kraft einer alten städtischen Sitte, Mädchen von Stande vor ihrer Hochzeit zum Behufe frommer Übungen sich zurückzuziehen pflegen. Sie saß in der Mitte der Barke auf einem purpurnen Polster zwischen ihrem Bräutigam und den drei blühenden Knaben seines ersten Bettes[49]. Umberto Vicedomini hatte vor fünf Jahren, da die Pest in Padua wütete, das Weib seiner Jugend begraben und, obwohl in der Kraft der Männlichkeit stehend, nur schwer und widerwillig, auf das tägliche Drängen eines alten und siechen Vaters, zu diesem zweiten Ehebunde sich entschlossen.

Mit eingezogenen Rudern fuhr die Barke, dem Willen des Stromes sich überlassend. Die Bootsknechte begleiteten die sanfte Musik mit einem halblauten Gesange. Da verstummten beide. Aller Augen hatten sich nach dem rechten Ufer gerichtet, an welchem ein großer Reiter seinen Hengst bändigte und mit einer weiten Gebärde nach der Barke herüber grüßte. Scheues Gemurmel durchlief die Reihen der Sitzenden. Die Ruderer rissen sich die roten Mützen vom Kopfe, und das ganze Fest erhob sich in Furcht und Ehrerbietung, auch der Bräutigam, Diana und die Knaben. Untertänige Gebärden, grüßende Arme, halbgebogene Knie wendeten sich gegen den Strand mit einem solchen Ungestüm und Übermaße der Bewegung, daß die Barke aus dem Gleichgewicht kam, sich nach rechts neigte und plötzlich überwog. Ein Schrei des Entsetzens, ein drehender Wirbel, eine leere Strommitte, die sich mit Auftauchenden, wieder Versinkenden und den schwimmenden Kränzen der verunglückten Barke bevölkerte. Hilfe war nicht ferne, denn wenig weiter unten lag ein kleiner Port, wo Fischer und Fährleute hausten und heute auch die

[48] Fluß Oberitaliens, der in den Golf von Venedig mündet.   [49] Von seiner ersten Frau.

Rosse und Sänften warteten, welche die Gesellschaft, die jetzt im Strome unterging, vollends nach Padua hätten bringen sollen.

Die zwei ersten der rettenden Kähne strebten sich von den entgegengesetzten Ufern zu. In dem einen stand neben einem alten Fergen mit struppigem Barte Ezzelin, der Tyrann von Padua, der unschuldige Urheber des Verderbens, in dem andern, vom linken Ufer kommenden ein junger Mönch und sein Fährmann, welcher den staubigen Waller über den Strom stieß gerade in dem Augenblicke, da sich darauf das Unheil zutrug. Die beiden Boote erreichten sich. Zwischen ihnen schwamm im Flusse etwas wie eine Fülle blonden Haares, in das der Mönch entschlossen hineingriff, knielings, mit weit ausgestrecktem Arme, während sein Schiffer aus allen Kräften sich auf die andere Seite des Nachens zurückstemmte. An einer dikken Strähne hob der Mönch ein Haupt, das die Augen geschlossen hielt, und dann, mit Hilfe des dicht herangekommenen Ezzelin, die Last eines von triefendem Gewande beschwerten Weibes aus der Strömung. Der Tyrann war von seinem Nachen in den andern gesprungen und betrachtete jetzt das entseelte Haupt, das einen Ausdruck von Trotz und Unglück trug, mit einer Art von Wohlgefallen, sei es an den großen Zügen desselben, sei es an der Ruhe des Todes.

›Kennst du sie, Astorre?‹ fragte er den Mönch. Dieser schüttelte verneinend den Kopf, und der andere fuhr fort: ›Siehe, es ist das Weib deines Bruders.‹

Der Mönch warf einen mitleidigen scheuen Blick auf das bleiche Antlitz, welches unter demselben langsam die schlummernden Augen öffnete.

›Bringe sie ans Ufer!‹ befahl Ezzelin, allein der Mönch überließ sie seinem Fährmann. ›Ich will meinen Bruder suchen‹, rief er, ›bis ich ihn finde.‹ ›Ich helfe dir, Mönch‹, sagte der Tyrann, ›doch ich zweifle, daß wir ihn retten: ich sah ihn, wie er seine Knaben umschlang und, von den dreien umklammert, schwer in die Tiefe ging.‹

Inzwischen hatte sich die Brenta mit Fahrzeugen bedeckt. Es wurde gefischt mit Stangen, Haken, Angeln, Netzen, und in der rasch wechselnden Szene vervielfältigte sich über den Suchenden und den gehobenen Bürden die Gestalt des Herrschers.

›Komm, Mönch!‹ sagte er endlich. ›Hier gibt es für dich nichts mehr zu tun. Umberto und seine Knaben liegen nunmehr zu lang in der Tiefe, um ins Leben zurückzukehren. Der Strom hat sie verschleppt. Er wird sie ans Ufer legen, wann er ihrer müde ist. Aber siehst du dort die Zelte?‹ Man hatte deren eine Zahl am Strande der Brenta zum Empfange der mit der Hochzeitsbarke Erwarteten auf-

geschlagen und jetzt die Toten oder Scheintoten hineingelegt, welche
von ihren schon aus dem nahen Padua herbeigeeilten Verwandten
und Dienern umjammert wurden. ›Dort, Mönch, verrichte, was deines Amtes ist: Werke der Barmherzigkeit! Tröste die Lebenden! Be-
statte die Toten!‹

Der Mönch hatte das Ufer betreten und den Reichsvogt aus den
Augen verloren. Da kam ihm aus dem Gedränge Diana entgegen,
die Braut und Witwe seines Bruders, trostlos, aber ihrer Sinne wieder mächtig. Noch trieften die schweren Haare, aber auf ein ge-
wechseltes Gewand: ein mitleidiges Weib aus dem Volke hatte ihr
im Gezelt das eigene gegeben und sich des kostbaren Hochzeitsklei-
des bemächtigt. ›Frommer Bruder‹, wendete sie sich an Astorre, ›ich
bin verlassen: die mir bestimmte Sänfte ist in der Verwirrung mit
einer andern, Lebenden oder Toten, in die Stadt zurückgekehrt. Begleite mich nach dem Hause meines Schwiegers, der dein Vater ist!‹

Die junge Witwe täuschte sich. Nicht in der Bestürzung und Verwirrung, sondern aus Feigheit und Aberglauben hatte das Gesinde
des alten Vicedomini sie im Stich gelassen. Es fürchtete sich, dem
jähzornigen Alten eine Wittib und mit ihr die Kunde von dem Un-
tergange seines Hauses zu bringen.

Da der Mönch viele seinesgleichen unter den Zelten und im Freien
mit barmherzigen Werken beschäftigt sah, willfahrte er dem Ge-
such. ›Gehen wir‹, sagte er und schlug mit dem jungen Weibe die
Straße nach der Stadt ein, deren Türme und Kuppeln auf dem
blauen Himmel wuchsen. Der Weg war bedeckt mit Hunderten, die
an den Strand eilten oder vom Strande zurückkehrten. Die beiden
schritten, oft voneinander getrennt, aber sich immer wieder findend,
in der Mitte der Straße, ohne miteinander zu reden, und wandelten
jetzt schon durch die Vorstadt, wo die Gewerbe hausen. Hier standen überall – das Unglück auf der Brenta hatte die ganze Bevölke-
rung auf die Beine gebracht – laut plaudernde oder flüsternde Gruppen, welche das zufällige Paar, das den Bruder und den Bräutigam
verloren hatte, mit teilnehmender Neugierde betrachteten.

Der Mönch und Diana waren Gestalten, die jedes Kind in Padua
kannte. Astorre, wenn er nicht für einen Heiligen galt, hatte doch
den Ruf des musterhaften Mönches. Er konnte der Stadtmönch von
Padua heißen, den das Volk verehrte und auf den es stolz war. Und
mit Grund: denn er hatte auf die Vorrechte seines hohen Adels und
den unermeßlichen Besitz seines Hauses tapfer, ja freudig verzichtet
und gab sein Leben in Zeiten der Seuche oder bei andern öffentlichen Fährlichkeiten, ohne zu markten[50], für den Geringsten und

[50] Handeln.

die Ärmste preis. Dabei war er mit seinem kastanienbraunen Kraushaar, seinen warmen Augen und seiner edeln Gebärde ein anmuten-
der Mann, wie das Volk seine Heiligen liebt.

Diana war in ihrer Weise nicht weniger namhaft, schon durch die
Vollkraft ihres Wuchses, welche das Volk mehr als die zarten Reize
bewundert. Ihre Mutter war eine Deutsche gewesen, ja eine Staufin,
wie einige behaupteten, freilich nur dem Blute, nicht dem Gesetze
nach. Deutschland und Welschland hatten zusammen als gute Schwestern diese große Gestalt gebaut.

Wie herb und strenge Diana mit ihresgleichen umging, mit den
Geringsten war sie leutselig, ließ sich ihre Händel erzählen, gab
kurzen und deutlichen Bescheid und küßte die zerlumptesten Kinder. Sie schenkte und spendete ohne Besinnen, wohl weil ihr Vater,
der alte Pizzaguerra, nach Vicedomini der reichste Paduaner, zugleich der schmutzigste Geizhals war, und Diana sich des väterlichen
Lasters schämte.

So verheiratete das ihr geneigte Volk in seinen Schenken und Plau-
derstuben Diana monatlich mit irgendeinem vornehmen Paduaner,
doch die Wirklichkeit trug diesen frommen Wünschen keine Rechnung. Drei Hindernisse erschwerten eine Brautschaft: die hohen und
oft finstern Brauen Dianas, die geschlossene Hand ihres Vaters und
die blinde Anhänglichkeit ihres Bruders Germano an den Tyrannen,
bei dessen möglichem Falle der treue Diener mit zugrunde gehen
mußte, seine Sippe nach sich ziehend.

Endlich verlobte sich mit ihr, ohne Liebe, wie es stadtkundig war,
Umberto Vicidomini, der jetzt in der Brenta lag.

Übrigens waren die beiden so versunken in ihren gerechten Schmerz,
daß sie das eifrige Geschwätze, welches sich an ihre Fersen heftete,
entweder nicht vernahmen oder sich wenig um dasselbe bekümmerten. Nicht das gab Anstoß, daß der Mönch und das Weib nebeneinander schritten. Es erschien in der Ordnung, da der Mönch an ihr zu
trösten hatte und sie wohl beide denselben Weg gingen: zu dem
alten Vicedomini, als die nächsten und natürlichen Boten des Geschehenen.

Die Weiber bejammerten Diana, daß sie einen Mann habe heiraten
müssen, der sie nur als Ersatz für eine teure Gestorbene genommen,
und beklagten sie in demselben Atemzuge, daß sie diesen Mann vor
der Ehe eingebüßt habe.

Die Männer dagegen erörterten mit wichtigen Gebärden und den
schlausten Mienen eine brennende Frage, welche sich über den in
der Brenta versunkenen vier Stammhaltern des ersten paduanischen
Geschlechtes eröffnet hatte. Die Glücksgüter der Vicedomini waren

sprichwörtlich. Das Familienhaupt, ein ebenso energischer als listiger Mensch, der es fertig gebracht hatte, mit beiden, dem fünffach gebannten Tyrannen von Padua und der diesen verdammenden Kirche auf gutem Fuße zu bleiben, hatte sich lebelang nicht im geringsten mit etwas Öffentlichem beschäftigt, sondern ein zähes Dasein und prächtige Willenskräfte auf ein einziges Ziel gewendet: den Reichtum und das Gedeihen seines Stammes. Jetzt war dieser vernichtet. Sein Ältester und die Enkel lagen in der Brenta. Sein Zweiter und Dritter waren in eben diesem Unglücksjahre, der eine vor zwei, der andere vor drei Monden von der Erde verschwunden. Den Ältern hatte der Tyrann verbraucht und auf einem seiner wilden Schlachtfelder zurückgelassen. Der andere, aus welchem der vorurteilslose Vater einen großartigen Kaufmann in venezianischem Stile gemacht, hatte sich an einer morgenländischen Küste auf dem Kreuze verblutet, an welches ihn Seeräuber geschlagen, verspäteten Lösegeldes halber. Als Vierter blieb Astorre, der Mönch. Daß er diesen mit dem Aufwande seines letzten Pulses den Klostergelübden zu entreißen versuchen werde, daran zweifelten die schnellrechnenden Paduaner keinen Augenblick. Ob es ihm gelinge und der Mönch sich dazu hergebe, darüber stritt jetzt die aufgeregte Gasse.

Und sie stritt sich am Ende so laut und heftig, daß selbst der trauernde Mönch nicht mehr im Zweifel darüber bleiben konnte, wer mit dem ›egli‹[51] und der ›ella‹[52] gemeint sei, welche aus den versammelten Gruppen ertönten. Dergestalt schlug er, mehr noch seiner Gefährtin als seinethalben, eine mit Gras bewachsene verschattete Gasse ein, die seinen Sandalen wohlbekannt war, denn sie führte längs der verwitterten Ringmauer seines Klosters hin. Hier war es bis zum Schauder kühl, aber die ganz Padua erfüllende Schreckenskunde hatte selbst diese Schatten erreicht. Aus den offenen Fenstern des Refektoriums[53], das in die dicke Mauer gebaut war, scholl an der verspäteten Mittagstafel – die Katastrophe auf der Brenta hatte in der Stadt alle Zeiten und Stunden gestört – das Tischgespräch der Brüder so zänkisch und schreiend, so voller ›inibus‹[54] und ›atibus‹[55] – es wurde lateinisch geführt, oder dann stritt man sich mit Zitaten aus den Dekretalen[56] –, daß der Mönch unschwer erriet, auch hier werde dasselbe oder ein ähnliches Dilemma wie auf der Straße verhandelt. Und wenn er sich vielleicht nicht Rechenschaft gab, wovon, so wußte er doch, von wem die Rede ging. Aber was er nicht entdeckte, waren –«

[51] Er. [52] Sie. [53] Speisesaal. [54] Lateinische Endungen. [55] Lateinische Endungen. [56] Sammlung päpstlicher Rechtsentscheide.

Mitten im Sprechen suchte Dante unter den Zuhörern den vornehmen Kleriker, der sich hinter seinen Nachbar verbarg.

»– waren zwei brennende hohle Augen, welche durch eine Luke in der Mauer auf ihn und das Weib an seiner Seite starrten. Diese Augen gehörten einer unseligen Kreatur, einem verlorenen Mönche, namens Serapion, welcher sich, Seele und Leib, im Kloster verzehrte. Mit seiner voreiligen Einbildungskraft hatte dieser auf der Stelle begriffen, daß sein Mitbruder Astorre zum längsten nach der Regel des heiligen Franziskus gedarbt und gefastet habe und beneidete ihn rasend um den ihm von der Laune des Todes zugeworfenen Besitz weltlicher Güter und Freuden. Er lauerte auf den Heimkehrenden, um die Mienen desselben zu erforschen und darin zu lesen, was Astorre über sich beschlossen hätte. Seine Blicke verschlangen das Weib und hafteten an ihren Stapfen.

Astorre lenkte die Schritte und die seiner Schwägerin auf einen kleinen von vier Stadtburgen gebildeten Platz und trat mit ihr in das tiefe Tor der vornehmsten. Auf einer Steinbank im Hofe erblickte er zwei Ruhende, einen vom Wirbel zur Zehe gepanzerten blutjungen Germanen und einen greisen Sarazenen. Der hingestreckte Deutsche hatte seinen schlummernden rotblonden Krauskopf in den Schoß des sitzenden Ungläubigen gelegt, der, ebenfalls schlummernd, mit seinem schneeweißen Barte väterlich auf ihn niedernickte. Die zweie gehörten zur Leibwache Ezzelins, welche sich in Nachahmung derjenigen seines Schwiegers, des Kaisers Friedrich[57], aus Deutschen und Sarazenen zu gleichen Teilen zusammensetzte. Der Tyrann war im Palaste. Er mochte es für seine Pflicht gehalten haben, den alten Vicedomini zu besuchen. In der Tat vernahmen Astorre und Diana schon auf der Wendeltreppe das Gespräch, welches Ezzelin in kurzen ruhigen Worten, der Alte dagegen, der gänzlich außer sich zu sein schien, mit schreiender und scheltender Stimme führte. Mönch und Weib blieben am Eingange des Saales unter dem bleichen Gesinde stehen. Die Diener zitterten an allen Gliedern. Der Greis hatte sie mit den heftigsten Verwünschungen überhäuft und dann mit geballten Fäusten weggejagt, weil sie ihm verspätete Botschaft vom Strande gebracht und dieselbe hervorzustottern sich kaum getraut. Überdies hatte dieses Gesinde der gefürchtete Schritt des Tyrannen versteinert. Es war bei Todesstrafe verboten, ihn anzumelden. Unaufgehalten wie ein Geist betrat er Häuser und Gemächer.

›Und das berichtest du so gelassen, Grausamer‹, tobte der Alte in seiner Verzweiflung, ›als erzähltest du den Verlust eines Rosses

[57] Kaiser Friedrich II. (1194–1250).

oder einer Ernte? Du hast mir die viere getötet, niemand anders als du! Was brauchtest du gerade zu jener Stunde am Strande zu reiten? Was brauchtest du auf die Brenta hinauszugrüßen? Das hast du mir zuleide getan! Hörst du wohl?‹

›Schicksal‹, antwortete Ezzelin.

›Schicksal?‹ schrie der Vicedomini. ›Schicksal und Sternguckerei und Beschwörungen und Verschwörungen und Enthauptungen, von der Zinne auf das Pflaster sich werfende Weiber und hundert pfeildurchbohrte Jünglinge vom Rosse sinkend in deinen verruchten, waghalsigen Schlachten, das ist deine Zeit und Regierung, Ezzelin, du Verfluchter und Verdammter! Uns alle ziehst du in deine blutiden Gleise, alles Leben und Sterben wird neben dir gewaltsam und unnatürlich, und niemand endet mehr als reuiger Christ in seinem Bette!‹

›Du tust mir unrecht‹, versetzte der andere. ›Ich zwar habe mit der Kirche nichts zu schaffen. Sie läßt mich gleichgültig. Aber dich und deinesgleichen habe ich nie gehindert, mit ihr zu verkehren. Das weißt du, sonst würdest du dich nicht erkühnen, mit dem Heiligen Stuhle Briefe zu wechseln. Was drehst du da in deinen Händen und verbirgst mir das päpstliche Siegel? Einen Ablaß? Ein Breve[58]? Gib her! Wahrhaftig, ein Breve! Darf ich es lesen? Du erlaubst? Dein Gönner, der Heilige Vater, schreibt dir, daß, würde dein Stamm erlöschen bis auf deinen Vierten und Letzten, den Mönch, dieser ipso facto[59] seiner Gelübde ledig sei, wenn er aus freiem Willen und eigenem Entschlusse in die Welt zurückkehre. Schlauer Fuchs, wie viele Unzen Goldes hat dich dieses Pergament gekostet?‹

›Verhöhnst du mich?‹ heulte der Alte. ›Was anderes blieb mir übrig nach dem Tode meines Zweiten und Dritten? Für wen hätte ich gesammelt und gespeichert? Für die Würmer? Für dich? Willst du mich berauben? . . . Nein? So hilf mir, Gevatter‹ – der noch ungebannte Ezzelin hatte den dritten Knaben Vicedominis aus der Taufe gehoben, denselben, der sich für ihn auf dem Schlachtfelde geopfert –, ›hilf mir den Mönch überwinden, daß er wieder weltlich werde und ein Weib nehme, befiehl es ihm, du Allgewaltiger, gib ihn mir statt des Sohnes, den du mir geschlachtet hast, halte mir den Daumen, wenn du mich liebst!‹

›Das geht mich nichts an‹, erwiderte der Tyrann ohne die geringste Erregung. ›Das mache er mit sich selbst aus. ‚Freiwillig‘, sagt das Breve. Warum sollte er, wenn er ein guter Mönch ist, wie ich glaube, seinen Stand wechseln? Damit das Blut der Vicedomini

[58] Kurzes päpstliches Schreiben. [59] Durch die Tat selbst.

nicht versiege? Ist das eine Lebensbedingung der Welt? Sind die Vicedomini eine Notwendigkeit?‹

Jetzt kreischte der andere in rasender Wut: ›Du böser, du Mörder meiner Kinder! Ich durchblicke dich! Du willst mich beerben und mit meinem Gelde deine wahnsinnigen Feldzüge führen!‹ Da gewahrte er seine Schwiegertochter, welche vor dem zögernden Mönche durch das Gesinde und über die Schwelle getreten war. Trotz seiner Leibesschwachheit stürzte er ihr mit wankenden Schritten entgegen, ergriff und riß ihre Hände, als wollte er sie zur Verantwortung ziehen für das über sie beide gekommene Unheil. ›Wo hast du meinen Sohn, Diana?‹ keuchte er.

›Er liegt in der Brenta‹, antwortete sie traurig und ihre blauen Augen dunkelten.

›Wo meine drei Enkel?‹

›In der Brenta‹, wiederholte sie.

›Und dich bringst du mir als Geschenk? Dich behalte ich?‹ lachte der Alte mißtönig.

›Wollte der Allmächtige‹, sagte sie langsam, ›mich zögen die Wellen und die andern stünden hier statt meiner!‹

Sie schwieg. Dann geriet sie in einen jähen Zorn. ›Beleidigt dich mein Anblick und bin ich dir überlästig, so halte dich an diesen: er hat mich, da ich schon gestorben war, an den Haaren gerissen und ins Leben zurückgezogen!‹

Jetzt erst erblickte der Alte den Mönch, seinen Sohn, und sein Geist sammelte sich mit einer Kraft und Schnelligkeit, welche der schwere Jammer eher gestählt als gelähmt zu haben schien.

›Wirklich? Dieser hat dich aus der Brenta geholt? Hm! Merkwürdig! Die Wege Gottes sind doch wunderbar!‹

Er ergriff den Mönch an Arm und Schulter, als wollte er sich desselben, Leib und Seele, bemächtigen, und schleppte ihn und sich gegen seinen Krankenstuhl, auf welchen er hinfiel, ohne den gepreßten Arm des nicht Widerstrebenden freizugeben. Diana folgte und kniete sich auf der andern Seite des Sessels nieder mit hangenden Armen und gefalteten Händen, das Haupt auf die Lehne legend, so daß nur der Knoten ihres blonden Haares wie ein lebloser Gegenstand sichtbar blieb. Der Gruppe gegenüber saß Ezzelin, die Rechte auf das gerollte Breve wie auf einen Feldherrnstab gestützt.

›Söhnchen, Söhnchen‹, wimmerte der Alte mit einer aus Wahrheit und List gemischten Zärtlichkeit, ›mein letzter und einziger Trost! Du Stab und Stecken meines Alters wirst mir nicht zwischen diesen zitternden Händen zerbrechen! ... Du begreifst‹, fuhr er in einem schon trockneren, sachlichen Tone fort, ›daß, wie die Dinge einmal liegen, deines Bleibens im Kloster nicht länger sein kann. Ist es doch kanonisch, nicht wahr, Söhnchen, daß ein Mönch, dessen Vater verarmt oder versiecht, von seinem Prior beurlaubt wird, um das Erbgut zu bebauen und den Urheber seiner Tage zu ernähren. Ich aber brauche dich noch viel notwendiger. Deine Brüder und Neffen sind weg und jetzt bist du es, der die Lebensfackel unsers Hauses trägt! Du bist ein Flämmchen, das ich angezündet habe, und mir kann nicht dienen, daß es in einer Zelle verglimme und verrauche! Wisse eines‹ – er hatte in den warmen, braunen Augen ein aufrichtiges Mitgefühl gelesen und die ehrerbietige Haltung des Mönches schien einen blinden Gehorsam zu versprechen –, ›ich bin kränker, als du denkst. Nicht wahr, Isaschar?‹ Er wendete sich rückwärts gegen eine schmale Gestalt, welche mit Fläschchen und Löffel in den Händen durch eine Nebentür leise hinter den Stuhl des Alten getreten war und jetzt mit dem blassen Haupte bestätigend nickte. ›Ich fahre dahin, aber ich sage dir, Astorre: Lässest du mich meines Wunsches ungewährt, so weigert sich dein Väterchen, in den Kahn des Totenführers zu steigen, und bleibt zusammengekauert am Dämmerstrande sitzen!‹

Der Mönch streichelte die fiebernde Hand des Alten zärtlich, antwortete aber mit Sicherheit zwei Worte: ›Meine Gelübde!‹

Ezzelin entfaltete das Breve.

›Deine Gelübde?‹ schmeichelte der alte Vicedomini. ›Lose Stricke! Durchfeilte Fesseln! Mache eine Bewegung und sie fallen. Die heilige Kirche, welcher du Ehrfurcht und Gehorsam schuldig bist, erklärt sie für ungültig und nichtig. Da steht es geschrieben.‹ Sein dürrer Finger zeigte auf das Pergament mit dem päpstlichen Siegel.

Der Mönch näherte sich ehrerbietig dem Herrscher, empfing die Schrift und las, von vier Augen beobachtet. Schwindelnd tat er einen Schritt rückwärts, als stünde er auf einer Turmhöhe und sähe das Geländer plötzlich weichen.

Ezzelin griff dem Wankenden mit der kurzen Frage unter die Arme: ›Wem hast du dein Gelübde gegeben, Mönch? dir? oder der Kirche?‹

›Natürlich beiden!‹ schrie der Alte erbost. ›Das sind verfluchte Spitzfindigkeiten! Nimm dich vor dem dort in acht, Söhnchen! Er will uns Vicedomini an den Bettelstab bringen!‹

Ohne Zorn legte Ezzelin die Rechte auf den Bart und schwur: ›Stirbt Vicedomini, so beerbt ihn der Mönch hier, sein Sohn, und stiftet – sollte das Geschlecht mit ihm erlöschen und wenn er mich und seine Vaterstadt lieb hat – ein Hospital von einer gewissen Ausdehnung und Großartigkeit, um welches uns die hundert Städte‹

– er meinte die Städte Italiens – ›beneiden sollen. Nun, Gevatter, da ich mich von dem Vorwurfe der Raubgier gereinigt habe, darf ich an den Mönch ein paar weitere Fragen richten? Du gestattest?‹

Jetzt packte den Alten ein solcher Ingrimm, daß er in Krämpfe fiel. Noch aber ließ er den Arm des Mönches, welchen er wieder ergriffen hatte, nicht fahren.

Isaschar näherte den vollen, mit einer stark duftenden Essenz gefüllten Löffel vorsichtig den fahlen Lippen. Der Gefolterte wendete mit einer Anstrengung den Kopf ab. ›Laß mich in Ruhe!‹ stöhnte er, ›du bist auch der Arzt des Vogts!‹ und schloß die Augen.

Der Jude wandte die seinigen, welche glänzend schwarz und sehr klug waren, gegen den Tyrannen, als flehe er um Verzeihung für diesen Argwohn.

›Wird er zur Besinnung zurückkehren?‹ fragte Ezzelin.

›Ich glaube‹, antwortete der Jude. ›Noch lebt er und wird wieder erwachen, aber nicht für lange, fürchte ich. Diese Sonne sieht er nicht untergehen.‹

Der Tyrann ergriff den Augenblick, mit Astorre zu sprechen, der um den ohnmächtigen Vater beschäftigt war.

›Stehe mir Rede, Mönch!‹ sagte Ezzelin und wühlte – seine Lieblingsgebärde – mit den gespreizten Fingern der Rechten in dem Gewelle seines Bartes. ›Wieviel haben dich die drei Gelübde gekostet, die du vor zehn und einigen Jahren, ich gebe dir dreißig‹ – der Mönch nickte – ›beschworen hast?‹

Astorre schlug die lautern Augen auf und erwiderte ohne Bedenken: ›Armut und Gehorsam nichts. Ich habe keinen Sinn für Besitz und gehorche leicht.‹ Er hielt inne und errötete.

Der Tyrann fand ein Wohlgefallen an dieser männlichen Keuschheit. ›Hat dir dieser hier deinen Stand aufgenötigt oder dich dazu beschwatzt?‹ lenkte er ab.

›Nein‹, erklärte der Mönch. ›Seit lange her, wie der Stammbaum erzählt, wird in unserm Hause von dreien oder vieren der letzte geistlich, sei es, damit wir Vicedomini einen Fürbitter besitzen oder um das Erbe und die Macht des Hauses zu wahren – gleichviel, der Brauch ist alt und ehrwürdig. Ich kannte mein Los, welches mir nicht zuwider war, von jung an. Mir wurde kein Zwang auferlegt.‹

›Und das dritte?‹ holte Ezzelin nach – er meinte das dritte Gelübde. Astorre verstand ihn.

Mit einem neuen, aber dieses Mal schwachen Erröten erwiderte er: ›Es ist mir nicht leicht geworden, doch ich vermochte es wie andere Mönche, wenn sie gut beraten sind, und das war ich. Von dem heiligen Antonius‹, fügte er ehrfürchtig hinzu.

Dieser verdienstvolle Heilige, wie ihr wisset, Herrschaften, hat einige Jahre bei den Franziskanern in Padua gelebt«, erläuterte Dante.

»Wie sollten wir nicht?« scherzte einer unter den Zuhörern. »Haben wir doch die Reliquie verehrt, die in dem dortigen Klosterteiche herumschwimmt: ich meine den Hecht, welcher weiland der Predigt des Heiligen beiwohnte, sich bekehrte, der Fleischspeise entsagte, im Guten standhielt und jetzt noch in hohem Alter als strenger Vegetarier« – er verschluckte das Ende des Schwankes, denn Dante hatte gegen ihn die Stirn gerunzelt.

›Und was riet er dir?‹ fragte Ezzelin.

›Meinen Stand einfach zu fassen, schlecht und recht‹, berichtete der Mönch, ›als einen pünktlichen Dienst, etwa wie einen Kriegsdienst, welcher ja auch gehorsame Muskeln verlangt, und Entbehrungen, die ein wackerer Krieger nicht einmal als solche fühlen darf: die Erde im Schweiße meines Angesichtes zu graben, mäßig zu essen, mäßig zu fasten, weder Mädchen noch jungen Frauen Beichte zu sitzen, im Angesichte Gottes zu wandeln und seine Mutter nicht brünstiger anzubeten, als das Breviarium[60] vorschreibt.‹

Der Tyrann lächelte. Dann streckte er die Rechte gegen den Mönch aus, ermahnend oder segnend, und sprach: ›Glücklicher! Du hast einen Stern! Dein Heute entsteht leicht aus deinem Gestern und wird unversehens zu deinem Morgen! Du bist etwas und nichts Geringes; denn du übst das Amt der Barmherzigkeit, das ich gelten lasse, wiewohl ich ein anderes bekleide. Würdest du in die Welt treten, die ihre eigenen Gesetze befolgt, welche zu lernen es für dich zu spät ist, so würde dein klarer Stern zum lächerlichen Irrwisch und zerplatzte zischend nach ein paar albernen Sprüngen unter dem Hohne der Himmlischen!

Noch eines, und dies rede ich als der, welcher ich bin: der Herr von Padua. Dein Wandel war meinem Volke eine Erbauung, ein Beispiel der Entsagung. Der Ärmste getröstete sich deiner, den er seine karge Kost und sein hartes Tagewerk teilen sah. Wirfst du die Kutte weg, freiest du ein Vornehmer eine Vornehme, schöpfst du mit vollen Händen aus dem Reichtume deines Hauses, so begehst du Raub an dem Volke, welches dich als einen seinesgleichen in Besitz genommen hat, du machst mir Unzufriedene und Ungenügsame, und entstünde daraus Zorn, Ungehorsam, Empörung, mich sollte es nicht wundern. Die Dinge verketten sich!

Ich und Padua können dich nicht entbehren! Mit deiner schönen

[60] Kurzer Auszug aus den Kirchengesetzen.

und ritterlichen Gestalt stichst du der Menge in die Augen und hast auch mehr oder wenigstens einen edlern Mut als deine bäurischen Brüder. Wenn das Volk nach seiner rasenden Art diesen hier‹ – er deutete auf Isaschar – ›ermorden will, weil er ihm Hilfe bringt, was dem Juden in der letzten Pestzeit – wenig fehlte – geschehen wäre, wer verteidigt ihn, wie du tatest, gegen die wahnsinnige Menge, bis ich da bin und Halt gebiete?

Isaschar, hilf mir den Mönch überzeugen!‹ wendete sich Ezzelin gegen den Arzt mit einem grausamen Lächeln. ›Schon deinetwegen darf er sich nicht entkutten!‹

›Herr‹, lispelte dieser, ›unter deinem Zepter wird sich die unvernünftige Szene, welche du so gerecht wie blutig gestraft hast, kaum wiederholen, und meinethalb, dessen Glaube die Dauer des Stammes als Gottes höchsten Segen preist, darf der Erlauchte‹ – so und schon nicht mehr den Ehrwürdigen nannte er den Mönch – ›nicht unvermählt bleiben.‹

Ezzelin lächelte über die Feinheit des Juden. ›Und wohin gehen deine Gedanken, Mönch?‹ fragte er.

›Sie stehen und beharren! Doch ich wollte – Gott verzeihe mir die Sünde – der Vater erwachte nicht mehr, daß ich nicht hart gegen ihn sein muß! Hätte er nur schon die Zehrung empfangen!‹ Er küßte heftig die Wange des Ohnmächtigen, welcher darüber zur Besinnung kam.

Der wieder Belebte tat einen schweren Seufzer, hob die müden Augenlider und richtete aus dem grauen Gebüsche seiner hangenden Brauen einen Blick des Flehens auf den Mönch. ›Wie steht's?‹ fragte er. ›Was hast du über mich verhängt, Geliebtester? Himmel oder Hölle?‹

›Vater‹, bat Astorre mit bewegter Stimme, ›deine Zeit ist um! Dein Stündlein ist gekommen! Entschlage dich der weltlichen Dinge und Sorgen! Denke an die Seele! Siehe, deine Priester‹ – er meinte die der Pfarrkirche – ›sind nebenan versammelt und harren mit den hochheiligen Sterbesakramenten.‹

Es war so. Die Türe des Nebengemaches hatte sich sachte geöffnet, aus demselben schimmerte schwaches, in der Tageshelle kaum sichtbares Kerzenlicht, ein Chor präludierte gedämpft, und das leise Schüttern eines Glöckchens wurde hörbar.

Jetzt klammerte sich der Alte, der seine Knie schon in die kalte Flut der Lethe[61] versinken fühlte, an den Mönch, wie weiland Sankt Petrus auf dem See Genezareth an den Heiland. ›Du tust es mir!‹ lallte er.

[61] Fluß der Unterwelt.

›Könnte ich! Dürfte ich!‹ seufzte der Mönch. ›Bei allen Heiligen, Vater, denke an die Ewigkeit! Laß das Irdische! Deine Stunde ist da!‹

Diese verhüllte Weigerung entzündete das letzte Leben des Vicedomini zur lodernden Flamme. ›Ungehorsamer! Undankbarer!‹ zürnte er.

Astorre winkte den Priestern.

›Bei allen Teufeln‹, raste der Alte, ›laßt mich zufrieden mit eurem Geknete und Gesalbe! Ich habe nichts zu verspielen, ich bin schon ein Verdammter und bliebe es mitten im himmlischen Reigen, wenn mein Sohn mich mutwillig verstößt und meinen Lebenskeim verdirbt!‹

Der entsetzte Mönch, durch dieses grause Lästern im Tiefsten erschüttert, sah seinen Vater unwiderruflich der ewigen Unseligkeit anheimfallen. So meinte er und war fest davon überzeugt, wie ich es an seiner Stelle auch gewesen wäre. Er warf sich vor dem Sterbenden in dunkler Verzweiflung auf die Knie und flehte unter stürzenden Tränen: ›Herr, ich beschwöre Euch, habet Erbarmen mit Euch und mit mir!‹

›Laß den Schlaukopf seiner Wege gehen!‹ raunte der Tyrann. Der Mönch vernahm es nicht.

Wieder gab er den erstaunten Priestern ein Zeichen, und die Sterbelitanei wollte beginnen.

Da kauerte sich der Alte zusammen wie ein trotziges Kind und schüttelte das graue Haupt.

›Laß den Arglistigen seine Straße ziehen!‹ mahnte Ezzelin lauter.

›Vater, Vater!‹ schluchzte der Mönch, und seine Seele zerfloß in Mitleid.

›Erlauchter Herr und christlicher Bruder‹, fragte jetzt ein Priester mit unsicherer Stimme, ›seid Ihr in der Verfassung, Euern Schöpfer und Heiland zu empfangen?‹ Der Alte schwieg.

›Steht Ihr fest im Glauben an die heilige Dreifaltigkeit? Antwortet mir, Herr!‹ fragte der Geistliche zum andern Male und wurde bleich wie ein Tuch, denn: ›Geleugnet und gelästert sei sie!‹ rief der Sterbende mit starker Stimme, ›gelästert und –‹

›Nicht weiter!‹ schrie der Mönch und war aufgesprungen. ›Ich bin Euch zu Willen, Herr! Machet mit mir, was Ihr wollt! Nur daß Ihr Euch nicht in die Flammen[62] stürzet!‹

Der Alte seufzte wie nach einer schweren Anstrengung. Dann blickte er erleichtert, ich hätte fast gesagt vergnügt um sich. Er ergriff mit tastender Hand den blonden Schopf Dianas, zog das sich von

---

[62] Die Hölle.

den Knien erhebende Weib in die Höhe, nahm ihre Hand, die sich nicht weigerte, öffnete die gekrampfte des Mönches und legte beide zusammen.

›Gültig! vor dem hochheiligen Sakramente!‹ frohlockte er und segnete das Paar. Der Mönch widersprach nicht, und Diana schloß die Augen.

›Jetzt rasch, ehrwürdige Väter!‹ drängte der Alte, ›es eilt, wie ich meine, und ich bin in christlicher Verfassung.‹

Der Mönch und seine Braut wollten hinter die priesterliche Schar zurücktreten. ›Bleibt‹, murmelte der Sterbende, ›bleibt, daß euch meine getrösteten Augen zusammen sehen, bis sie brechen!‹ Astorre und Diana, kaum einige Schritte zurückweichend, mußten mit vereinigten Händen vor dem erlöschenden Blicke des hartnäckigen Greises verharren.

Dieser murmelte eine kurze Beichte, empfing die letzte Zehrung und verschied, während sie ihm die Sohlen salbten und der Priester den schon tauben Ohren jenes großartige: ›Brich auf, christliche Seele!‹ zurief. Das gestorbene Antlitz trug den deutlichen Ausdruck triumphierender List.

Der Tyrann hatte, während ringsum alles auf den Knien lag, die heilige Handlung sitzend und mit ruhiger Aufmerksamkeit betrachtet, etwa wie man eine fremde Sitte beschaut oder wie ein Gelehrter das auf einem Sarkophag abgebildete Opfer eines alten Volkes besichtigt. Er näherte sich dem Toten und drückte ihm die Augen zu.

Dann wendete er sich gegen Diana. ›Edle Frau‹, sagte er, ›ich denke, wir gehen nach Hause. Eure Eltern, wenn auch von Eurer Rettung unterrichtet, werden nach Euch verlangen. Auch traget Ihr ein Gewand der Niedrigkeit, das Euch nicht kleidet.‹

›Fürst, ich danke und folge Euch‹, erwiderte Diana, ließ aber ihre Hand in der des Mönches ruhen, dessen Blick sie bis jetzt gemieden hatte. Nun schaute sie dem Gatten voll ins Gesicht und sprach mit einer tiefen, aber wohlklingenden Stimme, während ihre Wangen sich mit dunkler Glut bedeckten: ›Mein Herr und Gebieter, wir durften die Seele des Vaters nicht umkommen lassen. So wurde ich Euer. Haltet mir bessere Treue als dem Kloster. Euer Bruder hat mich nicht geliebt. Vergebet mir, wenn ich so rede: ich sage die einfache Wahrheit. Ihr werdet an mir ein gutes und gehorsames Weib besitzen. Doch habe ich zwei Eigenschaften, welche Ihr schonen müßt. Ich bin jähzornig, wenn man mir Recht oder Ehre antastet, und darin peinlich, daß man mir nichts versprechen darf, ohne es zu halten. Schon als Kind habe ich das schwer oder nicht gelitten. Ich bin von wenig Wünschen und verlange nichts über das Alltägliche hinaus; nur wo mir einmal etwas gezeigt und zugesagt wurde, da bedarf ich der Erfüllung, sonst verliere ich den Glauben und kränke mich schwerer als andere Frauen über das Unrecht. Doch wie darf ich so zu Euch reden, mein Herr und Gebieter, den ich kaum kenne? Laßt mich verstummen. Lebet wohl, mein Gemahl, und gebet mir neun Tage, Euern Bruder zu betrauern.‹ Jetzt löste sie langsam die Hand aus der seinigen und verschwand mit dem Tyrannen.

Inzwischen hatte die geistliche Schar den Leichnam weggehoben, um ihn in der Hauskapelle aufzubahren und einzusegnen.

Astorre stand allein in seinem verscherzten Mönchsgewande, welches eine von Reue erfüllte Brust bedeckte. Ein Heer von Dienern, das den seltsamen Vorgang belauscht und genügend begriffen hatte, näherte sich in unterwürfigen Stellungen und mit furchtsamen Gebärden seinem neuen Herrn, verblüfft und eingeschüchtert weniger noch durch den Wechsel der Herrschaft, als durch das vermeintliche Sakrilegium[63] der gebrochenen Gelübde – das leise gelesene Breve war nicht zu ihren Ohren gelangt – und durch die Verweltlichung des ehrwürdigen Mönches. Diesem gelang es nicht, seinen Vater zu betrauern. Ihn beschlich, jetzt da er seines Willens wieder mächtig war, der Argwohn, was sage ich, ihn überkam die empörende Gewißheit, daß ein Sterbender seinen guten Glauben betrogen und seine Barmherzigkeit mißbraucht habe. Er entdeckte in der Verzweiflung des Alten den Schlupfwinkel der List und in der wilden Lästerung das berechnete Spiel an der Schwelle des Todes. Unwillig, fast feindselig wandte sich sein Gedanke gegen das ihm zugefallene Weib. Ihn versuchte der verzwickte mönchische Einfall, dasselbe nicht aus eigenem Herzen, sondern nur als Stellvertreter seines entseelten Bruders zu lieben; aber sein gesunder Sinn und sein redliches Gemüt verwarfen die schmähliche Auskunft. Da er sie nun als die Seinige betrachtete, erwehrte er sich einer gewissen Verwunderung nicht, daß ihm sein Weib mit so bündiger Rede und harter Wahrheitsliebe entgegentreten und so sachlich mit ihm sich auseinandergesetzt habe, ohne Schleier und Wolke, eine viel derbere und wirklichere Gestalt als die zarten Erscheinungen der Legende. Er hatte sich die Frauen weicher gedacht.

Jetzt gewahrte der Mönch plötzlich sein Ordenskleid und den Widerspruch seiner Gefühle und Betrachtungen mit demselben. Er schämte sich vor seiner Kutte, und sie wurde ihm lästig. ›Gebt mir weltliches Gewand!‹ befahl er. Geschäftige Diener umringten ihn,

---

[63] Kirchenfrevel, Verletzung oder Entweihung eines Heiligtums, hier die Verletzung der ewigen Mönchsgelübde.

aus welchen er bald in der Tracht seines ertrunkenen Bruders, mit
dem er ungefähr von gleichem Wuchse war, hervortrat.

In demselben Augenblicke warf sich ihm der Narr seines Vaters,
mit Namen Gocciola, zu Füßen und huldigte ihm, nicht um wie die
andern Verlängerung seines Dienstes sich zu erbitten, sondern seinen
Abschied und die Erlaubnis, den Stand zu wechseln, denn er sei der
Welt überdrüssig, seine Haare ergrauen und es stünde ihm schlecht
an, mit der läutenden Schellenkappe ins Jenseits zu gehen. Mit diesen weinerlichen Worten bemächtigte er sich der abgeworfenen
Kutte, welche das Gesinde zu berühren sich gescheut hatte. Aber sein
buntscheckiges Gehirn schlug einen Purzelbaum und er fügte lüstern
bei: ›Einmal möchte ich noch Amarellen essen, ehe ich der Welt und
ihren Täuschungen Valet sage! Hochzeit läßt hier nicht auf sich
warten, ich glaube.‹ Er beleckte sich die Maulwinkel mit seiner fahlen Zunge. Dann bog er ein Knie vor dem Mönche, schüttelte seine
Schellen und entsprang, die Kutte hinter sich herschleifend.

Amarelle oder Amare«, erläuterte Dante, »heißt das paduanische
Hochzeitsgebäck wegen seines bittern Mandelgeschmackes und zugleich mit anmutiger Anspielung auf das Verbum der ersten Kon-
jugation.« Hier machte der Erzähler eine Pause und verschattete
Stirn und Augen mit der Hand, den weitern Gang seiner Fabel
übersinnend.

Inzwischen trat der Majordom[64] des Fürsten, ein Alsatier[65], namens Burcardo, mit abgemessenen Schritten, umständlichen Bück-
lingen und weitläufigen Entschuldigungen, daß er die Unterhaltung
stören müsse, vor Cangrande, welchen er in irgendeiner häuslichen
Angelegenheit um Befehl bat. Deutsche waren dazumal an den
ghibellinischen[66] Höfen Italiens keine eben seltene Erscheinung, ja
sie wurden gesucht und den Einheimischen vorgezogen wegen ihrer
Redlichkeit und ihres angeborenen Verständnisses für Zeremonien
und Gebräuche.

Als Dante das Haupt wieder hob, gewahrte er den Elsässer und
hörte sein Welsch, das weich und hart beharrlich verwechselte, den
Hof ergötzend, das feine Ohr des Dichters aber empfindlich beleidigend. Sein Blick verweilte dann mit sichtlichem Wohlgefallen auf
den zwei Jünglingen, Ascanio und dem bepanzerten Krieger. Zuletzt ließ er ihn sinnend ruhen auf den beiden Frauen, der Herrin
Diana, die sich belebt und deren marmorne Wange sich leicht gerö-

[64] Hausverwalter. [65] Elsässer. [66] Ghibellinen, Waiblinger, Partei des Kaisers in
Italien, Gegner des Papstes.

tet hatte, und auf Antiope, der Freundin Cangrandes, einem hübschen und natürlichen Wesen. Dann fuhr er fort:

»Hinter der Stadtburg der Vicedomini dehnte sich vormals –
jetzt, da das erlauchte Geschlecht längst erloschen ist, hat sich jener
Platz völlig verändert – ein geräumiger Bezirk bis an den Fuß der
festen und breiten Stadtmauer aus, so geräumig, daß er Weideplätze
für Herden, Gehege für Hirsche und Rehe, mit Fischen gefüllte
Teiche, tiefe Waldschatten und sonnige Weinlauben enthielt. An
einem leuchtenden Morgen, sieben Tage nach der Totenfeier, saß im
schwarzen Schatten einer Zeder, den Rücken an den Stamm gelehnt
und die Schnäbel seiner Schuhe in das brennende Sonnenlicht strekkend, der Mönch Astorre; denn diesen Namen behielt er unter den
Paduanern, obwohl er weltlich geworden war, während seines kurzen Wandels auf der Erde. Er saß oder lag einem Brunnen gegenüber, der aus dem Mund einer gleichgültigen Maske eine kühle Flut
sprudelte, unfern einer Steinbank, welcher er das weiche Polster des
schwellenden Rasens vorgezogen hatte.

Während er sann oder träumte, ich weiß nicht was, sprangen auf
dem beinahe schon mittäglich übersonnten Platze vor dem Palast
zwei junge Leute von staubbedeckten Gäulen, der eine gepanzert,
der andere mit Wahl gekleidet, obschon im Reisegewand. Ascanio
und Germano, so hießen die Reiter, waren die Günstlinge des Vogtes und zugleich die Jugendgespielen des Mönches, mit welchen er
brüderlich gelernt und sich ergötzt hatte bis zu seinem fünfzehnten
Jahre, dem Beginne seines Noviziates[67]. Ezzelin hatte sie an seinen
Schwieger, Kaiser Friedrich, gesendet.«

Dante hielt inne und verneigte sich vor dem großen Schatten.

»Mit beantworteten Aufträgen kehrten die zwei zu dem Tyrannen zurück, welchem sie noch überdies die Neuigkeit des Tages mitbrachten: eine in der kaiserlichen Kanzlei verfertigte Abschrift des
an den christlichen Klerus gerichteten Hirtenbriefes, worin der Heilige Vater den geistvollen Kaiser vor dem Angesichte der Welt der
äußersten Gottlosigkeit anklagt.

Obwohl mit wichtigen, vielleicht Eile heischenden Aufträgen und
dem unheilschweren Dokumente betraut, brachten die beiden es
nicht über sich, an dem Heim ihres Jugendgespielen vorbei nach dem
Stadtturm des Tyrannen zu sprengen. Sie hatten in der letzten Herberge vor Padua, wo sie, ohne den Bügel zu verlassen, ihre Pferde

---

[67] Probezeit für den Kleriker vor dem Ablegen der ewigen Gelübde.

fressen und saufen ließen, von dem geschwätzigen Schenkwirt das große Stadtunglück und das größere Stadtärgernis, den Untergang der Hochzeitsbarke und die weggeschleuderte Kutte des Mönches erfahren, so ziemlich mit allen Umständen, ohne die vereinigten Hände Dianas und Astorres jedoch, welche noch nicht offenbar geworden waren. Unzerstörliche Bande, die uns an die Gespielen unserer Kindheit fesseln! Von dem seltsamen Schicksale Astorres betroffen, konnten die beiden keine Ruhe finden, bis sie ihn mit Augen gesehen, den Wiedergewonnenen. Während langer Jahre waren sie nur dem Mönche begegnet, zufällig auf der Straße, ihn mit einem zwar freundlichen, aber durch aufrichtige Ehrfurcht vertieften und etwas fremden Kopfnicken begrüßend.

Gocciola, den sie im Hofe des Palastes fanden, wie er mit einer Semmel beschäftigt auf einem Mäuerlein saß und die Beine baumeln ließ, führte sie in den Garten. Ihnen voranwandelnd, unterhielt der Narr die Jünglinge nicht von dem tragischen Schicksale des Hauses, sondern nur von seinen eigenen Angelegenheiten, welche ihm als das weit Wichtigere erschienen. Er erzählte, daß er brünstig nach einem seligen Ende strebe, und verschluckte darüber den Rest der Semmel, ohne ihn mit seinen wackligen Zähnen gekaut zu haben, so daß er fast daran erstickte. Über die Gesichter, die er schnitt, und über seine Sehnsucht nach der Zelle brach Ascanio in ein so lustiges Gelächter aus, daß er damit den Himmel entwölkte, wenn dieser heute nicht schon aus eigener Freude in leuchtenden Farben geschwelgt hätte.

Ascanio versagte sich nicht das Tröpfchen zu foppen, schon um den lästigen Begleiter loszuwerden. ›Ärmster‹, begann er, ›du wirst die Zelle nicht erreichen, denn, unter uns, im tiefsten Vertrauen, mein Ohm der Tyrann hat ein begehrliches Auge auf dich geworfen. Laß dir sagen: er besitzt vier Narren, den Stoiker[68], den Epikuräer[69], den Platoniker[70], den Skeptiker[71], wie er sie benennt. Diese viere stellen sich, wann der Ernste spaßen will, auf seinen Wink in die vier Ecken eines Saales, an dessen Wölbung der gestirnte Himmel und die Planetenbilder prangen. Der Ohm, im Hauskleide, tritt in die Mitte des Raumes, klatscht in die Hände, und die Philosophen wechseln hopsend die Winkel. Vorgestern ist der Stoiker heulend und winselnd draufgegangen, weil der Unersättliche viele Pfunde Nudeln auf einmal verschlang. Der Ohm hat mir flüchtig angedeu-

[68] Anhänger des Philosophen Zenon (um 500 v. Chr.), Ruhe und Gelassenheit ist das höchste Ziel. [69] Anhänger des Philosophen Epikur (um 300 v. Chr.), er sah in der Lust, im schmerzlosen Dasein die höchste Erfüllung. [70] Anhänger Platons (429–347 v. Chr.), der das Reich der Ideen über alles stellt. [71] Zweifler, auch eine griechische Philosophenschule.

tet, er gedenke ihn zu ersetzen, und werde sich von dem Mönche, deinem neuen Herrn, als Erbsteuer dich, o Gocciola, erbitten. So steht es. Ezzelin fahndet nach dir. Wer weiß, ob er nicht hinter dir geht.‹ Dieses war eine Anspielung auf die Allgegenwart des Tyrannen, welche die Paduaner in Furcht und beständigem Zittern hielt. Gocciola stieß einen Schrei aus, als falle die Hand des Gewaltigen auf seine Schulter, blickte sich um, und obwohl niemand hinter ihm ging als sein kurzer Schatten, flüchtete er sich zähneklappernd in irgendein Versteck.

Ich streiche die Narren Ezzelins«, unterbrach sich Dante mit einer griffelhaltenden Gebärde, als schriebe er seine Fabel, statt sie zu sprechen, wie er tat. »Der Zug ist unwahr, oder dann log Ascanio. Es ist durchaus undenkbar, daß ein so ernster und ursprünglich edler Geist wie Ezzelin Narren gefüttert und sich an ihrem Blödsinn ergötzt habe.« Diesen geraden Stich führte der Florentiner gegen seinen Gastfreund, auf dessen Mantel Gocciola saß, den Dichter angrinsend.

Cangrande tat nicht dergleichen. Er versprach sich im stillen, bei erster Gelegenheit mit Wucher heimzuzahlen.

Befriedigt, fast heiter setzte Dante seine Erzählung fort.

»Endlich entdeckten die beiden den entmönchten Mönch, welcher, wie gesagt, den Rücken an den Stamm einer Pinie lehnte –«

»An den Stamm einer Zeder, Dante«, verbesserte die aufmerksam gewordene Fürstin.

»– einer Zeder lehnte und sich die Fußspitzen sonnte. Er bemerkte die sich ihm von beiden Seiten Nähernden nicht, so tief war er in sein leeres oder volles Träumen versunken. Jetzt bückte sich der mutwillige Ascanio nach einem Grashalm, brach denselben und kitzelte damit die Nase des Mönches, daß dieser dreimal kräftig nieste. Astorre ergriff freundlich die Hände seiner Jugendgespielen und zog sie rechts und links neben sich auf den Rasen nieder. ›Nun, was sagt ihr dazu?‹ fragte er in einem Tone, der eher schüchtern als herausfordernd klang.

›Zuerst mein aufrichtiges Lob deines Priors und deines Klosters‹, scherzte Ascanio. ›Sie haben dich frisch bewahrt. Du schaust jugendlicher als wir beide. Freilich die knappe weltliche Tracht und das glatte Kinn mögen dich auch verjüngen. Weißt du, daß du ein schöner Mann bist? Du liegst unter deiner Riesenzeder gleich dem ersten Menschen, den Gott, wie die Gelehrten behaupten, als einen Drei-

ßigjährigen erschuf, und ich‹, fuhr er mit einer unschuldigen Miene
fort, da er den Mönch über seinen Mutwillen erröten sah, ›bin wahrlich der letzte, dich zu tadeln, daß du dich aus der Kutte befreitest,
denn sein Geschlecht zu erhalten, ist der Wunsch alles Lebenden.‹

›Es war nicht mein Wunsch noch freier Entschluß‹, bekannte der
Mönch wahrhaft. ›Widerstrebend tat ich den Willen eines sterbenden Vaters.‹

›Wirklich?‹ lächelte Ascanio. ›Erzähle das niemandem, Astorre,
als uns, die dich lieben. Andern würde dich diese Unselbständig-
keit lächerlich oder gar verächtlich machen. Und, weil wir vom
Lächerlichen reden, gib acht, ich bitte dich, Astorre, daß du den
Menschen aus dem Mönche entwickelst, ohne den guten Geschmack
zu beleidigen! Der heikle Übergang will sorgfältig geschont und
abgestuft sein. Nimm Rat an! Du reisest ein Jährchen, zum Beispiel
an den Hof des Kaisers, von wo nach Padua und zurück die Boten
nicht zu laufen aufhören. Du lässest dich von Ezzelin nach Palermo
senden! Dort lernst du neben dem vollkommensten Ritter und dem
vorurteilslosesten Menschen – ich meine unsern zweiten Friedrich –
auch die Weiber kennen und gewöhnst dir die Mönchsart ab, sie zu
vergöttern oder gering zu schätzen. Das Gemüt des Herrschers färbt
Hof und Stadt. Wie das Leben hier in Padua geworden ist, unter
meinem Ohm, dem Tyrannen, wild und übertrieben und gewalttätig, gibt es dir ein falsches Weltbild. Palermo, wo sich unter dem
menschlichsten aller Herrscher Spiel und Ernst, Tugend und Lust,
Treue und Unbestand, guter Glaube und kluges Mißtrauen in den
richtigen Verhältnissen mischen, bietet das wahrere. Dort vertän-
delst du den Reigen eines Jahres mit unsern Freundinnen und Fein-
dinnen in erlaubter oder läßlicher Weise‹ – der Mönch runzelte die
Stirn –, ›machst etwa einen Feldzug mit, ohne jedoch unbesonnen
dich auszusetzen – denke an deine Bestimmung – nur daß du dich
wieder erinnerst, wie Pferd und Klinge geführt wird – als Knabe
verstundest du das – behältst deine muntern braunen Augen, die –
bei der Fackel der Aurora! – leuchten und sprühen, seit du das Kloster verlassen hast, überall offen und kehrst uns als ein Mann zurück, der sich und andere besitzt.‹

›Er muß dort beim Kaiser eine Schwäbin heiraten‹, riet der Gepanzerte gutmütig. ›Sie sind frömmer und verläßlicher als unsere
Weiber.‹

›Schweigst du wohl?‹ drohte ihm Ascanio mit dem Finger. ›Mache
mir keine Langeweile mit semmelblonden Zöpfen!‹ Der Mönch aber
drückte die Rechte Germanos, welche er noch nicht hatte fahren
lassen.

›Aufrichtig, Germano‹, forschte er, ›was sagst du dazu?‹

›Wozu?‹ fragte dieser barsch.

›Nun, zu meinem neuen Stande?‹

›Astorre, mein Freund‹, antwortete der Schnurrbärtige etwas verlegen, ›ist es getan, frägt man nicht mehr herum nach Beirat und
Urteil. Man behauptet sich, wo man steht. Willst du aber meine
Meinung durchaus wissen, nun, schau, Astorre, verletzte Treue, ge-
brochenes Wort, Fahnenflucht und so weiter, dem gibt man in Ger-
manien grobe Namen. Natürlich bei dir ist's etwas ganz anderes,
das läßt sich gar nicht vergleichen – und dann der sterbende Vater –
Astorre, mein lieber Freund, du hast ganz hübsch gehandelt, nur
wäre das Gegenteil noch hübscher gewesen. Das ist meine Meinung‹,
schloß er treuherzig.

›So hättest du mir, wärest du dagewesen, die Hand deiner Schwester verweigert, Germano?‹

Dieser fiel aus den Wolken. ›Die Hand meiner Schwester? der
Diana? Derselben, die deinen Bruder betrauert?‹

›Derselben. Sie ist meine Verlobte.‹

›O herrlich!‹ rief jetzt der weltkluge Ascanio, und ›Erfreulich!‹
fiel Germano bei. ›Laß dich umarmen, Schwager!‹ Der Gepanzerte
hatte trotz seiner Geradheit gute Lebensart. Aber er unterdrückte
einen Seufzer. So herzlich er die herbe Schwester achtete, dem Mönche, wie dieser neben ihm saß, hätte er, nach seinem natürlichen
Gefühle, ein anderes Weib gegeben.

So drehte er den Schnurrbart und Ascanio das Steuerruder des Ge-
spräches. ›Eigentlich, Astorre‹, plauderte der Heitere, ›müssen wir
damit anfangen, uns wieder kennenzulernen; nicht weniger als deine
fünfzehn beschaulichen Klosterjahre liegen zwischen unserer Kindheit und heute. Nicht daß wir inzwischen unser Wesen geändert
hätten, wer ändert es? Doch wir haben uns ausgewachsen. Dieser
zum Beispiel‹ – er deutete gegen Germano – ›freut sich jetzt eines
schönen Waffenruhmes; aber ich habe ihn zu verklagen, daß er ein
halber Deutscher geworden ist. Er‹ – Ascanio krümmte den Arm,
als leere er den Becher – ›und hernach wird er tiefsinnig oder hän-
delsüchtig. Auch verachtet er unser süßes Italienisch. ‚Ich werde
deutsch mit euch reden!' prahlt er und brummt die Bärenlaute einer
unmenschlichen Sprache. Dann erbleicht sein Gesinde, seine Gläubiger fliehen und unsere Paduanerinnen kehren ihm die stattlichen
Rücken zu. Dergestalt ist er vielleicht so jungfräulich geblieben als
du, Astorre‹, und er legte dem Mönch traulich die Hand auf die
Schulter.

Germano lachte herzlich und erwiderte auf Ascanio zeigend: ›Und dieser hier hat seine Bestimmung gefunden, indem er der perfekte Höfling wurde.‹

›Da irrst du dich, Germano‹, widersprach der Günstling Ezzelins. ›Meine Bestimmung war, das Leben leicht und heiter zu genießen.‹ Und zum Beweise dessen rief er freundlich gebietend das Kind des Gärtners herbei, das er in einiger Entfernung sich vorüberstehlen und nach seiner neuen Herrschaft, dem Mönche schielen sah. Das hübsche Ding trug einen mit Trauben und Feigen überhäuften Korb auf dem lachenden Haupte und schaute eher schelmisch als schüchtern. Ascanio war aufgesprungen. Er legte die Linke um die schlanke Seite des Mädchens und holte sich mit der Rechten aus dem Korb eine Traube. Zugleich suchte sein Mund die schwellenden Lippen. ›Mich durstet‹, sagte er. Das Mädchen tat schämig, hielt aber stille, weil es seine Früchte nicht verschütten wollte. Unmutig wendete sich der Mönch von den zwei Leichtsinnigen ab, und das erschrekkende Dirnchen entrann, da es die harte mönchische Gebärde erblickte, den Pfad ihrer Flucht mit rollenden Früchten bestreuend. Ascanio, der seine Traube in der Hand hielt, hob hinter den flüchtigen Stapfen noch zwei andere auf, deren eine er Germano bot, welcher aber die ungekelterte verächtlich ins Gras warf. Die andere reichte der Mutwillige dem Mönche, der sie eine Weile ebenfalls unberührt ließ, dann aber gedankenlos eine saftige Beere und bald noch eine zweite und die dritte kostete.

›Ein Höfling?‹ fuhr Ascanio fort, der sich, belustigt durch die Zimperlichkeit des dreißigjährigen Mönches, wieder neben ihn auf den Rasen geworfen hatte. ›Glaube das nicht, Astorre! Glaube das Gegenteil! Ich bin der einzige, welcher meinem Ohm leise, aber verständlich zuredet, daß er nicht unbarmherzig werde, daß er ein Mensch bleibe.‹

›Er ist nur gerecht und sich selbst getreu!‹ meinte Germano.

›Über seine Gerechtigkeit!‹ jammerte Ascanio, ›und über seine Logik! Padua ist Reichslehen. Ezzelin ist Vogt. Wer ihm mißfällt, lehnt sich gegen das Reich auf. Hochverräter werden —‹ Er brachte es nicht über die Lippen. ›Abscheulich!‹ murmelte er. ›Und überhaupt: warum dürfen wir Welsche kein eigenes Leben unter unserer warmen Sonne führen? Warum dieses Nebelphantom des Reiches, das uns den Atem beengt? Ich rede nicht für mich. Ich bin an den Ohm gefesselt. Stirbt der Kaiser, den Gott erhalte, so wirft sich ganz Italien mit Flüchen und Verwünschungen über den Tyrannen Ezzelin, und den Neffen erwürgen sie so nebenbei.‹ Ascanio betrachtete über der üppigen Erde den strahlenden Himmel und stieß einen Seufzer aus.

›Uns beide‹, ergänzte Germano kaltblütig. ›Das aber hat Weile. Der Gebieter besitzt eine feste Prophezeiung. Der gelehrte Guido Bonatti und Paul von Bagdad, welcher mit seinem langen Barte den Staub der Gasse zusammenfegt, haben ihm, so sehr sich die aufeinander Eifersüchtigen gewöhnlich widersprechen, ein neues seltsames Sternbild einmütig folgendergestalt enträtselt: in einer Kürze oder Länge wird ein Sohn der Halbinsel die ungeteilte Krone derselben erringen mit Hilfe eines germanischen Kaisers, der für sein Teil jenseits der Gebirge alles Deutsche in einem harten Reichsapfel zusammenballt. Ist Friedrich dieser Kaiser? Ist dieser König Ezzelin? Das weiß Gott, der Zeit und Stunde kennt, aber der Gebieter hat darauf seinen Ruhm und unsere Köpfe verwettet.‹

›Geflechte von Vernunft und Wahn!‹ ärgerte sich Ascanio, während der Mönch erstaunte über die Macht der Sterne, den weiten Ehrgeiz der Herrscher und den alles mitreißenden Strom der Welt. Auch erschreckte ihn das Gespenst der beginnenden Grausamkeit Ezzelins, in welchem der Unschuldige die verkörperte Gerechtigkeit gesehen hatte.

Ascanio beantwortete seine schweigenden Zweifel, indem er fortfuhr: ›Mögen sie beide einen bösen Tod finden, der stirnrunzelnde Guido und der bärtige Heide! Sie verleiten den Ohm, seinen Launen und Lüsten zu gehorchen, indem er das Notwendige zu tun glaubt. Hast du ihm schon zugeschaut, Germano, wie er bei seinem kargen Mahle in dem durchsichtigen Kristall des Bechers sein Wasser mit den drei oder vier blutroten Tropfen Sizilianers färbt, welche er sich gönnt? wie sein aufmerksamer Blick das Blut verfolgt, das sich langsam wölkt und durch den lautern Quell verbreitet? oder wie er den Toten die Lider zuzudrücken liebt, so daß es zur Höflichkeit geworden ist, den Vogt wie zu einem Fest an die Sterbelager zu bitten und ihm diese traurige Handlung zu überlassen? Ezzelin, mein Fürst, werde mir nicht grausam!‹ rief der Jüngling aus, von seinem Gefühl überwältigt.

›Ich denke nicht, Neffe‹, sprach es hinter ihm. Es war Ezzelin, welcher ungesehen herangetreten war und, obwohl kein Lauscher, den letzten schmerzlichen Ausruf Ascanios vernommen hatte.

Die drei Jünglinge erhoben sich rasch und begrüßten den Herrscher, der sich auf die Bank niederließ. Sein Gesicht war ruhig wie die Maske des Brunnens.

›Ihr meine Boten‹, stellte er Ascanio und Germano zur Rede, ›was kam euch an, diesen hier‹ – er nickte leicht gegen den Mönch – ›vor mir aufzusuchen?‹

›Er ist unser Jugendgespiele und hat Seltsames erfahren‹, entschuldigte der Neffe, und Ezzelin ließ es gelten. Er empfing die Briefschaften, die ihm Ascanio das Knie biegend überreichte. Alles schob er in den Busen außer der Bulle. ›Siehe da‹, sagte er, ›das Neueste! Lies vor, Ascanio! Du hast jüngere Augen als ich.‹

Ascanio rezitierte den apostolischen Brief, während Ezzelin die Rechte in den Bart vergrub und mit dämonischem Vergnügen zuhörte.

Zuerst gab der dreigekrönte Schriftsteller dem geistreichen Kaiser den Namen eines apokalyptischen Ungeheuers. ›Ich kenne das, es ist absurd‹, sagte der Tyrann. ›Auch mich hat der Pontifex[72] in seinen Briefen ausschweifend betitelt, bis ich ihn ermahnte, mich, welcher Ezzelin der Römer heißt, fortan in klassischer Sprache zu schelten. Wie nennt er mich diesesmal? Ich bin neugierig. Suche nur die Stelle, Ascanio – es wird sich eine finden –, wo er meinem Schwieger seinen bösen Umgang vorhält. Gib her!‹ Er ergriff das Schreiben und fand bald den Ort: hier beschuldigte der Papst den Kaiser, den Gatten seiner Tochter zu lieben, ›Ezzelino da Romano, den größten Verbrecher der bewohnten Erde‹.

›Korrekt!‹ lobte Ezzelin und gab Ascanio das Schreiben zurück. ›Lies mir die Gottlosigkeiten des Kaisers, Neffe‹, lächelte er.

Ascanio las, Friedrich habe geäußert, es gebe neben vielem Wahn nur zwei wahre Götter: Natur und Vernunft. Der Tyrann zuckte die Achseln.

Ascanio las ferner, Friedrich habe geredet: drei Gaukler, Moses, Mohammed und – er stockte – hätten die Welt betrogen. ›Oberflächlich‹, tadelte Ezzelin, ›sie hatten ihre Sterne; aber, gesagt oder nicht, der Spruch gräbt sich ein und wiegt für den unter der Tiara ein Heer und eine Flotte. Weiter.‹

Nun kam eine wunderliche Mär an die Reihe: Friedrich hätte, durch ein wogendes Kornfeld reitend, mit seinem Gefolge gescherzt und in lästerlicher Anspielung auf die heilige Speise den Dreireim zum besten gegeben:

> So viele Ähren, so viele Götter sind,
> Sie schießen empor in der Sonne geschwind
> Und wiegen die goldenen Häupter im Wind –

Ezzelin besann sich. ›Seltsam!‹ flüsterte er. ›Mein Gedächtnis hat dieses Verschen aufbewahrt. Es ist durchaus authentisch. Der Kaiser hat es mir mit fröhlich lachendem Munde zugerufen, da wir zusammen im Angesichte der Tempeltrümmer von Enna jene strotzenden

---

[72] Der Papst.

Ährenfelder durchritten, mit welchen Göttin Ceres[73] die sizilische Scholle gesegnet hat. Darauf besinne ich mich mit derselben Klarheit, welche an jenem Sommertage über der Insel glänzte. Ich bin es nicht, der diesen heitern Scherz dem Pontifex mitgeteilt hat. Dazu bin ich zu ernsthaft. Wer tat es? Ich mache euch zu Richtern, Jünglinge. Wir ritten zu dreien und der dritte – auch dessen bin ich gewiß, wie dieser leuchtenden Sonne‹ – sie warf gerade einen Strahl durch das Laub – ›war Petrus de Vinea[74], der Unzertrennliche des Kaisers. Hätte der fromme Kanzler für seine Seele gebangt und sein Gewissen durch einen Brief nach Rom erleichtert? Reitet ein Sarazene heute? Ja? Rasch, Ascanio. Ich diktiere dir eine Zeile.‹

Dieser zog Täfelchen und Stift hervor, ließ sich auf das rechte Knie nieder und schrieb, das gebogene linke als Pult gebrauchend:

›Erhabener Herr und geliebter Schwieger! Ein schnelles Wort. Das Versehen in der Bulle – Ihr seid zu geistreich, um Euch zu wiederholen – haben nur vier Ohren gehört, die meinigen und die Eures Petrus, in den Kornfeldern von Enna, vor einem Jahre, da Ihr mich an Euern Hof beriefet und ich mit Euch die Insel durchritt. Kein Hahn kräht danach, wenn nicht der im Evangelium, welcher den Verrat des Petrus bekräftigte. Wenn Ihr mich und Euch liebet, Herr, so versuchet Euern Kanzler mit einer scharfen Frage.‹

›Blutiges Wortspiel! Das schreibe ich nicht! Die Hand zittert mir!‹ rief der erblassende Ascanio. ›Ich bringe den Kanzler nicht auf die Folter!‹ und er warf den Stift weg.

›Dienstsache‹, bemerkte Germano trocken, hob den Stift auf und beendigte das Schreiben, welches er unter seine Eisenhaube schob. ›Es läuft noch heute‹, sagte er. ›Mir für meine einfache Person hat der Capuaner nie gefallen: er hat einen verhüllten Blick.‹

Der Mönch Astorre schauderte zusammen trotz der Mittagssonne. Zum ersten Male griff der aus dem Klosterfrieden Geschiedene, gleichsam mit Händen, wie die schlüpfrigen Windungen einer Natter, den Argwohn oder den Verrat der Welt. Aus seinem Brüten weckte ihn ein strenges Wort Ezzelins, welches dieser an ihn richtete, von seiner Steinbank sich erhebend.

›Sprich, Mönch, warum vergräbst du dich in dein Haus? Du hast es noch nie verlassen, seit du weltliches Gewand trägst. Du scheust die öffentliche Meinung? Tritt ihr entgegen! Sie weicht zurück. Machst du aber eine Bewegung der Flucht, so heftet sie sich an deine

---

[73] Göttin der Fruchtbarkeit. [74] Petrus de Vinea (1190–1249), italienischer Rechtsgelehrter am Hof Friedrichs II. Dieser hatte ihn wegen eines Giftmordversuches einsperren und blenden lassen. Petrus de Vinea nahm sich daraufhin im Gefängnis das Leben.

Sohle wie eine heulende Meute. Hast du deine Braut Diana besucht?
Die Trauerwoche ist vorüber. Ich rate dir: heute noch lade deine
Sippen, und heute noch vermähle dich mit Diana!‹

›Und dann rasch mit euch auf dein entlegenstes Schloß!‹ beendigte Ascanio.

›Das rate ich nicht‹, verbot der Tyrann. ›Keine Furcht. Keine
Flucht. Heute vermählst du dich, und morgen hältst du Hochzeit
mit Masken. Valete[75]!‹ Er schied, Germano winkend ihm zu folgen.«

»Darf ich unterbrechen?« fragte Cangrande, der höflich genug
gewesen war, eine natürliche Pause der Erzählung abzuwarten.

»Du bist der Herr«, versetzte der Florentiner mürrisch.

»Traust du dem unsterblichen Kaiser jenes Wort von den drei
großen Gauklern zu?«

»Non liquet[76].«

»Ich meine: in deinem innersten Gefühle?«

Dante verneinte mit einer deutlichen Bewegung des Hauptes.

»Und doch hast du ihn als einen Gottlosen in den sechsten Kreis
deiner Hölle verdammt. Wie durftest du das? Rechtfertige dich!«

»Herrlichkeit«, antwortete der Florentiner, »die Komödie spricht
zu meinem Zeitalter. Dieses aber liest die fürchterlichste der Läste-
rungen mit Recht oder Unrecht auf jener erhabenen Stirne. Ich vermag nichts gegen die fromme Meinung. Anders vielleicht urteilen
die Künftigen.«

»Mein Dante«, fragte Cangrande zum andern Mal, »glaubst du
Petrus de Vinea unschuldig des Verrates an Kaiser und Reich?«

»Non liquet.«

»Ich meine: in deinem innersten Gefühle?«

Dante verneinte mit derselben Gebärde.

»Und du lässest den Verräter in deiner Komödie seine Unschuld
beteuern?«

»Herr«, rechtfertigte sich der Florentiner, »werde ich, wo klare
Beweise fehlen, einen Sohn der Halbinsel mehr des Verrates bezich-
tigen, da schon so viele Arglistige und Zweideutige unter uns sind?«

»Dante, mein Dante«, sagte der Fürst, »du glaubst nicht an die
Schuld und du verdammst! Du glaubst an die Schuld und du sprichst
frei!« Dann führte er die Erzählung in spielendem Scherze weiter:

»Auch der Mönch und Ascanio verließen jetzt den Garten und
betraten die Halle.« Doch Dante nahm ihm das Wort.

»Keineswegs, sondern sie stiegen in eine Turmstube, dieselbe, die
Astorre als Knabe mit ungeschorenen Locken bewohnt: denn dieser

[75] Lebt wohl! [76] Es ist unklar.

mied die großen und prunkenden Gemächer, welche er sich erst ge-
wöhnen mußte als sein Eigentum zu betrachten, wie er auch den
ihm hinterlassenen goldenen Hort noch mit keinem Finger berührt
hatte. Den beiden folgte, auf einen gebietenden Wink Ascanios, der
Majordom Burcardo in gemessener Entfernung mit steifen Schritten
und verdrießlichen Mienen.«

Der gleichnamige Haushofmeister Cangrandes war nach verrich-
tetem Geschäfte neugierig lauschend in den Saal zurückgetreten,
denn er hatte gemerkt, daß es sich um wohlbekannte Personen
handle; da er nun sich selbst nennen hörte und unversehens und
lebensgroß im Spiegel der Novelle erblickte, fand er diesen Miß-
brauch seiner Ehrenperson verwegen und durchaus unziemlich im
Munde des beherbergten Gelehrten und geduldeten Flüchtlings,
welchem er in gerechter Erwägung der Verhältnisse und Unterschiede
auf dem obern Stockwerke des fürstlichen Hauses eine denkbar einfache Kammer eingeräumt hatte. Was die andern lächelnd gelitten,
empfand er als ein Ärgernis. Er runzelte die Brauen und rollte die
Augen. Der Florentiner weidete sich mit ernsthaftem Gesichte an
der Entrüstung des Pedanten und ließ sich in seiner Fabel nicht stören.

»›Würdiger Herr‹, befragte Ascanio den Majordom – habe ich
gesagt, daß dieser von Geburt ein Alsatier war? – ›wie heiratet man
in Padua? Astorre und ich sind unerfahrene Kinder in dieser Wissenschaft.‹

Der Haushofmeister warf sich in Positur, starr seinen Herrn an-
schauend, ohne Ascanio, der ihm nach seinen Begriffen nichts zu befehlen hatte, eines Blickes zu würdigen.

›Distinguendum est[77]‹, sagte er feierlich. ›Es ist auseinander zu
halten: Werbung, Vermählung und Hochzeit.‹

›Wo steht das geschrieben?‹ scherzte Ascanio.

›Ecce[78]!‹ antwortete der Majordom, indem er ein großes Buch
entfaltete, das ihn niemals verließ. ›Hier!‹ und er wies mit dem gestreckten Finger der linken Hand auf den Titel, welcher lautete:
›Die Zeremonien von Padova nach genauer Erforschung zu Nutz
und Frommen aller Ehrbaren und Anständigen zusammengestellt
von Messer Godoscalco Burcardo.‹ Er blätterte und las: ›Erster
Abschnitt: Die Werbung. Paragraph eins: Der ernsthafte Werber
bringt einen Freund gleichen Standes als gültigen Zeugen mit –‹

›Bei den überflüssigen Verdiensten meines Schutzheiligen‹, unter-

[77] Man muß unterscheiden. [78] Seht!

brach ihn Ascanio ungeduldig, ›laß uns zufrieden mit ante[79] und post[80], mit Werbung und Hochzeit, serviere uns das Mittelstück: wie vermählt man sich in Padua?‹

›In Batova‹, krähte der gereizte Alsatier, dessen barbarische Aussprache in der Gemütsbewegung noch mehr als gewöhnlich hervortrat, ›werden zu den adeligen Sbosalizien geladen die zwölf großen Geschlechter‹ – er zählte sie aus dem Gedächtnisse her – ›zehn Tage voraus, nicht früher, nicht später, von dem Majordome des Bräutigams, gefolgt von sechs Dienern. In dieser erlauchten Versammlung werden die Ringe gewechselt. Man schlürft Cybrier und verzehrt als Hochzeitsgepäcke die Amarellen –‹

›Gott gebe, daß wir uns nicht die Zähne ausbeißen!‹ lachte Ascanio, und dem Majordom das Buch entreißend, durchlief er die Namen, von welchen sechs Familienhäupter – sechse von zwölfen – und einige Jünglinge mit breiten Strichen ausgelöscht waren. Sie mochten sich in irgendeine Verschwörung gegen den Tyrannen verwickelt und darin den Untergang gefunden haben.

›Merk auf, Alter!‹ befahl Ascanio, für den Mönch handelnd, welcher in einen Sessel gesunken war und in Gedanken verloren die freundliche Bevormundung sich gefallen ließ. ›Du hältst deinen Umgang mit den sechs Tagedieben zur Stunde, jetzt gleich, ohne Verzug, verstehst du? und ladest auf heute zur Vesperzeit.‹

›Zehn Tage voraus‹, wiederholte Herr Burcardo majestätisch, als verkünde er ein Reichsgesetz.

›Heute und auf heute, Starrkopf!‹

›Unmöglich‹, sprach der Majordom ruhig. ›Ändert Ihr den Lauf der Gestirne und Jahreszeiten?‹

›Du rebellierst? Jückt dich der Hals, Alter?‹ warnte Ascanio mit einem sonderbaren Lächeln.

Das genügte. Herr Burcardo erriet. Ezzelin hatte befohlen, und der hartnäckigste der Pedanten fügte sich ohne Murren, so eisern war die Rute des Tyrannen.

›Dann ladest du die beiden Herrinnen Canossa nicht, die Olympia und die Antiope.‹

›Warum diese nicht?‹ fragte der Mönch plötzlich, wie von einem Zauberstabe berührt. Die Luft färbte sich vor seinem Blicke und ein Bild entstand, dessen erster Umriß schon seine ganze Seele fesselte.

›Weil die Gräfin Olympia eine Törin ist, Astorre. Kennst du die Geschichte des armen Weibes nicht? Doch du stakest ja damals noch in den Windeln, will sagen in der Kutte. Es war vor drei Jahren, da die Blätter gilbten.‹

[79] Vor. [80] Nach.

›Im Sommer, Ascanio. Eben jährt es sich‹, widersprach der Mönch.

›Du hast recht – kennst du denn die Geschichte? Doch wie solltest du? Zu jener Zeit munkelte der Graf Canossa mit dem Legaten, wurde belauscht, ergriffen und verurteilt. Die Gräfin tat einen Fußfall vor dem Ohm, der sich in sein Schweigen hüllte. Sie wurde dann auf die sträflichste Weise von einem habgierigen Kämmerer getäuscht, welcher ihr Gewinnes wegen vorspiegelte, der Graf werde vor dem Blocke begnadigt werden. Das ging nicht in Erfüllung, und da man der Gräfin einen Enthaupteten brachte, warf sich ihm die aus der Hoffnung kopfüber in die Verzweiflung Geschleuderte durch das Fenster entgegen, wunderbarerweise ohne sich zu verletzen, außer daß sie sich den Fuß verstauchte. Aber von jenem Tage an war ihr Geist zerrüttet. Wenn natürliche Stimmungen sich unmerklich ineinander verlieren wie das erlöschende Licht in die wachsende Dämmerung, wechseln die ihrigen in rasendem Umschwung von Hell und Dunkel zwölfmal in zwölf Stunden. Von beständiger Unruhe gestachelt, eilt das elende Weib aus ihrem verödeten Stadtpalast auf ihr Landgut und aus diesem in die Stadt zurück, in ewigem Irrgange. Heute will sie ihr Kind einem Pächterssohn vermählen, weil nur Niedrigkeit Schutz und Frieden gewähre, morgen wäre ihr der edelste Freier, der übrigens aus Scheu vor einer solchen Mutter sich nicht einstellt, kaum vornehm genug –‹

Hätte Ascanio, während seine Rede floß, den flüchtigsten Blick auf den Mönch geworfen, er hätte staunend inne gehalten, denn das Antlitz des Mönches verklärte sich vor Mitleid und Erbarmen.

›Wenn der Tyrann‹, fuhr der Achtlose fort, ›an der Behausung Olympias vorüber auf die Jagd reitet, stürzt sie ans Fenster und erwartet, er werde an ihrer Schwelle vom Pferde steigen und die in Ungnade Geratene, aber nun genug Geprüfte, günstig und gnädig an seinen Hof zurückführen, wozu er wahrlich keine Lust hat. Eines andern Tages, oder noch an demselben, wähnt sie sich von Ezzelin, welcher sich nicht um sie bekümmert, verfolgt und geächtet. Sie glaubt sich verarmt und ihre Güter, die er unberührt ließ, eingezogen. So brennt und friert sie im Wechselfieber der schroffsten Gegensätze, ist nicht nur selbst verrückt, sondern verrückt auch, was sie in die wirbelnden Kreise ihres Kopfes zieht, und stiftet – denn sie ist nur eine halbe Törin und redet mitunter treffend und witzig – überall Unheil, wo ihr geglaubt wird. Es kann nicht die Rede davon sein, sie unter die Leute und an ein Fest zu bringen. Ein Wunder ist, daß ihr Kind, die Antiope, welches sie vergöttert und dessen Verheiratung sich im Mittelpunkte ihrer Phantasie dreht, auf diesem schwanken Boden den Verstand behält. Aber das Mädchen, das in seiner Frühblüte steht und leidlich hübsch ist, hat eine gute Natur . . .‹ So ging es noch eine Weile fort.

Astorre aber versank in seinem Traume. So sage ich, weil das Vergangene Traum ist. Denn der Mönch sah, was er vor drei Jahren erlebt hatte: einen Block, den Henker daneben, und sich selbst an der Stelle eines erkrankten Mitmönches als geistlichen Tröster, der einen armen Sünder erwartet. Dieser – der Graf Canossa – erschien gefesselt, wollte aber durchaus nicht herhalten, sei es, weil er wähnte, seine Begnadigung werde, jetzt da er vor dem Blocke stehe, nicht säumen, sei es einfach, weil er die Sonne liebte und die Gruft verabscheute. Er ließ den Mönch hart an und verschmähte seine Gebete. Ein entsetzliches Ringen stand bevor, wenn er fortfuhr, sich zu sträuben und zu stemmen; denn er hielt sein Kind an der Hand, welches ihm – von den Wachen unbemerkt – zugesprungen war und ihn umklammerte, die ausdrucksvollsten Augen und die flehendsten Blicke auf den Mönch heftend. Der Vater drückte das Mädchen fest an seine Brust und schien sich mit diesem jungen Leben gegen die Vernichtung decken zu wollen, wurde aber von dem Henker nieder und mit dem Haupte auf den Block gedrückt. Da legte das Kind Kopf und Nacken neben den väterlichen. Wollte es das Mitleid des Henkers erwecken? Wollte es den Vater ermutigen, das Unabwendbare zu leiden? Wollte es dem Unversöhnten den Namen eines Heiligen ins Ohr murmeln? Tat es das Unerhörte ohne Besinnen und Überlegung, aus überströmender kindlicher Liebe? Wollte es einfach mit ihm sterben?

Jetzt leuchteten die Farben so kräftig, daß der Mönch die zwei nebeneinander liegenden Hälse, den ziegelroten Nacken des Grafen und den schneeweißen des Kindes mit dem gekräuselten goldbraunen Flaume wenige Schritte vor sich in voller Lebenswahrheit erblickte. Das Hälschen war von der schönsten Bildung und ungewöhnlicher Schlankheit. Astorre bebte, das fallende Beil möchte sich irren, und fühlte sich in tiefster Seele erschüttert, nicht anders als das erste Mal, nur daß ihm die Sinne nicht schwanden, wie sie ihm damals geschwunden waren, als die schreckliche Szene in Wahrheit und Wirklichkeit sich ereignete, und er erst wieder zu sich kam, als alles vorüber war.

›Hat mir mein Gebieter einen Auftrag zu geben?‹ störte den Verzückten die schnarrende Stimme des Majordoms, der es schwer ertrug, von Ascanio gemeistert zu werden.

›Burcardo‹, antwortete Astorre mit weicher Stimme, ›vergiß nicht, die zwei Frauen Canossa, Mutter und Tochter zu laden. Es sei nicht gesagt, daß der Mönch die von der Welt Gemiedenen und Verlassenen von sich fernhält. Ich ehre das Recht einer Unglücklichen‹ – hier stimmte der Majordom mit eifrigem Nicken bei – ›von mir geladen und empfangen zu werden. Würde sie übergangen, es dürfte sie schwer kränken, wie sie beschaffen ist.‹

›Beileibe!‹ warnte Ascanio. ›Tu dir doch das nicht zuleide! Dein Verlöbnis ist schon abenteuerlich genug! Und das Abenteuerliche begeistert die Törichten. Sie wird nach ihrer Art etwas Unglaubliches beginnen und irgendein tolles Wort in die Feier schleudern, welche sonst schon alle Paduanerinnen aufregt.‹

Herr Burcardo aber, der die Berechtigung einer Canossa, ob sie bei Verstande sei oder nicht, sich zu den Zwölfen zu versammeln, mit den Zähnen festhielt und seinen Gehorsam dem Vicedomini und keinem andern verpflichtet glaubte, verbeugte sich tief vor dem Mönche. ›Deiner Herrlichkeit allein wird gehorcht‹, sprach er und entfernte sich.

›O Mönch, Mönch‹, rief Ascanio, ›der die Barmherzigkeit in eine Welt trägt, wo kaum die Güte ungestraft bleibt!‹

Doch wie wir Menschen sind«, flocht Dante ein, »oft zeigt uns ein prophetisches Licht den Rand eines Abgrundes, aber dann kommt der Witz und klügelt und lächelt und redet uns die Gefahr aus.

Dergestalt fragte und beruhigte sich der Leichtsinnige: Welche Beziehung auf der Welt hat die Närrin zu dem Mönche, in dessen Leben sie nicht die geringste Rolle spielt? Und am Ende – wenn sie zu lachen gibt, so würzt sie uns die Amarellen! Er ahnte nicht von ferne, was sich in der Seele Astorres begab, aber auch wenn er geraten und geforscht, dieser hätte sein keusches Geheimnis dem Weltkinde nicht preisgegeben.

So ließ Ascanio es gut sein, und sich des andern Befehles des Tyrannen erinnernd, den Mönch unter die Leute zu bringen, fragte er lustig: ›Ist für den Ehereif gesorgt, Astorre? Denn es steht in den Zeremonien geschrieben, Abschnitt zwei, Paragraph so und so: Die Reife werden gewechselt.‹ Dieser erwiderte, es werde sich dergleichen in dem Hausschatze finden.

›Nicht so, Astorre‹, meinte Ascanio. ›Wenn du mir folgst, kaufst du deiner Diana einen neuen. Wer weiß, was für Geschichten an den gebrauchten Ringen kleben. Wirf das Alte hinter dich. Auch schickt es sich ganz allerliebst: du kaufst ihr einen Ring bei dem Florentiner auf der Brücke. Kennst du den Mann? Doch wie solltest du! Höre: als ich heute in der Frühstunde mit Germano in die Stadt zurückkehrend unsere einzige Brücke über den Kanal beschritt – wir mußten absitzen und die Pferde führen, so dicht war dort das Gedränge – hatte, meiner Treu, auf dem verwitterten Kopfe des Brückenpfeilers ein Goldschmied seinen Laden aufgetan, und ganz Padua kramte und feilschte vor demselben. Warum auf der engen Brücke, Astorre, da wir so viele Plätze haben? Weil in Florenz die Schmuckläden auf der Arnobrücke stehen. Denn – bewundere die Logik der Mode! – wo kauft man feinen Schmuck, als bei einem Florentiner, und wo legt ein Florentiner aus, wenn nicht auf einer Brücke? Er tut es einmal nicht anders. Sonst wäre seine Ware ein plumpes Zeug und er selbst kein echter Florentiner. Doch dieser ist es, ich meine. Hat er doch mit riesigen Buchstaben über seine Bude geschrieben: Niccolò Lippo dei Lippi der Goldschmied, durch einen feilen und ungerechten Urteilsspruch, wie sie am Arno gebräuchlich sind, aus der Heimat vertrieben. Auf, Astorre! gehen wir nach der Brücke!‹

Dieser weigerte sich nicht, da er selbst das Bedürfnis fühlen mochte, den Bann des Hausbezirkes zu brechen, welchen er, seit er seine Kutte niedergestreift, nicht mehr verlassen hatte.

›Hast du Geld zu dir gesteckt, Freund Mönch?‹ scherzte Ascanio. ›Dein Gelübde der Armut ist hinfällig und der Florentiner wird dich überfordern.‹ Er pochte an das Schiebfensterchen des im untern Flure, welchen die Jünglinge eben durchschritten, gelegenen Hauskontores. Es zeigte sich ein verschmitztes Gesicht, jede Falte ein Betrug, und der Verwalter der Vicedomini – ein Genuese, wenn ich recht berichtet bin – reichte seinem Herrn mit kriechender Verbeugung einen mit Goldbyzantinern gefüllten Beutel. Dann wurde der Mönch von einem Diener in den bequemen paduanischen Sommermantel mit Kapuze gehüllt.

Auf der Straße zog sich Astorre dieselbe tief ins Gesicht, weniger gegen die brennenden Strahlen der Sonne, als aus langer Gewöhnung, und wandte sich freundlich gegen seinen Begleiter. ›Nicht wahr, Ascanio‹, sagte er, ›diesen Gang tue ich allein? Einen einfachen Goldring zu kaufen, übersteigt meinen Mönchsverstand nicht? Das traust du mir noch zu? Auf Wiedersehen bei meiner Vermählung, wann es Vesper läutet!‹ Ascanio ging und rief noch über die Schulter zurück: ›Einen, nicht zwei! Den deinigen gibt dir Diana! Merke dir das, Astorre!‹ Es war eine jener farbigen Seifenblasen, deren der Lustige mehr als eine täglich von den Lippen in die Luft jagte.

Fraget ihr mich, Herrschaften, warum der Mönch den Freund beurlaubte, so sage ich: er wollte den himmlischen Ton, welchen die junge Märtyrerin der Kindesliebe in seinem Gemüte geweckt hatte, rein ausklingen lassen.

✓ Astorre hatte die Brücke erreicht, welche trotz des Sonnenbrandes randvoll war und von den nahen zwei Ufern ein doppeltes Menschengedränge vor den Laden des Florentiners führte. Der Mönch blieb unter seinem Mantel unerkannt, ob auch hin und wieder ein Auge fragend auf dem unbedeckten Teile seines Gesichtes ruhte. Adel und Bürgerschaft suchte sich den Vortritt abzugewinnen. Vornehme Weiber stiegen aus ihren Sänften und ließen sich drängen und drücken, um ein Paar Armringe oder ein Stirnband von neuester Mache zu erhandeln. Der Florentiner hatte auf allen Plätzen mit der Schelle verkündigen lassen, er schließe heute nach dem Ave Maria. Er dachte nicht daran. Doch was kostet einen Florentiner die Lüge!

Endlich stand der Mönch, von Menschen eingeengt, vor der Bude. Der bestürmte Händler, der sich verzehnfachte, streifte ihn mit einem erfahrenen Seitenblick und erriet sofort den Neuling. ›Womit diene ich dem gebildeten Geschmacke der Herrlichkeit?‹ fragte er. ›Gib mir einen einfachen Goldreif‹, antwortete der Mönch. Der Kaufmann ergriff einen Becher, auf welchem, nach florentinischer Kunst und Art, in erhabener Arbeit irgend etwas Üppiges zu sehen war. Er schüttelte den Kelch, in dessen Bauche hundert Reife wimmelten, und bot ihn Astorre.

Dieser geriet in eine peinliche Verlegenheit. Er kannte den Umfang des Fingers nicht, welchen er mit einem Reife bekleiden sollte, und deren mehrere heraushebend, zauderte er sichtlich zwischen einem weitern und einem engern. Der Florentiner konnte den Spott nicht lassen, wie denn ein versteckter Hohn aus aller Rede am Arno hervorkichert. ›Kennt der Herr die Gestalt des Fingers nicht, welchen er doch wohl zuweilen gedrückt hat?‹ fragte er mit einem unschuldigen Gesichte, aber als ein kluger Mann verbesserte er sich alsobald und in der heimischen Meinung, der Verdacht der Unwissenheit sei beleidigend, derjenige der Sünde aber schmeichle, gab er Astorre zwei Ringe, einen größern und einen kleinern, die er aus Daumen und Zeigefinger seiner beiden Hände geschickt zwischen die Daumen und Zeigefinger des Mönches hinübergleiten ließ. ›Für die zwei Liebchen der Herrlichkeit‹, wisperte er sich verneigend.

Ehe noch der Mönch über diese lose Rede ungehalten werden konnte, erhielt er einen harten Stoß. Es war das Schulterblatt eines

Roßpanzers, das ihn so unsanft streifte, daß er den kleinern Ring fallen ließ. In demselben Augenblicke schmetterte ihm der betäubende Ton von acht Tuben[81] ins Ohr. Die Feldmusik der germanischen Leibwache des Vogtes ritt in zwei Reihen, beide vier Rosse hoch, über die Brücke, den ganzen Menscheninhalt derselben auseinanderwerfend und gegen die steinernen Geländer pressend.

Sobald die Bläser vorüber waren, stürzte der Mönch, den festgehaltenen größern Ring rasch in seinem Gewande bergend, dem kleinern nach, welcher unter den Hufen der Gäule weggerollt war.

Das alte Bauwerk der Brücke war in der Mitte ausgefahren und vertieft, so daß der Reif die Höhlung hinab und dann durch seine eigene Bewegung getrieben die andere Seite hinanrollte. Hier hatte eine junge Zofe, namens Isotta oder, wie man in Padua den Namen kürzt, Sotte, das rollende und blitzende Ding gehascht, auf die Gefahr hin, von den Pferden zerstampft zu werden. ›Ein Glücksring!‹ jubelte das unkluge Geschöpf und steckte einer jugendlichen Herrin, welcher sie das Begleite gab, mit kindischem Frohlocken den Fund an den schlanken Finger, den vierten der linken Hand, welcher ihr durch seine zierliche Bildung des engen Schmuckes besonders würdig und fähig schien. In Padua aber, wie auch hier in Verona, wenn mir recht ist, pflegt man den Trauring an der linken Hand zu tragen.

Das Edelfräulein zeigte sich unwillig über die Posse der Magd, war aber doch auch ein bißchen belustigt davon. Sie bemühte sich eifrig, den fremden Ring, der ihr wie angegossen saß, dem Finger wieder abzuziehen. Da stand unversehens der Mönch vor ihr und hob die Arme in freudiger Verwunderung. Seine Gebärde aber war, daß er die geöffnete rechte Hand vor sich hin streckte, die linke in der Höhe des Herzens hielt; denn er hatte, trotz der entfalteten Blüte, an der auffallenden Schlankheit des Halses und wohl noch mehr an der Bewegung seiner Seele das Kind wiedererkannt, dessen zartes Haupt er auf dem Blocke gesehen hatte.

Während das Mädchen bestürzte, fragende Augen auf den Mönch richtete und immerfort an dem widerspenstigen Ringe drehte, zauderte Astorre, denselben zurückzuverlangen. Doch es mußte geschehen. Er öffnete den Mund. ›Junge Herrin‹, begann er – und fühlte sich von zwei starken gepanzerten Armen umfaßt, die sich seiner bemächtigten und ihn emporzogen. Im Augenblicke sah er sich, mit Hilfe eines andern Gepanzerten, ein Bein rechts, ein Bein links, auf ein stampfendes Roß gesetzt. ›Laß schauen‹, schallte ein

[81] Kriegstrompeten.

gutmütiges Gelächter, ›ob du das Reiten nicht verlernt hast!‹ Es
war Germano, welcher an der Spitze der von ihm befehligten deut-
schen Kohorte ritt, die der Vogt auf eine Ebene unweit Padua zur
Musterung befohlen hatte. Da er unvermutet den Freund und
Schwager im Freien erblickte, hatte er sich den unschuldigen Spaß
gemacht, denselben neben sich auf ein Pferd zu heben, von welchem
ein junger Schwabe auf seinen Wink abgesprungen war. Das feurige
Tier, welches den veränderten Reiter spürte, tat ein paar wilde
Sprünge, es entstand ein Rossegedräng auf der nicht geräumigen
Brücke, und Astorre, dem die Kapuze zurückgefallen war, und der
sich mit Mühe im Bügel hielt, wurde von dem entsetzt ausweichen-
den Volke erkannt. ›Der Mönch! der Mönch!‹ rief und deutete es
von allen Seiten, aber schon hatte der kriegerische Tumult die Brücke
hinter sich und verschwand um eine Straßenecke. Der unbezahlt gebliebene Florentiner rannte nach, aber kaum zwanzig Schritte, denn
ihm wurde bange um seine unter der schwachen Hut eines Jüngel-
chens gelassene Ware, und dann belehrte ihn der Zuruf der Menge,
daß er es mit einer bekannten und leicht aufzufindenden Persönlichkeit zu tun habe. Er ließ sich den Palast Astorres bezeichnen
und meldete sich dort heute, morgen, übermorgen. Die zwei ersten
Male richtete er nichts aus, weil in der Behausung des Mönches alles
drunter und drüber ging, das dritte Mal fand er die Siegel des
Tyrannen an das verschlossene Tor geheftet. Mit diesem wollte der
Feigling nichts zu schaffen haben und so ging er der Bezahlung
verlustig.

Die Frauen aber – zu Antiope und der leichtfertigen Zofe hatte
sich noch eine dritte, durch den Brückentumult von ihnen abge-
drängte wiedergefunden – schritten in der entgegengesetzten Richtung. Diese war ein seltsam blickendes, vorzeitig wie es schien ge-
altertes Weib mit tiefen Furchen, grauen Haarbüscheln, aufgereg-
ten Mienen, und schleppte ihr vernachlässigtes, aber vornehmes Gewand mitten durch den Straßenstaub.

Sotte erzählte eben der Alten, offenbar der Mutter des Fräuleins,
mit dummem Jubel den Vorgang auf der Brücke: Astorre – auch ihr
hatte der Zuruf des Volkes ihn genannt – Astorre der Mönch, der
stadtkundig freien müsse, habe Antiope verstohlenerweise einen
Goldring zugerollt, und als sie – Sotte – den Wink der Vorsehung
und die Schlauheit des Mönches verstehend, ihn dem lieben Mädchen
angesteckt, sei der Mönch selbst vor dasselbe hingetreten, und da
Antiope ihm den Ring in Züchten habe zurückgeben wollen, habe
er – sie ahmte den Mönch nach – die Linke zärtlich auf das Herz
gelegt, so! die Rechte aber zurückweisend ausgestreckt mit einer

Gebärde, die in ganz Italien nichts anderes sage und bedeute als: Behalte, Schatz!

Endlich kam die erstaunte Antiope zu Worte und beschwor die Mutter, auf das alberne Geschwätz Isottens nichts zu geben, aber umsonst. Madonna Olympia erhob die Arme gen Himmel und dankte auf offener Straße dem heiligen Antonius mit Inbrunst, daß er ihre tägliche Bitte über alles Hoffen und Erwarten erhört und ihrem Kleinod einen ebenbürtigen und tugendhaften Mann, einen seiner eigenen Söhne beschert habe. Dabei gebärdete sie sich so abenteuerlich, daß die Vorübergehenden lachend auf die Stirne wiesen. Die verwirrte Antiope gab sich alle erdenkliche Mühe, der Mutter das blendende Märchen auszureden; aber diese hörte nicht und baute leidenschaftlich an ihrem Luftschlosse weiter.

So langten die Frauen in dem Palaste Canossa an und begegneten im Torbogen einem steif geputzten Majordom, dem sechs verschwenderisch gekleidete Diener folgten. Herr Burcardo ließ, ehrerbietig zurücktretend, Madonna Olympia die Treppe voraufgehen, dann, in einer öden Halle angelangt, machte er drei abgezirkelte Verbeugungen, eine immer näher und tiefer als die andere, und redete langsam und feierlich: ›Herrlichkeiten, mich sendet Astorre Vicedomini, hochdieselben untertänigst zu seinen Sbosalizien zu laden, heute‹ — er verschluckte schmerzhaft ›in zehn Tagen‹ — ›wann es Vesper läutet.‹«

Dante hielt inne. Seine Fabel lag in ausgeschütteter Fülle vor ihm; aber sein strenger Geist wählte und vereinfachte. Da rief ihn Cangrande.

»Mein Dante«, hub er an, »ich wundere mich, mit wie harten und ätzend scharfen Zügen du deinen Florentiner umrissen hast! Dein Niccolò Lippo dei Lippi ist verbannt durch ein feiles und ungerechtes Urteil. Er selbst aber ist ein Überteurer, ein Schmeichler, ein Lügner, ein Spötter, ein Schlüpfriger und eine Memme, alles ›nach Art der Florentiner‹. Und das ist nur ein winziges Flämmchen aus dem Feuerregen von Verwünschungen, womit du dein Florenz überschüttest, nur eine tröpfelnde Neige jener bittern von Essig und Galle triefenden Terzinen, die du in deiner Komödie der Vaterstadt zu kosten gibst. Lasse dir sagen, es ist unedel, seine Wiege zu schmähen, seine Mutter zu beschämen! Es kleidet nicht gut! Glaube mir, es macht einen schlechten Eindruck!

Mein Dante, ich will dir erzählen von einem Puppenspiele, dem ich jüngst, verkappt unter dem Volke mich umtreibend, in unserer Arena zuschaute. Du rümpfst die Nase, daß ich den niedrigen Geschmack habe, in müßigen Augenblicken an Puppen und Narren mich zu vergnügen. Dennoch begleite mich vor die kleine Bühne! Was schaust du da? Mann und Weib zanken sich. Sie wird geprügelt und weint. Ein Nachbar streckt den Kopf durch die Türspalte, predigt, straft, mischt sich ein. Doch siehe! das tapfere Weib erhebt sich gegen den Eindringling und nimmt Partei für den Mann. ›Wenn es mir beliebt, geprügelt zu werden!‹ heult sie.

Ähnlicherweise, mein Dante, spricht ein Hochherziger, welchen seine Vaterstadt mißhandelt: Ich will geschlagen sein!«

Viele junge und scharfe Augen hafteten auf dem Florentiner. Dieser verhüllte sich schweigend das Haupt. Was in ihm vorging, weiß niemand. Als er es wieder erhob, war seine Stirn vergrämter, sein Mund bitterer und seine Nase länger.

Dante lauschte. Der Wind pfiff um die Ecken der Burg und stieß einen schlecht verwahrten Laden auf. Monte Baldo hatte seine ersten Schauer gesendet. Man sah die Flocken stäuben und wirbeln, von der Flamme des Herdes beleuchtet. Der Dichter betrachtete den Schneesturm, und seine Tage, welche er sich entschlüpfen fühlte, erschienen ihm unter der Gestalt dieser bleichen Jagd und Flucht durch eine unstete Röte. Er bebte vor Frost.

Und seine feinfühligen Zuhörer empfanden mit ihm, daß ihn kein eigenes Heim, sondern nur wandelbare Gunst wechselnder Gönner bedache und vor dem Winter beschirme, welcher Landstraße und Feldweg mit Schnee bedeckte. Alle wurden es inne und Cangrande, der von großer Gesinnung war, zuerst: Hier sitzt ein Heimatloser!

Der Fürst erhob sich, den Narren wie eine Feder von seinem Mantel schüttelnd, trat auf den Verbannten zu, nahm ihn an der Hand und führte ihn an seinen eigenen Platz, nahe dem Feuer. »Er gebührt dir«, sagte er, und Dante widersprach nicht. Cangrande aber bediente sich des freigewordenen Schemels. Er konnte dort bequem die beiden Frauen betrachten, zwischen welchen jetzt der Wanderer durch die Hölle saß, den das Feuer glühend beschien und der seine Erzählung folgendermaßen fortsetzte:

»Während die mindern Glocken in Padua die Vesper läuteten, versammelte sich unter dem Zedergebälke des Prunksaales der Vicedomini, was von den zwölf Geschlechtern übriggeblieben war, den Eintritt des Hausherrn erwartend. Diana hielt sich zu Vater und Bruder. Ein leises Geschwätze lief um. Die Männer besprachen ernst und gründlich die politische Seite der Vermählung zweier großer städtischer Geschlechter. Die Jünglinge scherzten halblaut über den heiratenden Mönch. Die Frauen schauderten, trotz dem Breve des

Papstes, vor dem Sakrilegium, welches nur die von knospenden Töchtern umringten in milderem Lichte sahen, mit dem Zwang der Umstände entschuldigten oder aus der Herzensgüte des Mönches erklärten. Die Mädchen waren lauter Erwartung.

Die Anwesenheit der Olympia Canossa erregte Verwunderung und Unbehagen, denn sie war in auffallendem, fast königlichem Staate, als ob ihr bei der bevorstehenden Feier eine Hauptrolle zustünde, und redete mit unheimlicher Zungenfertigkeit in Antiope hinein, welche bangen Herzens die aufgebrachte Mutter flüsternd und flehend zu beschwichtigen suchte. Madonna Olympia hatte sich schon auf den Treppen gewaltig geärgert, wo sie – Herr Burcardo beschäftigte sich eben mit dem Empfange zweier anderer Herrschaften – von Gocciola, der eine neue scharlachrote Kappe mit silbernen Schellen in der Hand hielt, ehrfürchtig willkommen geheißen wurde. Jetzt mit den andern im Kreise stehend, belästigte oder ängstigte sie durch ihr maßloses Gebärdenspiel ihre Standesgenossen. Mit Augenwinken und Kinnheben wurde auf die Ärmste gedeutet. Keiner hätte sie an des Mönches Statt geladen und jeder machte sich darauf gefaßt, sie werde diesem einen ihrer Streiche spielen.

Burcardo meldete den Hausherrn, Astorre hatte sich von den Germanen bald losgemacht, war auf die Brücke zurückgeeilt, ohne dort den Ring noch die Frauen mehr zu finden, und sich darüber Vorwürfe machend, obschon im Grunde nur der Zufall anzuklagen war, hatte er in der ihm bis zur Vesper bleibenden Stunde den Entschluß gefaßt, in Zukunft immerdar nach den Regeln der Klugheit zu handeln. Mit diesem Vorsatze trat er in den Saal und in die Mitte der Versammelten. Der Druck der auf ihn gerichteten Aufmerksamkeit und die sozusagen in der Luft fühlbaren Formen und Forderungen der Gesellschaft ließen ihn empfinden, daß er nicht die Wirklichkeit der Dinge sagen dürfe, energisch und mitunter häßlich wie sie ist, sondern ihr eine gemilderte und gefällige Gestalt geben müsse. So hielt er sich unwillkürlich in der Mitte zwischen Wahrheit und schönem Schein und redete untadelig.

›Herrschaften und Standesbrüder‹, begann er, ›der Tod hat eine reiche Ernte unter uns Vicedomini gehalten. Wie ich in Schwarz gekleidet vor euch stehe, trage ich Trauer um den Vater, drei Brüder und drei Neffen. Daß ich, von der Kirche freigelassen, den Wunsch eines sterbenden Vaters, in Sohn und Enkel fortzuleben, nach ernster Erwägung‹ – hier verhüllte sich der Klang seiner Stimme – ›und gewissenhafter Prüfung vor Gott nicht glaubte ungewährt lassen zu dürfen, dieses werdet ihr verschieden beurteilen, billigend oder tadelnd, nach der Gerechtigkeit oder Milde, die euch innewohnt. Darin aber werdet ihr einig gehen, daß es mir bei meiner Vergangenheit nicht angestanden hätte zu zaudern und zu wählen, und daß hier nur das Nächstliegende und Ungesuchte Gott gefällig sein konnte. Wer aber stand mir näher, als die schon mit mir durch die trostlose Trauer um meinen letzten Bruder vereinigte jungfräuliche Witwe desselben? Dergestalt ergriff ich über einem teuern Sterbebette diese Hand, wie ich sie jetzt ergreife‹ – er trat zu Diana und führte sie in die Mitte – ›und ihr den Trauring um den Finger lege.‹ So tat er. Der Ring paßte. Diana tat dasselbe, indem sie dem Mönch einen goldenen Reif anlegte. ›Es ist der meiner Mutter‹, sagte sie, ›die ein wahrhaftes und tugendsames Weib war. Ich gebe dir einen Ring, der Treue gehalten hat.‹ Ein feierlich gemurmelter Glückwunsch aller Anwesenden beschloß die ernste Handlung, und der alte Pizzaguerra, ein würdiger Greis – denn der Geiz ist ein gesundes Laster und läßt zu Jahren kommen – weinte die übliche Träne.

Madonna Olympia sah ihr Traumschloß auflodern und brennen mit sinkenden Säulen und krachenden Balken. Sie tat einen Schritt vorwärts, als wolle sie ihre Augen überführen, daß sie sich betrügen, dann einen zweiten in wachsender Wildheit, und jetzt stand sie dicht vor Astorre und Diana, die grauen Haare gesträubt, und ihre rasenden Worte rannten und stürzten, wie ein Volk in Aufruhr.

›Elender!‹ schrie sie. ›Gegen den Ring an dem Finger dieser da zeugt ein anderer und zuerst gegebener.‹ Sie riß Antiope, welche ihr in wachsender Angst und mit den flehendsten Gebärden gefolgt war, hinter sich hervor und hob die Hand des Mädchens. ›Den Ring hier hast du meinem Kinde vor nicht einer Stunde auf der Brücke bei dem Florentiner an den Finger gesteckt!‹ So hatte ihr ein falscher Spiegel den Vorgang verschoben. ›Ruchloser Mensch! Ehebrecherischer Mönch! Öffnet sich die Erde nicht, dich zu verschlingen? Hängt den Bruder Pförtner, der im Rausche schnarchte und dich deiner Zelle entspringen ließ! Deinen Lüsten wolltest du frönen, aber du durftest dir eine andere Beute wählen, als eine ungerecht verfolgte, ratlose Wittib und eine unbeschützte Waise!‹

Die Marmordiele öffnete sich nicht, und in den Blicken der Umstehenden las die Unglückliche, die einem gerechten Mutterzorne arme und schwache Worte zu geben glaubte, den hellen Hohn oder ein Mitleid anderer Art, als sie es zu finden hoffte. Sie vernahm hinter sich das verständlich geflüsterte Wort: ›Närrin!‹ und ihr Zorn schlug in ein wahnsinniges Gelächter um. ›Ei, seht mir einmal den Toren‹, hohnlachte sie, ›der so dumm zwischen diesen beiden wählen konnte! Ich mache euch zu Richtern, Herrschaften, und jeden, der Augen hat. Hier das herzige Köpfchen, die schwellende Jugend‹ – das übrige vergaß ich, aber ich weiß eines: alle Jünglinge im Saale Vicedominis, und mehr als einer unter ihnen mochte locker leben, alle Jünglinge, die enthaltsamen und die es nicht waren, wendeten Ohr und Auge ab von den empörenden Worten und Gebärden einer Mutter, welche Zucht und Scham unter die Füße trat vor dem Kinde, das sie geboren, und dieses preisgab wie eine Kupplerin.

Alle im Saale bemitleideten Antiope. Nur Diana, so wenig sie an der Treue des Mönches zweifelte, empfand ich weiß nicht welchen dumpfen Groll über die ihrem Bräutigam frech gezeigte Schönheit.

Antiope mochte es verschuldet haben dadurch, daß sie den unseligen Reif am Finger behielt. Vielleicht tat sie es, um die sich selbst betörende Mutter nicht zu reizen, in dem Gedanken, diese werde, durch die Wirklichkeit enttäuscht, aus dem Hochmut, nach ihrer Art, in Kleinmut verfallen und alles mit einem Augenrollen und ein paar gemurmelten Worten vorübergehen. Oder dann hatte die junge Antiope selbst eine Fingerspitze in den sprudelnden Märchenbrunnen getaucht. War die Begegnung auf der Brücke nicht wunderbar, und wäre ihre Erkiesung durch den Mönch wunderbarer gewesen, als das Schicksal, das ihn dem Kloster entriß?

Jetzt erlitt sie grausame Strafe. Soweit es eine zügellose Rede vermag, beraubte sie die eigene Mutter der schützenden Hüllen.

Eine dunkle Röte und eine noch dunklere fuhr ihr über Stirn und Nacken. Darauf begann sie in der allgemeinen Stille laut und bitterlich zu weinen.

Selbst die graue Mänade[82] lauschte betroffen. Dann zuckte ihr ein entsetzlicher Schmerz über das Gesicht und verdoppelte ihre Wut. ›Und die andere!‹ kreischte sie, auf Diana zeigend, ›dieses kaum aus dem Rohen gehauene breite Stück Marmor! Diese verpfuschte Riesin, die Gott Vater stümperte, als er noch Gesell war und kneten lernte! Pfui über den plumpen Leib ohne Leben und Seele! Wer hätte ihr auch eine gespendet? Die Bastardin ihre Mutter? die stupide Orsola? Oder der dürre Knicker dort? Nur widerstrebend hat er ihr ein karges Almosen von Seele verabfolgt!‹

Der alte Pizzaguerra blieb gelassen. Mit dem klaren Verstande der Geizigen vergaß er nicht, wen er vor sich hatte. Seine Tochter Diana aber vergaß es. Durch die rohe Verhöhnung ihres Leibes und

---

[82] Mänaden, in der griechischen Mythologie rasende Weiber im Gefolge des Gottes Dionysos.

ihrer Seele aufgebracht, tief empört, zog sie die Brauen zusammen und ballte die Hände. Jetzt geriet sie außer sich, da die Närrin ihre Eltern ins Spiel zog, ihr die Mutter im Grabe beschimpfte, den Vater an den Pranger stellte. Ein bleicher Jähzorn packte und übermannte sie.

›Hündin!‹ schrie sie und schlug – in Antiopes Angesicht; denn das verzweifelnde und beherzte Mädchen hatte sich vor die Mutter geworfen. Antiope stieß einen Laut aus, der den Saal und alle Herzen erschütterte.

Nun drehte sich das Rad in dem Kopfe der Törin vollständig um. Die höchste Wut ging unter in unsäglichem Jammer. ›Sie haben mir mein Kind geschlagen!‹ stöhnte sie, sank auf die Knie und schluchzte: ›Gibt es keinen Gott mehr im Himmel?‹

Jetzt war das Maß voll. Es wäre schon früher überlaufen, doch das Verhängnis schritt rascher, als mein Mund es erzählte, so rasch, daß weder der Mönch noch der nahestehende Germano den gehobenen Arm Dianas ergreifen und aufhalten konnten. Ascanio umschlang die Törin, ein anderer Jüngling faßte sie bei den Füßen, die sich kaum Sträubende wurde fortgetragen, in ihre Sänfte gehoben und nach Hause gebracht.

Noch standen sich Diana und Antiope gegenüber, eine bleicher als die andere, Diana reuig und zerknirscht nach schnell verrauchtem Jähzorn, Antiope nach Worten ringend; sie konnte nur nicht stammeln, sie bewegte lautlos die Lippen.

Wenn jetzt der Mönch Antiopes Hand ergriff, um der von seinem verlobten Weibe Mißhandelten das Geleite zu geben, so erfüllte er damit nur die ritterliche und die gastwirtliche Pflicht. Alle fanden es selbstverständlich. Besonders Diana mußte wünschen, das Opfer ihrer Gewalttat aus den Augen zu verlieren. Auch sie entfernte sich dann mit Vater und Bruder. Die versammelten Gäste aber hielten es für das Zarteste, gleichfalls bis auf die letzte Ferse zu verschwinden.

Es klingelte unter dem mit Amarellen und Zyperwein bestellten Kredenztisch. Eine Narrenkappe kam zum Vorschein und Gocciola kroch auf allen vieren aus seinem leckern Verstecke hervor. Alles war köstlich verlaufen nach seiner Ansicht; denn er hatte jetzt die volle Freiheit, Amarellen zu naschen und ein Gläschen um das andere zu leeren. So vergnügte er sich eine Weile, bis er nahende Schritte vernahm. Er wollte entwischen, aber einen verdrießlichen Blick nach dem Störer werfend, erachtete er jede Flucht für unnötig. Es war der Mönch, der zurückkehrte, und der Mönch war ebenso frohlockend und ebenso berauscht wie er; denn der Mönch –«

»Liebte Antiope«, unterbrach den Erzähler die Freundin des Fürsten mit einem krampfhaften Gelächter.

»Du sagst es, Herrin, er liebte Antiope«, wiederholte Dante in tragischem Tone.

»Natürlich!« »Wie anders?« »Es mußte so kommen!« »So geht es gewöhnlich!« scholl es dem Erzähler aus dem ganzen Hörerkreise entgegen.

»Sachte, Jünglinge«, murrte Dante. »Nein, so geht es nicht gewöhnlich. Meinet ihr denn, eine Liebe mit voller Hingabe des Lebens und der Seele sei etwas Alltägliches, und glaubet wohl gar, so geliebt zu haben oder zu lieben? Enttäuschet euch! Jeder spricht von Geistern, doch wenige haben sie gesehen. Ich will euch einen unverwerflichen Zeugen bringen. Es schleppt sich hier im Hause ein modisches Märenbuch herum. Darin mit vorsichtigen Fingern blätternd, habe ich unter vielem Wuste ein wahres Wort gefunden. ›Liebe‹, heißt es an einer Stelle, ›ist selten und nimmt meistens ein schlimmes Ende.‹« Dieses hatte Dante ernst gesprochen. Dann spottete er: »Da ihr alle in der Liebe so ausgelernt und bewandert seid und es mir überdies nicht ansteht, einen von der Leidenschaft überwältigten Jüngling aus meinem zahnlosen Munde reden zu lassen, überspringe ich das verräterische Selbstgespräch des zurückkehrenden Astorre und sage kurz: da ihn der verständige Ascanio belauschte, erschrak er und predigte ihm Vernunft.«

»Wirst du deine rührende Fabel so kläglich verstümmeln, mein Dante?« wendete sich die entzündliche Freundin des Fürsten mit bittenden Händen gegen den Florentiner. »Laß den Mönch reden, daß wir teilnehmend erfahren, wie er sich abwendete von einer Rohen zu einer Zarten, einer Kalten zu einer Fühlenden, von einem steinernen zu einem schlagenden Herzen —«

»Ja, Florentiner«, unterbrach die Fürstin in tiefer Bewegung und mit dunkelglühender Wange, »laß deinen Mönch reden, daß wir staunend vernehmen, wie es kommen konnte, daß Astorre, so unerfahren und täuschbar er war, ein edles Weib verriet für eine Verschmitzte — hast du nicht gemerkt, Dante, daß Antiope eine Verschmitzte ist? Du kennst die Weiber wenig! In Wahrheit, ich sage dir« — sie hob den kräftigen Arm und die geballte Faust — »auch ich hätte geschlagen, nicht die arme Törin, sondern wissentlich die Arglistige, die sich um jeden Preis dem Mönch vor das Angesicht bringen wollte!« Und sie führte den Schlag in die Luft. Die andere erbebte leise.

Cangrande, welcher die zwei Frauen, denen er jetzt gegenüber saß, nicht aufhörte zu betrachten, bewunderte seine Fürstin und freute sich ihrer großen Leidenschaft. In diesem Augenblicke fand er sie unvergleichlich schöner als die kleinere und zarte Nebenbuhlerin, welche er ihr gegeben hatte, denn das Höchste und Tiefste der Empfindung erreicht seinen Ausdruck nur in einem starken Körper und in einer starken Seele.

Dante für seinen Teil lächelte zum ersten und einzigen Mal an diesem Abende, da er die beiden Frauen so heftig auf der Schaukel seines Märchens sich wiegen sah. Er brachte es sogar zu einer Neckerei. »Herrinnen«, sagte er, »was verlangt ihr von mir? Selbstgespräch ist unvernünftig. Hat je ein weiser Mann mit sich selbst gesprochen?«

Nun erhob sich aus dem Halbdunkel ein mutwilliger Lockenkopf, und ein Edelknabe, der hinter irgendeinem Sessel oder einer Schleppe in traulichem Verstecke mochte gekauert haben, rief herzhaft: »Großer Meister, wie wenig du dich kennst oder zu kennen vorgibst! Wisse, Dante, niemand plaudert geläufiger mit sich selbst als du, in dem Grade, daß du nicht nur uns dumme Buben übersiehst, sondern selbst das Schöne dicht an dir vorübergehen lässest, ohne es zu begrüßen.«

»Wirklich?« sagte Dante. »Wo war das? Wo und wann?«

»Nun gestern auf der Etschbrücke«, lächelte der Knabe. »Du lehntest am Geländer. Da ging die reizende Lukrezia Nani vorüber, deine Toga streifend. Wir Knaben folgten, sie bewundernd, und ihr entgegen schritten zwei feurige Kriegsleute, nach einem Blicke aus ihren sanften Augen haschend. Sie aber suchte die deinigen: denn nicht jeder hat mit heiler Haut in der Hölle gelustwandelt! Du, Meister, betrachtetest eine rollende Welle, welche in der Mitte der Etsch daherfuhr, und murmeltest etwas.«

»Ich ließ das Meer grüßen. Die Woge war schöner als das Mädchen. Doch zurück zu den zwei Toren! Horch, sie sprechen miteinander! Und bei allen Musen, fortan unterbreche mich keiner mehr, sonst findet uns Mitternacht noch am Märchenherde.

Als der Mönch, nachdem er Antiope heimgeführt, seinen Saal wieder betrat – doch ich vergaß zu sagen, daß er Ascanio nicht begegnete, obwohl dieser mit der Sänfte und Madonna Olympia darin denselben Weg gemacht hatte. Denn der Neffe, nachdem er die gänzlich Vernichtete ihrer Dienerschaft übergeben, war schleunig zu seinem Ohm, dem Tyrannen, geeilt, ihm den tollen Vorgang als frisches Gebäcke aufzutischen. Er hinterbrachte Ezzelin lieber eine Stadtgeschichte als eine Verschwörung.

Ich weiß nicht, ob der Mönch so wohlgestaltet war, wie der Spötter Ascanio ihn genannt hatte. Aber ich sehe ihn, der wie der blühendste Jüngling schreitet. Mit beflügelten Füßen durchschwebt er den Saal, als trüge ihn Zephir oder führte ihn Iris. Seine Augen sind voller Sonne, und er murmelt Laute aus der Sprache der Seligen. Gocciola, der viel Zyperwein geschluckt hatte, fühlte sich gleichfalls beherzt und verjüngt. Auch unter seinen Sohlen löste sich der Marmorboden in weißes Gewölk auf. Er verspürte einen unbesiegbaren Durst, das Gemurmel auf den frischen Lippen Astorres, wie man sich über eine Quelle beugt, zu belauschen, und begann neben demselben die Länge des Saales zu durchmessen, bald mit gespreizten, bald mit hüpfenden Schritten, das Narrenzepter unter dem Arme.

›Das zärtliche Haupt, das sich für den Vater bot, hat sich auch für die Mutter geboten und gegeben‹ lispelte Astorre. ›Das schamhafte! wie es brannte! Das mißhandelte! wie es litt! Das geschlagene! wie es aufschrie! Hat es mich je verlassen, seit es auf dem Blocke lag? Es wohnte in meinem Geiste. Es begleitete mich allgegenwärtig, schwebte in meinem Gebete, strahlte in meiner Zelle, bettete sich auf mein Kissen! Lag das herzige Haupt mit dem weißen, schmalen Hälschen nicht neben dem des heiligen Paulus —‹

›Des heiligen Paulus?‹ kicherte das Tröpfchen.

›Des heiligen Paulus auf unserm Altarbilde —‹

›Mit dem schwarzen Kraushaar und dem roten Hals auf dem breiten Blocke und dem Beile des Henkers darüber?‹ Gocciola verrichtete bei den Franziskanern zeitweilig seine Andacht.

Der Mönch nickte. ›Sah ich lange hin, so zuckte das Beil und ich bebte zusammen. Habe ich es nicht dem Prior gebeichtet?‹

›Und was sagte der Prior?‹ examinierte Gocciola.

›Mein Sohn‹, sagte er, ›was du sahest, war ein vorausgeeiltes Kind des himmlischen Triumphzuges. Fürchte nichts! Dem ambrosischen Hälschen geschieht kein Leid!‹

›Aber‹, reizte der böse Narr, ›das Kind ist gewachsen, so hoch!‹ Er hob die Hand. Dann senkte er sie und hielt sie über dem Boden. ›Und die Kutte Euer Herrlichkeit‹, grinste er, ›liegt so tief!‹

Das Gemeine konnte den Mönch nicht berühren. Ein schöpferisches Feuer war aus der Hand Antiopes in die seinige gefahren und begann zuerst zart und sanft, dann immer heißer und schärfer in seinen Adern zu brennen. ›Gepriesen sei Gott Vater‹, frohlockte er plötzlich, ›der Mann und Weib geschaffen hat!‹

›Die Eva?‹ fragte der Narr.

›Die Antiope!‹ antwortete der Mönch.

›Und die andere? Die Große? Was fängst du mit der an? Schickst du sie betteln?‹ Gocciola wischte sich die Augen.

›Welche andere?‹ fragte der Mönch. ›Gibt es ein Weib, das nicht Antiope wäre!‹

Dies war selbst dem Narren zu stark. Er glotzte Astorre erschreckt an, wurde aber von einer Faust am Kragen gepackt, gegen die Pforte geschleppt und auf den Flur gesetzt. Dieselbe Hand legte sich dann auf Astorres Schulter.

›Erwache, Traumwandler!‹ rief der zurückgekehrte Ascanio, welcher die letzte schwärmerische Rede des Mönches belauscht hatte. Er zog den Verzückten auf eine Fensterbank nieder, heftete fest Augen auf Augen, und: ›Astorre, du bist von Sinnen!‹ sprach er ihn an.

Dieser wich zuerst den prüfenden Blicken wie geblendet aus, dann begegnete er ihnen mit den seinigen, die noch voller Jubel waren, um sie scheu niederzuschlagen. ›Wunderst du dich?‹ sagte er dann.

›So wenig als über das Lodern einer Flamme‹, versetzte Ascanio. ›Aber da du kein blindes Element, sondern eine Vernunft und ein Wille bist, so tritt die Flamme aus, sonst frißt sie dich und ganz Padua. Muß dir das Weltkind göttliches und menschliches Gesetz predigen? Du bist vermählt! So redet dieser Ring an deinem Finger. Wenn du, wie erst dein Gelübde, jetzt dein Verlöbnis brichst, brichst du Sitte, Pflicht, Ehre und den Stadtfrieden. Wenn du dir den Pfeil des blinden Gottes nicht rasch und heldenmütig aus dem Herzen ziehst, ermordet er dich, Antiope und noch ein paar andere, wen es gerade treffen wird. Astorre! Astorre!‹

Ascanios mutwillige Lippen erstaunten über die großen und ernsten Worte, welche er in seiner Herzensangst ihnen zu reden gab. ›Dein Name, Astorre‹, sagte er dann halb scherzend, ›schmettert wie eine Tuba und ruft dich zum Kampfe gegen dich selbst!‹

Astorre ermannte sich. ›Man hat mir ein Philtrum[83] gegeben!‹ rief er aus. ›Ich rase, ich bin ein Wahnsinniger! Ascanio, ich gebe dir Macht über mich, feßle mich!‹

›An Dianen will ich dich fesseln!‹ sagte Ascanio. ›Folge mir, daß wir sie suchen!‹

›War es nicht Diana, die Antiope schlug?‹ fragte der Mönch.

›Das hast du geträumt! Du hast alles geträumt! Du warst deiner Sinne nicht mächtig! Komm! Ich beschwöre dich! Ich befehle es dir! Ich ergreife und führe dich!‹

Wenn Ascanio die Wirklichkeit verjagen wollte, so führte sie der auf dem Flur klirrende Schritt Germanos zurück. Mit einem entschlossenen Gesichte trat der Bruder Dianens vor den Mönch und

---

[83] Zaubertrank.

faßte seine Hand. ›Ein gestörtes Fest, Schwager!‹ sagte er. ›Die Schwester schickt mich – ich lüge, sie schickt mich nicht. Denn sie hat sich in ihre Kammer eingeschlossen und drinnen flennt sie und verflucht ihren Jähzorn – heute ersaufen wir in Weibertränen! Sie liebt dich, nur bringt sie es nicht über die Lippen – es ist in der Familie: ich kann es auch nicht. An dir hat sie keinen Augenblick gezweifelt. Es ist einfach: du hast irgendwo einen Ring verschleudert – wenn es der deinige war, den die kleine Canossa – wie heißt sie doch? richtig: die Antiope! – am Finger trug. Die närrische Mutter fand ihn und hat daraus ihr Märchen gesponnen. Antiope ist natürlich an alledem unschuldig wie ein neugeborenes Kind – wer es anders meint, hat es mit mir zu tun!‹

›Nicht ich!‹ rief Astorre. ›Antiope ist rein wie der Himmel! Der Ring wurde von einem Zufall gerollt!‹ und er erzählte mit fliegenden Worten.

›Aber auch der Schwester, die zufuhr, darfst du es nicht anrechnen, Astorre‹, behauptete Germano. ›Ihr schoß das Blut zu Kopfe, sie sah nicht, wen sie vor sich hatte. Sie glaubte die Närrin zu treffen, die ihr die Eltern verhunzte, und schlug die liebe Unschuld. Diese aber muß vor Gott und Menschen wieder zu Ehren und Würden gezogen werden. Laß das meine Sache sein, Schwager! Ich bin der Bruder. Es ist einfach.‹

›Du redest in einem fort und bleibst doch dunkel, Germano! Was hast du vor? Wie vergütest du es der Ärmsten?‹ fragte Ascanio.

›Es ist einfach‹, wiederholte Germano. ›Ich biete Antiope Canossa meine Hand und mache sie zu meinem Weibe.‹

Ascanio griff sich an die Stirn. Der Streich betäubte ihn. Als er dann aber, schnell besonnen, näher zusah, fand er das heroische Mittel gar nicht so übel; doch warf er einen ängstlichen Blick auf den Mönch. Dieser, seiner selbst wieder mächtig, hielt sich mäuschenstille und horchte aufmerksam. Das Ehrgefühl des Kriegers scholl wie ein heller Ruf durch die Wildnis seiner Seele.

›So treffe ich zwei Fliegen mit einem Schlage, Schwager‹, erläuterte Germano. ›Das Mädchen wird in ihren Züchten und Ehren hergestellt. Den möchte ich sehen, der hinter meinem Weibe zischelte! Dann stifte ich Frieden zwischen euch Eheleuten. Diana braucht sich nicht länger vor dir noch vor sich selbst zu schützen und ist von ihrem Jähzorne gründlich geheilt. Ich sage dir: sie ist davon genesen, zeitlebens!‹

Astorre drückte ihm die Hand. ›Du bist brav!‹ sagte er. Der Wille, seine himmlische oder irdische Lust tapfer zu überwinden, erstarkte in dem Mönche. Doch dieser Wille war nicht frei und diese

Tugend nicht selbstlos; denn sie klammerte sich an einen gefährlichen Sophismus[84]: nicht anders als ich selbst eine Ungeliebte umarmen werde, tröstete sich Astorre, wird auch Antiope von einem
Manne sich umfangen lassen, welcher sie kurzerdinge freit, um
fremdes Unrecht gut zu machen. Wir verzichten alle! Entsagung
und Kasteiung in der Welt wie im Kloster!

›Was geschehen muß, verschiebe ich nicht‹, drängte Germano.
›Sonst würde sie sich schlummerlos wälzen.‹ Ich weiß nicht, meinte
er Diana oder Antiope. ›Schwager, du begleitest mich als Zeuge:
ich tue es in den Formen.‹

›Nein, nein!‹ schrie Ascanio erschreckt. ›Nicht Astorre! Nimm
mich!‹

Germano schüttelte den Kopf. ›Ascanio, mein Freund‹, sagte er,
›dazu eignest du dich nicht. Du bist kein ernsthafter Zeuge in Ehe-
sachen! Auch wird mein Bruder Astorre es sich nicht nehmen lassen,
für mich zu werben. Es ist ja zum großen Teil seine eigene Angelegenheit. Nicht wahr, Astorre?‹ Dieser nickte. ›So bereite dich,
Schwager. Mache dich hübsch! Hänge dir eine Kette um!‹

›Und‹, scherzte Ascanio gezwungen, ›wann du über den Hof
gehst, tauche den Kopf in den Brunnen! Du selbst aber, Germano,
trägst Panzer? So kriegerisch? Schickt sich das zur Freite?‹

›Ich bin lange nicht aus der Rüstung gekommen und sie kleidet
mich. Was betrachtest du mich von Kopf zu Füßen, Ascanio?‹

›Ich frage mich, woher dieser Gepanzerte seine Sicherheit nimmt,
nicht mitsamt der Sturmleiter in den Graben geworfen zu werden?‹

›Das kann nicht in Frage stehen‹, meinte Germano seelenruhig.
›Wird sich eine Beschämte und Geschlagene einem Ritter verweigern? Da wäre sie eine noch größere Närrin als ihre Mutter. Das
ist doch sonnenklar, Ascanio. Komm, Astorre.‹

Während der Zurückbleibende mit verschlungenen Armen diese
neue Wendung der Dinge bedachte, zweifelnd, ob dieselbe auf einen
Spielplatz blühender Kinder oder auf ein Camposanto führe, schritten seine Jugendfreunde den nicht langen Weg zu dem Palaste
Canossa.

Der wolkenlose Tag verglomm in einem reinglühenden Abend-
golde, und horch! es läutete Ave. Der Mönch sprach innerlich die
Gewohnheitsgebete, und sein etwas erhöht liegendes Kloster ver-
längerte zufällig das vertraute Geläute um ein paar friedlich weh-
mütige Schläge, welchen die andern Stadtglocken den Luftraum
nicht länger streitig machten. Auch der Mönch wurde des allgemeinen Friedens teilhaft.

[84] Trugschluß, Spitzfindigkeit, Schein der Wahrheit.

Da traf sein Blick das Gesicht des Freundes und ruhte auf den wetterharten Zügen. Sie waren hell und freudig, von erfüllter Pflicht ohne Zweifel, aber doch auch von dem unbewußten oder unbewachten Glück, unter dem von Ehre geschwellten Segel einer ritterlichen Handlung den Port einer seligen Insel zu erreichen. ›Die süße Unschuld!‹ seufzte der Krieger.

Rasend schnell begriff der Mönch, daß der Bruder Dianens sich selbst täuschte, wenn er sich für uneigennützig hielt, daß Germano Antiope zu lieben begann und sein Nebenbuhler war. Seine Brust empfand einen scharfen Biß, dann einen zweiten noch schärfern, daß er hätte aufschreien mögen. Und jetzt wühlte und wimmelte schon ein ganzes Nest grimmiger Schlangen in seinem Busen. Herrschaften, Gott möge uns alle, Männer und Weiber, vor der Eifersucht behüten! Sie ist die qualvollste der Peinen, und wer sie leidet, ist unseliger als meine Verdammten!

Mit verzogenem Gesichte und gepreßtem Herzen folgte der Mönch dem selbstbewußten Freier die Treppen des erreichten Palastes hinauf. Dieser stand leer und verwahrlost. Madonna Olympia mochte sich eingeschlossen haben. Kein Gesinde und alle Türen offen. Sie durchschritten ungemeldet eine Reihe schon dämmernder Gemächer: vor der Schwelle der letzten Kammer hielten sie stille, denn die junge Antiope saß am Fenster.

Sein in den Umriß eines Kleeblattes endigender Bogen war voller Abendglorie, welche die liebreizende Gestalt im Halbkreise von Brust zu Nacken umfing. Ihre gezauste Haarkrone ähnelte den Spitzen eines Dornenkranzes und die schmachtenden Lippen schlürften den Himmel. Das geschlagene Mädchen lag müde unter dem Druck der erduldeten Schande, mit zugefallenen Augendeckeln und erschlafften Armen; aber in der Stille ihres Herzens frohlockte sie und pries ihre Schmach, denn diese hatte sie mit Astorre auf ewig vereinigt.

Und entzündet sich nicht heute noch und bis ans Ende der Tage aus tiefstem Erbarmen höchste Liebe? Wer widersteht dem Anblicke des Schönen, wenn es ungerecht leidet? Ich lästere nicht und kenne die Unterschiede, aber auch das Göttliche wurde geschlagen, und wir küssen seine Striemen und Wunden.

Antiope grübelte nicht, ob Astorre sie liebe. Sie wußte es. Da war kein Zweifel. Sie war davon überzeugter als von den Atemzügen ihrer Brust und den Schlägen ihres Herzens. Keine Silbe hatte sie mit Astorre gewechselt vom ersten Schritt des Weges an, den sie zusammen gingen. Die Hände hielten sich nicht fester beim letzten: sie verwuchsen, ohne sich zu drücken. Sie durchdrangen sich wie zwei leichte geistige Flammen und waren doch beim Scheiden wie die Wurzel aus der Erde kaum auseinander zu lösen.

Antiope vergriff sich an fremdem Eigentum und beging Raub an Dianen fast in Unschuld, denn sie hatte weder Gewissen mehr noch auch nur Selbstbewußtsein. Padua, das mit seinen Türmen vor ihr lag, Mutter, des Mönches Verlöbnis, Diana, die ganze Erde, alles war vernichtet: nichts als der Abgrund des Himmels, und dieser gefüllt mit Licht und Liebe.

Astorre hatte von der ersten bis zur letzten Stufe der Treppe mit sich gerungen und meinte den Sieg erkämpft zu haben. Ich werde das Opfer vollbringen, prahlte er gegen sich selbst, und Germano bei seiner Werbung zur Seite stehen. Auf dem obersten Tritte rief er noch alle seine Heiligen an, voraus Sankt Franziskus, den Meister der Selbstüberwindung. Er griff in die Brust und glaubte, durch den himmlischen Beistand stark wie Herkules, die Schlangen erwürgt zu haben. Aber der Heilige mit den vier Wundmalen hatte sich abgewendet von dem untreuen Jünger, der seinen Strick und seine Kutte verschmähte.

Der danebenstehende Germano entwarf indessen seine Rede, konnte aber nicht über die zwei Argumente hinauskommen, welche ihm gleich anfänglich eingeleuchtet hatten. Übrigens war er guten Mutes – hatte er doch schon öfter im Reiterkampfe seine Germanen angeredet – und fürchtete sich nicht vor einem Mädchen. Nur das Warten ertrug er ebensowenig als vor der Schlacht. Er klirrte leis mit dem Schwert an den Panzer.

Antiope schrak zusammen, blickte hin, erhob sich rasch und stand, den Rücken gegen das Fenster gewendet, mit dunkelm Antlitz den sich im Dämmerlichte verbeugenden Männern gegenüber.

›Sei getrost, Antiope Canossa!‹ redete Germano. ›Ich bringe dir diesen mit, Astorre Vicedomini, welchen sie den Mönch nennen, den Gatten meiner Schwester Diana, als gültigen Zeugen: siehe, ich bin gekommen, dich – ohne Vater wie du bist und bei einer solchen Mutter – von dir selbst zum Weibe zu begehren. Meine Schwester hat sich gegen dich vergessen‹ – er sträubte sich, ein stärkeres Wort zu brauchen und damit Dianen, die er verehrte, preiszugeben – ›und ich, der Bruder, bin da, gut zu machen, was die Schwester schlecht gemacht hat. Diana mit Astorre, du mit mir, so euch entgegenkommend, werdet ihr Weiber euch die Hände geben.‹

Das empfindliche Gemüt des lauschenden Mönches verwundete diese rohe Gleichstellung des Mißhandelns und des Leidens, der Schlagenden und der Geschlagenen – oder krümmte sich eine Natter? – ›Germano, so wirbt man nicht!‹ raunte er dem Gepanzerten zu.

Dieser vernahm es, und da die dunkle Antiope mäuschenstille blieb, verstimmte er sich. Er fühlte, daß er weicher reden sollte, und redete barscher. ›Ohne Vater und mit einer solchen Mutter‹, wiederholte er, ›bedürfet Ihr einer männlichen Hut! Das konntet Ihr heute lernen, junge Herrin. Ihr werdet nicht zum andern Male vor ganz Padua beschämt und geschlagen werden wollen! Gebet Euch mir, wie Ihr seid, und ich schirme Euch vom Wirbel zur Zehe!‹ Germano dachte an seinen Panzer.

Astorre fand diese Werbung von empörender Härte: Germano, so schien ihm, behandelte Antiope wie seine Kriegsgefangene – oder zischte die Schlange? – ›So wirbt man nicht, Germano!‹ keuchte er. Dieser wendete sich halb. ›Wenn du es besser verstehst‹, sagte er mißmutig, ›wirb du für mich, Schwager.‹ Er trat raumgebend beiseite.

Da näherte sich Astorre, das Knie gebogen, hob die Hände mit sich einander berührenden Fingerspitzen, und seine bangen Blicke befragten das zarte Haupt auf dem blassen Goldgrunde. ›Findet Liebe Worte?‹ stammelte er. Dämmerung und Schweigen.

Endlich lispelte Antiope: ›Für wen wirbst du, Astorre?‹ ›Für diesen hier, meinen Bruder Germano‹, preßte er hervor. Da barg sie das Antlitz mit den Händen.

Jetzt riß Germano die Geduld. ›Ich werde deutsch mit ihr reden‹, brach er los und: ›Kurz und gut, Antiope Canossa‹, ließ er das Mädchen rauh an, ›wirst du mein Weib oder nicht?‹

Antiope wiegte das kleine Haupt sanft und sachte, aber trotz der wachsenden Nacht mit deutlicher Verneinung.

›Ich habe meinen Korb‹, sprach Germano trocken. ›Komm, Schwager!‹ und er verließ den Saal mit ebenso festen Schritten, als er ihn betreten hatte. Der Mönch aber folgte ihm nicht.

Astorre verharrte in seiner flehenden Stellung. Dann ergriff er, selbst zitternd, Antiopes zitternde Hände und löste sie von dem Antlitz. Welcher Mund den andern suchte, weiß ich nicht, denn die Kammer war völlig finster geworden.

Auch wurde es darin so stille, daß, wäre ihr Ohr nicht voll stürmischen Jubels und seliger Chöre gewesen, die Liebenden leicht in einem anstoßenden Gelasse gemurmelte Gebete hätten vernehmen können. Das verhielt sich so: neben Antiopes Kammer, einige Stufen tiefer, lag die Hauskapelle, und morgen jährte sich zum dritten Male der Tod des Grafen Canossa. Nach überschrittener Mitternacht sollte in Gegenwart der Witwe und der Waise die Seelenmesse gelesen werden. Schon hatte sich der Priester eingestellt, den Ministranten erwartend.

Ebensowenig als das unterirdische Gemurmel vernahm das Paar die schlurfenden Pantoffeln der Madonna Olympia, welche die Tochter suchte und nun bei dem spärlichen Scheine der Hausleuchte, die sie in der Hand trug, die Liebenden still und aufmerksam betrachtete. Daß die frechste Lüge einer ausschweifenden Einbildungskraft vor ihren Augen in diesen zärtlich verschlungenen Gestalten zu Tat und Wahrheit wurde, darüber wunderte sich Madonna Olympia nicht; aber, es sei der Törin zum Lobe gesagt, ebensowenig kostete sie einen Genuß der Rache. Sie weidete sich nicht an dem der gewalttätigen Diana bevorstehenden bittern Leiden, sondern es überwog die einfache mütterliche Freude, ihr Kind zu seinem Preise gewertet, begehrt und geliebt zu sehen.

Da jetzt, von einem scharfen Strahl aus ihrer Leuchte getroffen, die beiden verwundert aufblickten, fragte sie mit einer weichen und natürlichen Stimme: ›Astorre Vicedomini, liebst du die Antiope Canossa?‹

›Über alles, Madonna!‹ antwortete der Mönch.

›Und verteidigst sie?‹

›Gegen eine Welt!‹ rief Astorre verwegen.

›So ist es recht‹, begütigte sie, ›aber nicht wahr, du meinst es redlich? Du verstoßest sie nicht, wie Dianen? Du närrst mich nicht? Du machst eine arme Törin, wie sie mich nennen, nicht unglücklich? Du lässest mein Kindchen nicht wieder zu Schanden kommen? Du suchst keine Ausflüchte noch Aufschübe? Du gibst den Augen die Gewißheit und führst die Antiope gleich, als ein frommer Christ und wackerer Edelmann, zum Altar? Auch hast du nicht weit nach dem Pfaffen zu gehen. Hörst du es murmeln? Da unten kniet einer.‹

Und sie öffnete eine niedrige Tür, hinter welcher ein paar steile Stufen in das häusliche Heiligtum hinabführten. Astorre warf einen Blick: unter dem plumpen Gewölbe vor einem kleinen Altar bei dem ungewissen Licht einer Kerze betete ein Barfüßer, welcher ihm an Alter und Gestalt nicht unähnlich war und auch die Kutte und den Strick des heiligen Franziskus trug.

Ich glaube, daß dieser Barfüßer hier und gerade zu dieser Stunde durch göttliche Schickung knien und beten mußte, um Astorre zum letzten Male zu erschrecken und zu warnen. Doch in seinen lodernden Adern wurde die Arznei zum Gifte. Da er die Verkörperung seines Klosterlebens erblickte, kam ein trotziger Geist des Frevels und der Sicherheit über ihn. Mit gleichen Füßen habe ich über mein erstes Gelübde weggesetzt, lachte er, und siehe, die Schranke fiel unter meinem Sprunge – warum nicht über das zweite? Meine Heiligen haben mich unterliegen lassen! Vielleicht retten und beschützen sie den Sünder! Der Verwildernde bemächtigte sich Antiopes und trug sie, mehr als daß er sie führte, die Stufen hinunter; Madonna Olympia aber, die sich nach einem kurzen lichten Momente wieder verwirrte, schlug hinter dem Mönch und ihrem Kinde die schwere Türe zu, wie hinter einem gelungenen Fange, einer gehaschten Beute, und lauschte durch das Schlüsselloch.

Was sie sah, bleibt ungewiß. Nach der Meinung des Volkes hätte Astorre den Barfüßer mit gezogenem Schwerte bedroht und vergewaltigt. Das ist unmöglich, denn der Mann Astorre hat niemals den Leib mit einem Schwerte gegürtet. Der Wahrheit näher mag es kommen, daß der Barfüßer – traurig zu sagen – ein schlechter Mönch war und vielleicht derselbe Beutel unter seine Kutte wanderte, den Astorre zu sich gesteckt hatte, da er für Diana den Ehereif kaufen ging.

Daß aber anfänglich der Priester sich sperrte, daß die zwei Mönche miteinander rangen, daß das schwere Gewölbe eine häßliche Szene verbarg – solches lese ich in dem verzerrten und entsetzten Gesichte der Lauscherin. Donna Olympia verstand, daß da unten ein Frevel begangen werde, daß sie als die Anstifterin und Mitschuldige desselben der Strenge des Gesetzes und der Rache der Verratenen sich preisgebe, und da sich die Hinrichtung des Grafen ihres Gemahls jährte, glaubte sie auch i h r törichtes Haupt dem Beile unrettbar verfallen. Sie wähnte den nahenden Schritt Ezzelins zu vernehmen: da floh sie und schrie: ›Hilfe! Mörder!‹

Die Gequälte stürzte auf den Flur und an das in den engen innern Hof blickende Fenster. ›Mein Maultier! Meine Sänfte!‹ rief sie hinunter, und lachend über den doppelten Befehl – das Maultier war für das Land, die Sänfte für die Stadt – erhob sich das Gesinde der Törin langsam und bequem aus einem Winkel, wo es bei einer Kürbislaterne trank und würfelte. Ein alter Stallmeister, welcher allein der unglücklichen Herrin Treue hielt, sattelte bekümmert zwei Maultiere und führte sie durch den Torweg auf den an der Gasse liegenden Vorplatz des Palastes: er hatte Donna Olympia schon auf mancher Irrefahrt begleitet. Die andern folgten witzereißend mit der Sänfte.

Auf der großen Treppe stieß die flüchtige Törin, welche der auch bei den Unseligen übermächtige Trieb der Selbsterhaltung ihr geliebtes Kind vergessen ließ, gegen den besorgten Ascanio, der, ohne Nachricht gelassen und von Unruhe getrieben, auf Kundschaft ausgegangen war.

›Was ist geschehen, Signora?‹ fragte er eilig.

›Ein Unglück!‹ krächzte sie wie ein auffliegender Rabe, rannte die Treppe hinab, saß auf ihrem Tiere, stachelte es mit rasender Ferse und verschwand im Dunkel.

Ascanio suchte durch die finsteren Gemächer bis in die von der stehengebliebenen Ampel der Madonna Olympia erhellte Kammer Antiopes. Wie er sich darin umblickte, wurde die Tür der Hauskapelle geöffnet und zwei schöne Gespenster entstiegen der Tiefe. Der Mutige begann zu zittern. ›Astorre, du bist mit ihr vermählt!‹ Der schallvolle Name dröhnte im Echo des Gewölbes wie die Tuba jenes Tages. ›Und trägst Dianens Ring am Finger!‹

Astorre riß ihn ab und schleuderte ihn.

Ascanio stürzte an das offene Fenster, durch welches der Ring gesprungen war. ›Er ist in eine Spalte zwischen zwei Quadern geglitscht‹, sprach es aus der Gasse herauf. Ascanio erblickte Turbane und Eisenkappen. Es waren die Leute des Vogtes, welche ihre nächtliche Runde begannen.

›Auf ein Wort, Abu Mohammed!‹ rief er, rasch besonnen, einen weißbärtigen Greis, der höflich antwortete: ›Dein Wunsch ist mir Befehl!‹ und mit zwei anderen Sarazenen und einem Deutschen im Tore des Palastes verschwand.

Abu-Mohammed-al-Tabîb überwachte nicht nur die Sicherheit der Straße, sondern betrat auch das Innerste der Häuser, um Reichsverräter – oder was der Vogt so benannte – zu verhaften. Kaiser Friedrich hatte ihn seinem Schwiegersohne, dem Tyrannen, gegeben, damit er diesem eine sarazenische Leibwache werbe, und an deren Spitze war er in Padua verblieben. Abu Mohammed war eine feine Erscheinung und hatte gewinnende Formen. Er nahm Anteil an dem Schmerze der Familie, deren Glied er in den Kerker oder zum Blocke führte, und tröstete die betrübte in seinem gebrochenen Italienisch mit Sprüchen arabischer Dichter. Ich vermute, daß er seinen Beinamen ›al Tabîb‹, das ist der Arzt, wenn er auch einige chirurgische Kenntnisse und Griffe besitzen mochte, zuerst und voraus gewissen ärztlichen Manieren verdankte: ermutigenden Handgebärden, beruhigenden Worten, wie zum Beispiel: ›Es tut nicht weh‹, oder: ›Es geht vorüber‹, womit die Jünger Galens[85] eine schmerzliche Operation einzuleiten pflegen. Kurz, Abu Mohammed behandelte das Tragische gelinde und war zur Zeit meiner Fabel trotz seines strengen und bittern Amtes in Padua keine verhaßte Persönlichkeit. Später, da der Tyrann eine Lust daran fand, menschliche Leiber zu martern, woran du nicht glauben kannst, Cangrande! verließ ihn Abu Mohammed und kehrte zu seinem gütigen Kaiser zurück.

[85] Galenus, bedeutender römischer Arzt (129–199).

Auf der Schwelle des Gemaches winkte Abu Mohammed seinen drei Begleitern, stehenzubleiben. Der Deutsche, der die Fackel trug, ein trotzig blickender Geselle, verharrte nicht lange. Er hatte heute zur Vesperstunde Germano nach dem Palaste Vicedomini begleitet und dieser ihm zugelacht: ›Laß mich jetzt! Ich verlobe hier mein Schwesterchen Diana dem Mönche!‹ Der Germane kannte die Schwester seines Hauptmannes und hatte eine Art stiller Neigung zu ihr, ihres hohen Wuchses und ihrer redlichen Augen halber. Da er nun den Mönch, welchem er heute mittag zur Seite geritten, Hand in Hand mit einem kleinen und zierlichen Weibe sah, das ihm, neben dem großen Bilde Dianens, als eine Puppe erschien, witterte er Treubruch, schmiß erzürnt die lodernde Fackel auf den Steinboden, wo sie der eine der Sarazenen behutsam aufhob, und eilte davon, Germano den Verrat des Mönches zu melden.

Ascanio, der den Deutschen erriet, bat Abu Mohammed, ihn zurückzurufen. Dieser aber weigerte sich. ›Er würde nicht gehorchen‹, sagte er sanft, ›und mir zwei oder drei meiner Leute niederhauen. Mit welchem andern Dienste, Herr, bin ich dir gefällig? Verhafte ich diese blühenden Jugenden?‹

›Astorre, sie wollen uns trennen!‹ schrie Antiope und suchte Schutz in den Armen des Mönches. Die am Altare Frevelnde hatte mit einer schuldlosen Seele auch die natürliche Beherztheit eingebüßt. Der Mönch, welchen seine Schuld vielmehr ermutigte und begeisterte, tat einen Schritt gegen den Sarazenen und riß ihm unversehens das Schwert aus der Scheide. ›Vorsichtig, Knabe, du könntest dich schneiden‹, warnte dieser gutmütig.

›Laß dir sagen, Abu Mohammed‹, erklärte Ascanio, ›dieser Rasende ist der Gespiele meiner Jugend und war lange Zeit der Mönch Astorre, den du sicherlich auf den Straßen Paduas gesehen hast. Der eigene Vater hat ihn um sein Klostergelübde geprellt und mit einem ungeliebten Weibe vermählt. Vor wenigen Stunden wechselte er mit ihr die Ringe, und jetzt, wie du ihn hier siehst, ist er der Gatte dieser andern.‹

›Verhängnis!‹ urteilte der Sarazene mild.

›Und die Verratene‹, fuhr Ascanio fort, ›ist Diana Pizzaguerra, die Schwester Germanos! Du kennst ihn. Er glaubt und traut lange, sieht und greift er aber, daß er ein Getäuschter und Betrogener ist, so spritzt ihm das Blut in die Augen und er tötet.‹

›Nicht anders‹, bestätigte Abu Mohammed. ›Er ist von der Mutter her ein Deutscher, und diese sind Kinder der Treue!‹

›Rate mir, Sarazene. Ich weiß nur e i n e Auskunft: vielleicht eine Rettung. Wir bringen die Sache vor den Vogt. Ezzelin mag richten. Inzwischen bewachen deine Leute den Mönch in seinem eigenen festen Hause. Ich eile zum Ohm. Diese aber bringst du, Abu Mohammed, zu der Markgräfin Cunizza, der Schwester des Vogts, der frommen und leutseligen Domina, die hier seit einigen Wochen Hof hält. Nimm die hübsche Sünderin! Ich anvertraue sie deinem weißen Barte.‹ ›Du darfst es‹, versicherte Mohammed.

Antiope umklammerte den Mönch und schrie noch kläglicher als das erste Mal: ›Sie wollen mich von dir trennen! Laß mich nicht, Astorre! keine Stunde! keinen Augenblick! Oder ich sterbe!‹ Der Mönch hob das Schwert.

Ascanio, der jede Gewalttat verabscheute, blickte den Sarazenen fragend an. Dieser betrachtete die sich umschlungen Haltenden mit väterlichen Augen. ›Laß die Schatten sich umarmen!‹ sagte er dann weichgestimmt, sei es, daß er ein Philosoph war und das Leben für Schein hielt, sei es, daß er sagen wollte: vielleicht verurteilt sie morgen Ezzelin zum Tode, gönne den verliebten Faltern die Stunde!

Ascanio zweifelte nicht an der Wirklichkeit der Dinge; desto zugänglicher war er dem zweiten Sinne des Spruches. Nicht allein als der Leichtfertige, der er war, sondern auch als ein Gütiger und Menschlicher zauderte er, die Liebenden auseinander zu reißen.

›Astorre‹, fragte er, ›kennst du mich?‹

›Du warst mein Freund‹, antwortete dieser.

›Und bin es noch. Du hast keinen treuern.‹

›O trenne mich nicht von ihr!‹ flehte jetzt der Mönch in einem so ergreifenden Tone, daß Ascanio nicht widerstand. ›So bleibt zusammen‹, sagte er, ›bis ihr vor das Gericht tretet.‹ Er flüsterte mit Abu Mohammed.

Dieser näherte sich dem Mönche, entwand ihm sachte das Schwert, Finger um Finger von dem Griffe lösend, und ließ es in die Scheide an seiner Hüfte zurückfallen. Dann trat er ans Fenster, winkte seiner Schar, und die Sarazenen bemächtigten sich der auf dem Vorplatze stehengebliebenen Sänfte Madonna Olympias.

Durch eine enge finstere Gasse bewegte sich die schleunige Flucht: Antiope voran, von vier Sarazenen getragen, ihr zur Seite der Mönch und Ascanio, dann die Turbane. Abu Mohammed schloß den Zug.

Dieser eilte an einem kleinen Platz und einer erhellten Kirche vorüber. In die dunkle Fortsetzung der Gasse einmündend, stieß er in hartem Anprall mit einem ihm entgegenkommenden andern, von zahlreichem Volke begleiteten Zuge zusammen. Heftiges Ge-

zänk erhob sich. ›Raum der Sposina[86]!‹ rief die Menge. Chorknaben
brachten aus der Kirche lange Kerzen herbei, deren wehende
Flämmchen sie mit vorgehaltener Hand schützten. Der gelbe
Schimmer zeigte eine geneigte Sänfte und eine umgestürzte Bahre.
La Sposina war ein gestorbenes Bräutchen aus dem Volke, das zu
Grabe getragen wurde. Die Tote regte sich nicht und ließ sich ge-
lassen wieder auf ihre Bahre legen. Das versammelte Volk aber
erblickte den Mönch, der die aus der Sänfte gesprungene Antiope
schirmend umfing, und es wußte doch, daß der Mönch heute mit
Diana Pizzaguerra sich vermählt hatte. Abu Mohammed schaffte
Ordnung. Ohne weitern Unfall erreichte man den Palast.

Astorre und Antiope wurden von der Dienerschaft mit erstaunten und bestürzten Blicken empfangen. Sie verschwanden im Tore,
ohne von Abu Mohammed und Ascanio Abschied genommen zu
haben. Dieser wickelte sich in sein Kleid und begleitete noch einige
Schritte weit den Sarazenen, welcher die Stadtburg, die er bewachen sollte, umging, ihre Tore zählend und mit dem Blicke die
Höhe ihrer Mauern messend.

›Ein gefüllter Tag‹, sagte Ascanio.

›Eine selige Nacht‹, erwiderte der Sarazene, den sternbesäten
Himmel betrachtend. Die ewigen Lichter, ob sie nun unsere Schicksale beherrschen oder nicht, wanderten nach ihren stillen Gesetzen,
bis ein junger Tag, der jüngste und letzte Astorres und Antiopes,
die göttliche Fackel schwang.

In einer Morgenstunde desselben lauschte der Tyrann mit seinem Neffen durch ein kleines Rundbogenfenster seines Stadt-
turmes auf den anliegenden Platz hinunter, den eine aufgeregte
Menge füllte, murmelnd und tosend wie die wechselnde Meeres-
woge.

Die gestrige Begegnung der Sänfte mit der Bahre und der daraus
entstandene Tumult hatte blitzschnell durch die ganze Stadt ver-
lautet. Alle Köpfe beschäftigten sich wachend und träumend mit
nichts anderm mehr als mit dem Mönche und seiner Hochzeit: nicht
nur dem Himmel habe der Ruchlose sein Gelübde gebrochen, sondern jetzt auch der Erde, seine Braut habe er verraten, seinen Reif
verschleudert, in rasend raschem Wechsel mit einmal aufgelodertem
Sinnen ein neues Weib gefreit, ein fünfzehnjähriges Mädchen, die
Blüte des Lebens, und aus der zerrissenen Kutte sei ein gieriger
Raubvogel aufgeflattert. Aber der gerechte Tyrann, der kein Ansehen der Person kenne, lasse das Haus, das den Verbrecher und
die Verbrecherin verberge, von seinen Sarazenen bewachen; er

[86] Braut.

werde heute, bald, jetzt die Missetat der zwei Vornehmen – denn
die junge Sünderin Antiope sei eine Canossa – vor seinen Stuhl
ziehen, der keuschen Diana ihr Recht schaffen und dem durch
das schlechte Beispiel seines Adels beleidigten tugendhaften Volke
die blutenden Köpfe der zwei Schuldigen durch das Fenster zu-
werfen.

Der Tyrann ließ sich, während er einen beobachtenden Blick auf
die gärende Masse warf, von Ascanio das Gestrige berichten. Die
Verliebung rührte ihn nicht, nur der zugerollte Ring beschäftigte
ihn einen Augenblick als eine neue Form des Schicksals. ›Ich tadle‹,
sagte er, ›daß du sie gestern nicht auseinander gerissen hast! Ich
lobe, daß du sie bewachst! Die Vermählung mit Diana besteht zu
Recht. Das mit dem Schwert erzwungene oder mit dem Beutel ge-
kaufte Sakrament ist so nichtig als möglich. Der Pfaffe, der sich
erschrecken oder bestechen ließ, verdient den Galgen und, wird er
eingefangen, so baumelt er. Noch einmal: warum tratest du nicht
zwischen den Unmündigen und das Kind? warum zerrtest du nicht
einen Taumelnden aus den Armen einer Berauschten? Du gabest
sie ihm! Jetzt sind sie Gatten.‹

Ascanio, welcher sich wieder hell und leichtfertig geschlafen
hatte, verbarg ein Lächeln. ›Epikuräer!‹ strafte ihn Ezzelin. Er
aber schmeichelte: ›Es ist geschehen, gestrenger Ohm. Wenn du den
Fall in deinen Machtkreis ziehst, ist alles gerettet! Beide Parteien
habe ich vor deinen Richterstuhl beschieden auf diese neunte
Stunde.‹ Ein gegenüberstehender Campanile schlug sie. ›Wolle nur,
Ezzelin, und deine feste und kluge Hand löst den Knoten spielend.
Liebe verschwendet und Geiz kennt Ehre nicht. Der verliebte
Mönch wird dem niederträchtigen Geizhals, als welchen wir alle
diesen würdigen Pizzaguerra kennen, hinwerfen, was er verlangt.
Germano freilich wird das Schwert ziehen, doch du heißest es ihn
in die Scheide zurückstoßen. Er ist dein Mann. Er knirscht, aber
er gehorcht.‹

›Ich frage mich‹, sagte Ezzelin, ›ob ich recht tue, den Mönch dem
Schwerte meines Germano zu entziehen. Darf Astorre leben?
Kann er es, jetzt da er nach verschleuderter Sandale auch den an-
gezogenen ritterlichen Schuh zur Schlarpe tritt und der Cantus
firmus[87] des Mönches in einem gellenden Gassenhauer vertönt?
Ich – was an mir liegt – friste dem Wankelmütigen und Wertlosen
das Dasein. Allein ich vermag nichts gegen sein Schicksal. Ist
Astorre dem Schwerte Germanos bestimmt, so kann ich diesen es

[87] Melodie, Thema.

senken heißen, jener rennt doch hinein. Ich kenne das. Ich habe das erfahren.‹ Und er verfiel in ein Brüten.

Scheu wandte Ascanio den Blick seitwärts. Er wußte eine grausame Geschichte.

Einst hatte der Tyrann ein Kastell erobert und die Empörer, die es gehalten hatten, zum Schwerte verurteilt. Der erste beste Kriegsknecht schwang es. Da kniete, um den Todesstreich zu empfangen, ein schöner Knabe, dessen Züge den Tyrannen fesselten. Ezzelin glaubte die seinigen zu erkennen und fragte den Jüngling nach seinem Ursprunge. Es war der Sohn eines Weibes, das Ezzelin in seiner Jugend sündig geliebt hatte. Er begnadigte den Verdammten. Dieser, von der eigenen Neugierde und den neidischen Sticheleien derer, welche ihre Söhne oder Verwandten durch jenes Bluturteil eingebüßt hatten, gereizt und verfolgt, ruhte nicht, bis er das Rätsel seiner Bevorzugung löste. Er soll den Dolch gegen die eigene Mutter gezückt und ihr das böse Geheimnis entrissen haben. Die enthüllte unehrliche Geburt vergiftete seine junge Seele. Er verschwur sich von neuem gegen den Tyrannen, überfiel ihn auf der Straße und wurde von demselben Kriegsknechte, der zufällig der erste war, Ezzelin zu Hilfe zu eilen, und mit demselben Schwerte niedergestoßen.

Ezzelin verbarg das Haupt eine Weile mit der Rechten und betrachtete den Untergang seines Sohnes. Dann erhob er es langsam und fragte: ›Was aber wird aus Diana?‹

Ascanio zuckte die Achseln. ›Diana hat einen Unstern. Zwei Männer hat sie verloren, den einen an die Brenta, den andern an ein lieblicheres Weib. Und dazu der karge Vater! Sie geht ins Kloster. Was bliebe ihr sonst?‹

Jetzt erhob sich drunten auf dem Platze ein Murren, ein Schelten, ein Verwünschen, ein Drohen. ›Mordet den Mönch!‹ reizten einzelne Stimmen, doch da sie sich in einen allgemeinen Schrei vereinigen wollten, ging der Volkszorn auf eine seltsame Weise in ein erstauntes und bewunderndes ›Ach!‹ über. ›Ach, wie schön ist sie!‹ Der Tyrann und Ascanio konnten durch ihr Fenster den Auftritt bequem beobachten: Sarazenen auf schlanken Berbern, den Mönch Astorre und sein junges Weib, die von Maultieren getragen wurden, umringend. Die neue Vicedomini ritt verhüllt. Aber wie die tausend Fäuste des Volkes sich gegen den Mönch, ihren Gemahl, ballten, hatte sie sich leidenschaftlich vor ihn geworfen. Die liebende Gebärde zerriß den Schleier. Es war nicht der Reiz ihres Antlitzes allein, noch die Jugend ihres Wuchses, sondern das volle Spiel der Seele, das gestaltete Gefühl, der Atem des Lebens, was die Menge entwaffnete und hinriß, wie gestern den Mönch, der jetzt als ein blühender Triumphator ohne die leiseste Furcht, denn er glaubte sich gefestet und gefeit, mit seiner warmen Beute einherzog.

Ezzelin betrachtete diesen Sieg der Schönheit fast verächtlich. Er wandte sein Auge teilnehmend gegen den zweiten Auftritt, welcher aus einer andern Gasse auf den Turmplatz mündete. Drei Vornehme, wie Astorre und Antiope zahlreich begleitet, suchten Bahn durch die Menge. In der Mitte ein schneeweißes Haupt: die würdige Erscheinung des alten Pizzaguerra. Ihm zur Linken Germano. Dieser hatte gestern schrecklich gezürnt, als ihm sein Deutscher die Kunde des Verrates brachte, und stürzte spornstreichs zur Rache, wurde aber von dem Sarazenen ereilt, welcher ihn, den Vater und die Schwester auf die nächste Frühstunde in den Turm und vor das Gericht des Vogtes lud. Er hatte darauf der Schwester den Frevel des Mönches, welchen er ihr lieber bis nach genommener Rache verheimlicht, offenbaren müssen und sich über ihre Fassung gewundert. Diana ritt zur Rechten des Vaters, keine andere als sonst, nur daß sie den breiten Nacken um einen schweren Gedanken tiefer als gestern trug.

Die Menge, welche die Gekränkte und ihr Recht Fordernde eine Minute früher mit zürnendem Jubel begrüßt hätte, begnügte sich jetzt, das Auge noch geblendet von dem Glanze Antiopes und den Verrat des Mönches begreifend und mitbegehend, der Gedrückten ein mitleidiges: ›Arme, Ärmste! Immer Geopferte!‹ zuzumurmeln.

Jetzt erschienen die Fünfe vor dem Tyrannen, der in einem nackten Saale auf einem nur um zwei Stufen über dem Boden erhöhten Stuhle saß. Vor ihm standen Kläger und Verklagte sich gegenüber: hier die beiden Pizzaguerra und, ein wenig beiseite, die große Gestalt Dianas, dort, Hand in Hand verschlungen, der Mönch und Antiope, alle in Ehrfurcht, während Ascanio an den hohen Sessel des Tyrannen lehnte, als wolle er seine Unparteilichkeit und die Mitte wahren zwischen zwei Jugendgespielen.

›Herrschaften‹, begann Ezzelin, ›ich werde euern Fall nicht als eine Staatssache, wo Treubruch Verrat, und Verrat Majestätsverbrechen ist, behandeln, sondern als eine läßliche Familienangelegenheit. In der Tat, die Pizzaguerra, die Vicedomini, die Canossa sind ebenso edeln Blutes als ich, nur daß die Erhabenheit des Kaisers mich zu ihrem Vogte in diesen ihren Ländern gemacht hat.‹ Ezzelin neigte das Haupt bei der Nennung der höchsten Macht; er konnte es nicht entblößen, da er dasselbe, wenn er es nicht mit dem Streithelm bedeckte, überall, selbst in Wind und Wetter, nach anti-

ker Weise bar trug. ›So bilden die zwölf Geschlechter eine große
Familie, zu der auch ich durch eine meiner Ahnfrauen gehöre. Aber
wie sind wir zusammengeschmolzen durch unselige Verblendung
und strafbare Auflehnung einiger unter uns gegen das höchste
weltliche Amt! Wenn ihr mir glaubet, so sparen wir nach Kräften,
was noch vorhanden ist. In diesem Sinne halte ich die Rache der
Pizzaguerra gegen Astorre Vicedomini auf, obwohl ich sie ihrer
Natur nach eine gerechte nenne. Seid ihr‹, er wendete sich gegen
die drei Pizzaguerra, ›mit meiner Milde nicht einverstanden, so
höret und bedenkt eines: ich, Ezzelino da Romano, bin der erste
und darum der Hauptschuldige. Hätte ich mein Roß nicht an einem
gewissen Tage und zu einer gewissen Stunde längs der Brenta jagen
lassen, Diana wäre standesgemäß vermählt und dieser hier murmelte sein Brevier. Hätte ich meine Deutschen nicht zur Musterung
befohlen an einem gewissen Tage und zu einer gewissen Stunde,
so hätte mein Germano den Mönch nicht unzeitig auf einen Gaul
gesetzt und dieser der Frau, welche er jetzt an der Hand hält, den
ihr von seinem bösen Dämon —‹

›Von meinem guten!‹ frohlockte der Mönch.

›— von seinem Dämon zugerollten Brautring wieder vom Finger gezogen. Darum, Herrschaften, begünstigt mich, indem ihr mir
die verwickelte Sache entwirren und schlichten helfet; denn be-
stündet ihr auf der Strenge, so müßte ich auch mich und mich zuerst verurteilen!‹

Diese ungewöhnliche Rede brachte den alten Pizzaguerra keineswegs aus der Fassung, und als ihn der Tyrann ansprach: ›Edler
Herr, Euer ist die Klage‹, sagte er kurz und karg: ›Herrlichkeit,
Astorre Vicedomini verlobte sich öffentlich und ganz nach den Gebräuchen mit meinem Kinde Diana. Dann aber, ohne daß Diana
sich gegen ihn vergangen hätte, brach er sein Verlöbnis. Unbegrün-
det, ungesetzlich, kirchenschänderisch. Diese Tat wiegt schwer und
verlangt, wo nicht Blut, welches deine Herrlichkeit nicht vergossen
sehen will, eine schwere Sühne‹, und er machte die Gebärde eines
Krämers, der Gewichtstein um Gewichtstein in eine Waagschale
legt.

›Ohne daß Diana sich vergangen hätte?‹ wiederholte der Tyrann.
›Mich dünkt, sie verging sich. Hatte sie nicht eine Wahnsinnige vor
sich? Und Diana schilt und schlägt. Denn Diana ist jähzornig und
unvernünftig, wenn sie sich in ihrem Rechte gekränkt glaubt.‹

Da nickte Diana und sprach: ›Du sagst die Wahrheit, Ezzelin.‹

›Das ist es auch‹, fuhr der Tyrann fort, ›warum Astorre sein Herz
von ihr abgekehrt hat: er erblickte eine Barbarin.‹

›Nein, Herr‹, widersprach der Mönch, die Verratene von neuem beleidigend, ›ich habe Diana nicht angeschaut, sondern das süße Antlitz, das den Schlag empfing, und mein Eingeweide erbarmte sich.‹

Der Tyrann zuckte die Achseln. ›Du siehst, Pizzaguerra‹, lächelte er, ›der Mönch gleicht einem sittsamen Mädchen, das zum erstenmal einen starken Wein geschlürft hat und sich danach gebärdet. Wir aber sind alte nüchterne Leute. Sehen wir zu, wie die Sache sich austragen läßt.‹

Pizzaguerra erwiderte: ›Viel, Ezzelin, täte ich dir zu Gefallen wegen deiner Verdienste um Padua. Doch läßt sich beleidigte Hausehre sühnen anders als mit gezogenem Schwerte?‹ So redete der Vater Dianens und machte mit dem Arm eine edle Bewegung, welche aber in eine Gebärde ausartete, die einer geöffneten, wo nicht hingehaltenen Hand zum Verwechseln ähnlich sah.

›Biete, Astorre!‹ sagte der Vogt mit dem Doppelsinne: Biete die Hand! oder: Biete Geld und Gut!

›Herr‹, wendete sich jetzt der Mönch offen und edel gegen den Tyrannen, ›wenn du einen Haltlosen, ja einen Sinnberaubten in mir erblickst, ich zürne dir es nicht, denn ein starker Gott, den ich leugnete, weil ich sein Dasein nicht ahnen konnte, hat sich an mir gerächt und mich überwältigt. Noch jetzt treibt er mich wie ein Sturm und jagt mir den Mantel über den Kopf. Muß ich mein Glück – bettelhaftes Wort! armselige Sprache! – muß ich das Höchste des Lebens mit dem Leben bezahlen: ich begreife es und finde den Preis niedrig gestellt! Darf ich aber leben und mit dieser leben, so markte ich nicht!‹ Er lächelte selig. ›Nimm meine Habe, Pizzaguerra!‹

›Herrschaften‹, verfügte der Tyrann, ›ich bevormunde diesen verschwenderischen Jüngling. Unterhandeln w i r zusammen, Pizzaguerra. Du hörtest es: ich habe weite Vollmacht. Was denkst du von den Bergwerken der Vicedomini?‹

Der ehrbare Greis schwieg, aber seine nahe zusammenliegenden Augen glitzerten wie zwei Diamanten.

›Nimm meine Perlfischereien dazu!‹ rief Astorre, doch Ascanio, der die Stufen heruntergeglitten kam, verschloß ihm den Mund.

›Edler Pizzaguerra‹, versuchte jetzt Ezzelin den Alten, ›nimm die Bergwerke! Ich weiß, die Ehre deines Hauses geht dir über alles und steht um keinen Preis feil, aber ich weiß ebenfalls, du bist ein guter Paduaner und tust dem Stadtfrieden etwas zuliebe.‹

Der Alte schwieg hartnäckig.

›Nimm die Minen‹, wiederholte Ezzelin, der das Wortspiel liebte, ›und gib die Minne!‹

›Die Bergwerke und die Fischereien?‹ fragte der Alte, als wäre er schwerhörig.

›Die Bergwerke, sagte ich, und damit gut. Sie ertragen viele tausende Pfunde. Würdest du mehr fordern, Pizzaguerra, so hätte ich mich in deiner Gesinnung betrogen und du setztest dich dem häßlichen Verdachte aus, um Ehre zu feilschen.‹

Da der Geizhals den Tyrannen fürchtete und nicht mehr erlangen konnte, verschluckte er seinen Verdruß und bot dem Mönche die trockene Hand. ›Ein schriftliches Wort, Lebens und Sterbens halber‹, sagte er dann, zog Stift und Rechenbüchlein aus der Gürteltasche, entwarf mit zitternden Fingern die Urkunde ›coram domino Azzolino[88]‹ und ließ den Mönch unterzeichnen. Hierauf verbeugte er sich vor dem Vogt und bat, ihn zu entschuldigen, wenn er, obwohl einer aus den Zwölfen, Altersschwäche halber der Hochzeit des Mönches nicht beiwohne.

Germano hatte seine Wut verbeißend neben dem Vater gestanden. Jetzt löste er den einen seiner Eisenhandschuhe. Er schleuderte ihn dem Mönch ins Gesicht, hätte ihm nicht eine Machtgebärde des Tyrannen Halt geboten.

›Sohn, willst du den öffentlichen Frieden brechen?‹ mahnte jetzt auch der alte Pizzaguerra. ›Mein gegebenes Wort enthält und verbürgt auch das deinige. Gehorche! Bei meinem Fluche! Bei deiner Enterbung!‹ drohte er.

Germano lachte. ›Kümmert Euch um Eure schmutzigen Hände, Vater!‹ warf er verächtlich hin. ›Doch auch du, Ezzelin, Herr von Padua, darfst es mir nicht verwehren! Es ist Mannesrecht und Privatsache. Verweigere ich dem Kaiser und dir, seinem Vogt, den Gehorsam, so enthaupte mich; aber du hinderst mich nicht, gerecht wie du bist, diesen Mönch zu erwürgen, der meine Schwester geäfft und mich beheuchelt hat. Wäre Untreue straflos, wer möchte leben? Es ist des Platzes auf der Erde zu wenig für den Mönch und mich. Das wird er selbst begreifen, wann er wieder zu Sinnen kommt.‹

›Germano‹, gebot Ezzelin, ›ich bin dein Kriegsherr. Morgen vielleicht ruft die Tuba. Du bist nicht dein eigen, du gehörst dem Reich!‹

Germano erwiderte nichts. Er befestigte den Handschuh. ›Vorzeiten‹, sagte er dann, ›unter den blinden Heiden gab es eine Gottheit, welche gebrochene Treue rächte. Das wird sich mit dem Glok-

[88] In Gegenwart des Herrn Ezzelin.

kengeläute nicht geändert haben. Ihr befehle ich meine Sache!‹
Rasch erhob er die Hand.

›So steht es gut‹, lächelte Ezzelin. ›Heute abend wird im Palaste
Vicedomini Hochzeit mit Masken gefeiert, ganz wie gebräuchlich.
I c h gebe das Fest und lade euch ein, Germano und Diana. Unge-
panzert, Germano! Mit kurzem Schwerte!‹

›Grausamer!‹ stöhnte der Krieger. ›Kommt, Vater! Wie möget
Ihr länger das Schauspiel unserer Schande geben?‹ Er riß den Alten
mit sich fort.

›Und du, Diana?‹ fragte Ezzelin, da er vor seinem Stuhle nur
noch diese und die Neuvermählten sah. ›Begleitest du nicht Vater
und Bruder?‹

›Wenn du es gestattest, Herr‹, sagte sie, ›habe ich ein Wort mit
der Vicedomini zu reden.‹ An dem Mönche vorüber blickte sie fest
auf Antiope.

Diese, deren Hand Astorre nicht losgab, hatte an dem Gerichte
des Tyrannen einen leidenden, aber tief erregten Anteil genommen.
Bald errötete das liebende Weib. Bald entfärbte sich eine Schuldige,
die unter dem Lächeln und der Gnade Ezzelins sein wahres und ein
sie verdammendes Urteil entdeckte. Bald jubelte ein der Strafe ent-
wischtes Kind. Bald regte sich das erste Selbstgefühl der jungen
Herrin, der neuen Vicedomini. Jetzt, von Diana ins Gesicht angeredet, warf sie ihr scheue und feindselige Blicke entgegen.

Diese ließ sich nicht beirren. ›Schau her, Antiope!‹ sagte sie.
›Hier mein Finger‹ – sie streckte ihn – ›trägt den Ring deines Gatten. Den darfst du nicht vergessen. Ich bin nicht abergläubischer
als andere, aber an deiner Stelle wäre mir schlimm zumute! Schwer
hast du dich an mir versündigt, doch ich will gut und milde sein.
Heute abend feierst du Hochzeit mit Masken nach den Gebräuchen.
Ich werde dir erscheinen. Komme reuig und demütig und ziehe mir
den Ring vom Finger!‹

Antiope stieß einen Schrei der Angst aus und klammerte sich an
ihren Gatten. Dann, in seinen Armen geborgen, redete sie stürmisch:
›Ich soll mich erniedrigen? Was befiehlst du, Astorre? Meine Ehre
ist deine Ehre! Ich bin nichts mehr als dein Eigentum, dein Herz-
klopfen, dein Atemzug und deine Seele. Wenn du willst und du ge-
bietest, dann!‹

Astorre sprach, sein Weib zärtlich beruhigend, gegen Diana: ›Sie
wird es tun. Möge dich ihre Demut versöhnen! und die meinige!
Sei mein Gast heute nacht und bleibe meinem Hause günstig!‹ Er
wendete sich zu Ezzelin, dankte ihm ehrerbietig für Gericht und
Gnade, verneigte sich und entführte sein Weib. Auf der Schwelle

aber wandte er sich noch fragend gegen Diana: ›Und in welcher Tracht wirst du bei uns erscheinen, daß wir dich kennen und dir Ehre bezeigen?‹

Diese lächelte verächtlich. Wieder wendete sie sich gegen Antiope. ›Kommen werde ich als die, welche ich mich nenne und welche ich bin: die Unberührte, die Jungfräuliche!‹ sagte sie stolz. Dann wiederholte sie: ›Antiope, denke daran: reuig und demütig!‹

›Du meinst es ehrlich, Diana? Du führst nichts im Schilde?‹ zweifelte der Tyrann, da ihm jetzt die Pizzaguerra allein gegenüberstand.

›Nichts‹, erwiderte sie, jede Beteuerung verschmähend.

›Und was wird aus dir, Diana?‹ fragte er.

›Ezzelin‹, antwortete sie bitter, ›vor diesem deinem Richtstuhle hat mein Vater die Ehre und Rache seines Kindes um ein paar Erzklumpen verschachert. Ich bin nicht wert, daß mich die Sonne bescheine. Für solche ist die Zelle!‹ Und sie verließ den Saal.

›Allervortrefflichster Ohm!‹ jubelte Ascanio. ›Du vermählst das seligste Paar in Padua und machst aus einer gefährlichen Geschichte ein reizendes Märchen, womit ich einst, als ein ehrwürdiger Greis, meine Enkel und Enkelinnen am Herdfeuer ergötzen werde!‹

›Idyllischer Neffe!‹ spottete der Tyrann. Er trat ans Fenster und blickte auf den Platz hinunter, wo die Menge noch in fieberhafter Neugierde standhielt. Ezzelin hatte Befehl gegeben, die vor ihn Beschiedenen durch eine Hinterpforte zu entlassen.

›Paduaner!‹ redete er jetzt mit gewaltiger Stimme, und Tausende schwiegen wie eine Einöde. ›Ich habe den Handel untersucht. Er war verwickelt und die Schuld geteilt. Ich vergab, denn ich bin zur Milde geneigt jedesmal, wo die Majestät des Reiches nicht berührt wird. Heute abend halten Hochzeit mit Masken Astorre Vicedomini und Antiope Canossa. Ich, Ezzelin, gebe das Fest und lade euch alle. Lasset es euch schmecken, ich bin der Wirt! Euch gehören Schenke und Gasse! Den Palast Vicedomini aber betrete noch gefährde mir keiner, sonst, bei meiner Hand! – und jetzt kehre ruhig jeder in das Seinige, wenn ihr mich lieb habet!‹

Ein unbestimmtes Gemurmel drang empor. Es verrieselte und verrann.

›Wie sie dich lieben!‹ scherzte Ascanio.«

Dante schöpfte Atem. Dann endigte er in raschen Sätzen.

»Nachdem der Tyrann sein Gericht gehalten hatte, verritt er um Mittag nach einem seiner Kastelle, wo er baute. Er begehrte rechtzeitig nach Padua zurückzukehren, um die vor Diana sich demütigende Antiope zu betrachten.

Aber gegen Voraussicht und Willen wurde er auf der mehrere Miglien[89] von der Stadt entfernten Burg festgehalten. Dorthin kam ihm ein staubbedeckter Sarazene nachgesprengt und überreichte ihm ein eigenhändiges Schreiben des Kaisers, das umgehende Antwort verlangte. Die Sache war von Bedeutung. Ezzelin hatte vor kurzem eine kaiserliche Burg im Ferraresischen, in deren Befehlshaber, einem Sizilianer, sein Scharfblick den Verräter argwöhnte, nächtlicherweile überfallen, eingenommen und den zweideutigen kaiserlichen Burgvogt in Fesseln gelegt. Nun verlangte der Staufe Rechenschaft über diesen klugen, aber verwegenen Eingriff in seinen Machtkreis. Die arbeitende Stirn in die Linke gelegt, ließ Ezzelin die Rechte über das Pergament gleiten und sein Stift zog ihn vom Ersten zum Zweiten und vom Zweiten zu einem Dritten. Gründlich unterhielt er sich mit dem erlauchten Schwiegervater über die Möglichkeiten und Ziele eines bevorstehenden oder wenigstens geplanten Feldzuges. So verschwand ihm Stunde und Zeitmaß. Erst als er sich wieder zu Pferde warf, erkannte er aus dem ihm vertrauten Wandel der Gestirne – sie blitzten in voller Klarheit –, daß er Padua kaum vor Mitternacht erreichen werde. Sein Gefolge weit hinter sich lassend, schnell wie ein Gespenst, flog er über die nächtige Ebene. Doch er wählte seinen Weg und umritt vorsichtig einen wenig tiefen Graben, über welchen der kühne Reiter an einem andern Tage spielend gesetzt hätte: er verhinderte das Schicksal, seine Fahrt zu bedrohen und seinen Hengst zu stürzen. Wieder verschlang er auf gestrecktem Renner den Raum, aber Paduas Lichter wollten noch nicht schimmern.

Dort, vor der breiten Stadtfeste der Vicedomini, während sie sich in rasch wachsender Dämmerung schwärzte, hatte sich das trunkene Volk versammelt. Zügellose wechselten mit possierlichen Szenen auf dem nicht großen Platze. In der gedrängten Menge gor eine wilde, zornige Lust, ein bacchantischer Taumel, welchem die ausgelassene Jugend der Hochschule ein Element des Spottes und Witzes beimischte.

Jetzt ließ sich eine schleppende Kantilene[90] vernehmen, in der Art einer Litanei, wie unsere Landleute zu singen pflegen. Es war ein Zug Bauern, alt und jung, aus einem der zahlreichen Dörfer im Besitze der Vicedomini. Dieses arme Volk, welches in seiner Abgelegenheit nichts von der Verweltlichung des Mönches, sondern nur in unbestimmten Umrissen die Vermählung des Erben erfahren,

[89] Italienische Meile.   [90] Kurzes Gesangsstück, Liedchen.

hatte sich vor Tagesanbruch mit den üblichen Hochzeitsgeschenken aufgemacht und erreichte nun sein Ziel nach einer langen Wallfahrt im Staube der Landstraße. Es hielt und duckte sich zusammen, langsam über den wogenden Platz vorrückend, hier ein lockiger Knabe, fast noch ein Kind, mit einer goldenen Honigwabe, dort eine scheue, stolze Dirne, ein blökendes bebändertes Lämmchen in den sorglichen Armen. Alle verlangten sie sehnlich nach dem Angesichte ihres neuen Herrn.

Nun verschwanden sie nach und nach in der Wölbung des Tores, wo rechts und links die angezündeten Fackeln in den Eisenringen loderten, mit der letzten Tageshelle streitend. Im Torwege befahl Ascanio, als Ordner des Festes, er, der sonst so freundliche, mit einer schreienden und gereizten Stimme.

Von Stunde zu Stunde wuchs der Frevelmut des Volkes, und als endlich die vornehmen Masken anlangten, wurden sie gestoßen, dem Gesinde die Fackeln entrissen und auf den Steinplatten ausgetreten, die Edelweiber von ihren männlichen Begleitern abgedrängt und lüstern gehänselt, ungerächt von dem Schwertstich, der an gewöhnlichen Abenden die Frechheit sofort gestraft hätte.

Dergestalt kämpfte unweit des Palasttores ein hohes Weib in der Tracht einer Diana[91] mit einem immer enger sich schließenden Ringe von Klerikern und Schülern niedersten Ranges. Ein hagerer Mensch ließ seine mythologischen Kenntnisse glänzen. ›Nicht Diana bist du!‹ näselte er verbuhlt, ›du bist eine andere! Ich erkenne dich. Hier sitzt dein Täubchen!‹ und er zeigte auf den silbernen Halbmond über der Stirne der Göttin. Diese aber schmeichelte nicht wie Aphrodite[92], sondern zürnte wie Artemis[93]. ›Weg, Schweine!‹ schalt sie. ›Ich bin eine reinliche Göttin und verabscheue die Kleriker!‹ ›Gurr, gurr!‹ girrte die Hopfenstange und tastete mit den Knochenhänden, stieß aber auf der Stelle einen durchdringenden Schrei aus. Wimmernd hob der Elende die Hand und zeigte seinen Schaden. Sie war durch und durch gestochen und überquoll von Blut: das ergrimmte Mädchen hatte hinter sich in den Köcher gelangt — den entwendeten Jagdköcher ihres Bruders — und mit einem der scharf geschliffenen Pfeile die ekle Hand gezüchtigt.

Schon wurde der rasche Auftritt von einem andern ebenso grausamen, wenn auch unblutigen verdrängt. Eine alle erdenklichen Widersprüche und schneidenden Mißtöne durcheinanderwerfende Musik, die einem rasenden Zanke der Verdammten in der Hölle glich, brach sich Bahn durch die betäubte und ergötzte Menge. Das

[91] Göttin der Jagd. [92] Göttin der Liebe und Schönheit. [93] Göttin der Jagd und des plötzlichen Todes.

niederste und schlimmste Volk – Beutelschneider, Kuppler, Dirnen, Betteljungen – blies, kratzte, paukte, pfiff, quiekte, meckerte und grunzte vor und hinter einem abenteuerlichen Paare. Ein großes, verwildertes Weib von zerstörter Schönheit ging Arm in Arm mit einem trunkenen Mönche in zerfetzter Kutte. Dieses war der Klosterbruder Serapion, der, von dem Beispiel Astorres aufgestachelt, nächtlicherweile aus der Zelle entsprungen war und sich seit einer Woche im Schlamm der Gasse wälzte. Vor einem aus der finstern Palastmauer vorspringenden erhellten Erker machte die Horde halt, und mit einer gellenden Stimme und der Gebärde eines öffentlichen Ausrufers schrie das Weib: ›Kund und zu wissen, Herrschaften: Über ein kurzes schlummert der Mönch Astorre neben seiner Gattin Antiope!‹ Ein unbändiges Gelächter begleitete diese Verkündigung.

Jetzt nickte aus dem schmalen Bogenfenster des Erkers die läutende Schellenkappe Gocciolas und ein melancholisches Gesicht zeigte sich der Gasse.

›Gutes Weib, sei still!‹ klagte der Narr weinerlich auf den Platz hinunter. ›Du verletzest meine Erziehung und beleidigst mein Schamgefühl!‹

›Guter Narr‹, antwortete die Schamlose, ›stoße dich nicht daran! Was die Vornehmen begehen, dem geben wir den Namen. Wir setzen die Titel auf die Büchsen der Apotheke!‹

›Bei meinen Todsünden‹, jubelte Serapion, ›das tun wir! Bis Mitternacht soll die Hochzeit meines Brüderchens auf allen Plätzen Paduas ausgeschellt und hell verkündigt werden. Vorwärts, marsch. Hopsasa!‹ und er hob das nackte Bein mit der Sandale aus den hangenden Lumpen der besudelten Kutte.

Dieser von der Menge wütend beklatschte Schwank verscholl an den steilen Mauern der mächtigen Burg, deren Fenster und Gemächer zum großen Teil gegen die innern Hofräume gingen.

In einem stillen, geschützten Gemache wurde Antiope von ihren Zofen, Sotte und einer andern, gekleidet und geschmückt, während Astorre den nicht enden wollenden Schwarm der Gäste oben an den Treppen empfing. Sie schaute in ihre eigenen bangen Augen, die ihr aus einem Silberspiegel begegneten, welchen die Unterzofe mit einem neidischen Gesicht in nackten frechen Armen hielt.

›Sotte‹, flüsterte das junge Weib zu der Dienerin, die ihr die Haare flocht, ›du ähnelst mir und hast meinen Wuchs: wechsle mit mir die Kleider, wenn du mich lieb hast! Gehe hin und ziehe ihr den Ring vom Finger! Reuig und demütig! Verbeuge dich mit gekreuzten Armen vor der Pizzaguerra, wie die letzte Sklavin! Falle auf die Knie! Wälze dich am Boden! Wirf dich ganz weg! Nur nimm ihr den Ring! Ich lohne fürstlich!‹ und da sie Sotte zaudern sah: ›Nimm und behalte alles, was ich Köstliches trage!‹ flehte die Herrin, und dieser Versuchung widerstand die eitle Sotte nicht.

Astorre, welcher der Pflicht des Wirtes einen Augenblick entwendete, um sein Liebstes zu besuchen, fand im Gemache zwei sich umkleidende Frauen. Er erriet. ›Nein, Antiope!‹ verbot er. ›So darfst du nicht durchschlüpfen. Es muß Wort gehalten werden! Ich verlange es von deiner Liebe. Ich befehle es dir!‹ Indem er diesen strengen Spruch mit einem Kuß auf den geliebten Nacken zu einem Koseworte machte, wurde er weggerissen von dem herbeieilenden Ascanio, welcher ihm vorstellte, seine Bauern wünschen ihm ihre Gaben ohne Verzug zu überreichen, um in der Kühle der Nacht den Heimweg anzutreten. Da sich Antiope wendete, um den Gatten wiederzuküssen, küßte sie die Luft.

Jetzt ließ sie sich rasch fertig kleiden. Selbst die leichtfertige Sotte erschrak vor der Blässe des Angesichts im Spiegel. Nichts lebte darin als die Angst der Augen und der Schimmer der zusammengepreßten Zähnchen. Ein roter Streif, der Schlag Dianens, wurde auf der weißen Stirne sichtbar.

Nach beendigtem Putze erhob sich das Weib Astorres mit klopfenden Pulsen und hämmernden Schläfen, verließ die sichere Kammer und durcheilte die Säle, Dianen suchend. Sie wurde gejagt von dem Mute der Furcht. Sie wollte jubelnd mit dem zurückeroberten Ringe ihrem Gatten entgegeneilen, dem sie den Anblick ihrer Buße erspart hätte.

Bald unterschied sie aus den Masken die hochgewachsene Göttin der Jagd, erkannte in ihr die Feindin und folgte, bebend und zornige Worte murmelnd, der gemessen Schreitenden, welche den Hauptsaal verließ und sich gnädig in eines der schwachbeleuchteten und nur halb so hohen Nebengemächer verlor. Die Göttin schien nicht öffentliche Demütigung, sondern Demut des Herzens zu verlangen.

Jetzt neigte sich im Halbdunkel Antiope vor Diana. ›Gib mir den Ring!‹ preßte sie hervor und tastete an dem kräftigen Finger.

›Demütig und reuig?‹ fragte Diana.

›Wie anders, Herrin?‹ fieberte die Unselige. ›Aber du treibst dein Spiel mit mir, Grausame! Du biegst deinen Finger, jetzt krümmst du ihn!‹

Ob Antiope es sich einbildete? Ob Diana wirklich dieses Spiel trieb? Wie wenig ist ein gekrümmter Finger! Cangrande, du hast mich der Ungerechtigkeit bezichtigt. Ich entscheide nicht.

Genug, die Vicedomini hob den geschmeidigen Leib und rief, die flammenden Augen auf die strengen der Pizzaguerra gerichtet: ›Neckst du eine Frau, Mädchen?‹ Dann bog sie sich wieder und suchte mit beiden Händen dem Finger den Ring zu entreißen – da durchfuhr sie ein Blitz. Ihr die linke Hand überlassend, hatte die strafende Diana mit der Rechten einen Pfeil aus dem Köcher gezogen und Antiope getötet. Diese sank zuerst auf die linke, dann auf die rechte Hand, drehte sich und lag, den Pfeil im Genick, auf die Seite gewendet.

Der Mönch, der nach Verabschiedung seiner ländlichen Gäste zurückgeeilt kam und sehnlich sein Weib suchte, fand eine Entseelte. Mit einem erstickten Schrei warf er sich neben sie nieder und zog ihr den Pfeil aus dem Halse. Ein Blutstrahl folgte. Astorre verlor die Besinnung.

Als er aus seiner Ohnmacht erwachte, stand Germano vor ihm mit gekreuzten Armen. ›Bist du der Mörder?‹ fragte der Mönch.

›Ich morde keine Weiber‹, antwortete der andere traurig. ›Es ist meine Schwester, die ihr Recht gesucht hat.‹

Astorre tastete nach dem Pfeil und fand ihn. Aufgesprungen in einem Satze und das lange Geschoß mit der blutigen Spitze wie eine Klinge handhabend, fiel er in blinder Wut den Jugendgespielen an. Der Krieger schauderte leicht vor dem schwarzgekleideten fahlen Gespenste mit den gesträubten Haaren und dem Pfeil in der Faust.

Er wich um einen Schritt. Das kurze Schwert ziehend, welches der Ungepanzerte heute trug, und den Pfeil damit festhaltend, sagte er mitleidig: ›Geh in dein Kloster zurück, Astorre, das du nie hättest verlassen sollen!‹

Da gewahrte er plötzlich den Tyrannen, der, gefolgt von dem ganzen Feste, welches dem längst Erwarteten bis ans Tor entgegengestürzt war, ihm gerade gegenüber durch die Tür trat.

Ezzelin streckte die Recht, Friede gebietend, und Germano senkte ehrfürchtig seine Waffe vor dem Kriegsherrn. Diesen Augenblick ergriff der rasende Mönch und stieß dem Ezzelin Entgegenschauenden den Pfeil in die Brust. Aber auch sich traf er tödlich, von dem blitzschnell wieder gehobenen Schwerte des Kriegers erreicht.

Germano war stumm zusammengesunken. Der Mönch, von Ascanio gestützt, tat noch einige wankende Schritte nach seinem Weibe und bettete sich, von dem Freunde niedergelassen, zu ihr, Mund an Mund.

Die Hochzeitsgäste umstanden die Vermählten. Ezzelin betrachtete den Tod. Hernach ließ er sich auf ein Knie nieder und drückte erst Antiope, darauf Astorre die Augen zu. In die Stille klang es mißtönig herein durch ein offenes Fenster. Man verstand aus dem Dunkel: ›Jetzt schlummert der Mönch Astorre neben seiner Gattin Antiope.‹ Und ein fernes Gelächter.«

Dante erhob sich. »Ich habe meinen Platz am Feuer bezahlt«, sagte er, »und suche nun das Glück des Schlummers. Der Herr des Friedens behüte uns alle!« Er wendete sich und schritt durch die Pforte, welche ihm der Edelknabe geöffnet hatte. Aller Augen folgten ihm, der die Stufen einer fackelhellen Treppe langsam emporstieg.

DIE RICHTERIN

Erstes Kapitel

»Precor sanctos apostolos Petrum et Paulum![94]« psalmodierten die Mönche auf Ara Cöli, während Karl der Große[95] unter dem lichten Himmel eines römischen Märztages die ziemlich schadhaften Stufen der auf das Kapitol führenden Treppe emporstieg. Er schritt feierlich unter der Kaiserkrone, welche ihm unlängst zu seinem herzlichen Erstaunen Papst Leo in rascher Begeisterung auf das Haupt gesetzt. Der Empfang des höchsten Amtes der Welt hatte im Ernste seines Antlitzes eine tiefe Spur gelassen. Heute, am Vorabend seiner Abreise, gedachte er einer solennen Seelenmesse für das Heil seines Vaters, des Königs Pippin, beizuwohnen.

Zu seiner Linken ging der Abt Alcuin[96], während ein Gefolge von Höflingen, die aus allen Ländern der Christenheit zusammengewählte Palastschule, sich in gemessener Entfernung hielt, halb aus Ehrerbietung, halb mit dem Hintergedanken, in einem günstigen Augenblicke sich sachte zu verziehen und der Messe zu entkommen. Die vom Wirbel zur Zehe in Eisen gehüllten Höflinge schlenderten mit gleichgültiger Miene und hochfahrender Gebärde in den erlauchten Stapfen, die Begrüßung der umstehenden Menge mit einem kurzen Kopfnicken erwidernd und sich über nichts verwundern wollend, was ihnen die Ewige Stadt Großes und Ehrwürdiges vor das Auge stellte.

Jetzt hielten sie vor der ersten Stufe, während oben auf dem Platze Karl mit Alcuin bei dem ehernen Reiterbilde stillestand. »Ich kann es nicht lassen«, sagte er zu dem gelehrten Haupte, »den Reiter zu betrachten. Wie mild er über der Erde waltet! Seine Rechte segnet! Diese Züge müssen ähnlich sein.«

Da flüsterte der Abt, den der Hafer seiner Gelehrsamkeit stach: »Es ist nicht Constantin[97]. Das hab' ich längst heraus. Doch ist es gut, daß er dafür gelte, sonst wären Reiter und Gaul in der Flamme geschmolzen.« Der kleine Abt hob sich auf die Zehen und wisperte

---

[94] »Ich bitte die heiligen Apostel Petrus und Paulus.« Aus dem Confiteor, einem Teil des Stufengebets, das am Beginn der Messe gesprochen wird.   [95] Karl der Große (742–814) wurde im Jahre 800 von Papst Leo zum Kaiser gekrönt.   [96] Alkuin (735–804), Haupt der Gelehrtenschule am Hofe Karls und dessen Ratgeber.   [97] Konstantin der Große, römischer Kaiser (306–337). Ließ das Christentum als gleichberechtigte Staatsreligion gelten.

dem großen Kaiser ins Ohr: »Es ist der Philosoph und Heide Marc Aurel[98].« »Wirklich?« lächelte Karl.

Sie gingen der Pforte von Ara Cöli zu, durch welche sie verschwanden, der Kaiser schon in Andacht vertieft, so daß er einen netten jungen Menschen in rätischer Tracht nicht beachtete, der unferne stand und durch die ehrfürchtigsten Grüße seine Aufmerksamkeit zu erregen suchte.

»Halt, Herren«, rief einer der inzwischen bei dem Reiterbilde angelangten Höflinge und fing rechts und links die Hände der neben ihm Wandelnden, »jetzt da alles treibt und schwillt« – Erd- und Lenzgeruch kam aus nahen Gärten – »will ich meinen Becher und was mir sonst lieb ist mit Veilchen bekränzen, aber keinen Weihrauch trinken, am wenigsten den einer Totenmesse. Ich habe hier herum eine Schenke entdeckt mit dem steinernen Zeichen einer säugenden Wölfin. Das hat mir Durst gemacht. Sehen wir uns noch ein bißchen den Reiter an und verduften dann in die Tabernen.«

»Wer ist's?« fragte einer.

»Ein griechischer Kaiser« –

»Den setzen wir ab« –

»Wie er die Beine spreizt!« –

»Reitet der Kerl in die Schwemme?« –

»Holla, Stallknecht!« –

»Nettes Tier!« –

»Wülste wie ein Mastschwein!«

So ging es Schlag auf Schlag und ein frecher Witz überblitzte den andern. Das antike Roß wurde gründlich und unbarmherzig kritisiert.

Der artige Räter[99] hatte sich nach und nach dem Kreise der Spötter genähert. Seine Absicht schien, zwischen zwei Gelächtern in ihre Gruppe zu gelangen und auf eine unverfängliche Weise mit der Schule anzuknüpfen. Aber die Höflinge achteten seiner nicht. Da faßte er sich ein Herz und sprach in vernehmlichen Worten zu sich selbst: »Erstaunliche Sache, diese Palastschule, und ein Günstling des Glücks, wer ihr angehören darf!«

Über eine gepanzerte Schulter wendete sich ein junger Rotbart und sprach gelassen: »Wir schwänzen sie meistenteils.« Dann kehrte sich der ganze Höfling, ein baumlanger Mensch, und fragte den Räter mit einem spöttischen Gesichte: »Welcher Eltern rühmst du dich, Knabe?«

---

[98] Marcus Aurelius, römischer Kaiser (161–180 n. Chr.), bekannt durch seine ›Selbstbetrachtungen‹, ein Werk der stoischen Philosophie.   [99] Bewohner Rätiens.

Dieser gab vergnügten Bescheid. »Ich bin der Neffe des Bischofs Felix in Cur und mit seinen Briefen an den Heiligen Stuhl geschickt.«

»Räter«, sprach der Lange ernsthaft, »du bist an den Quell der Wahrheit gesendet. Hier stehst du auf den Schwellen der Apostel und über den Grüften unzähliger Bekenner. Lege wahrhaftes Zeugnis ab und bekenne tapfer: Ich bin der Sohn des Bischofs.«

Eben intonierten die Mönche von Ara Cöli mit jungen und markigen Stimmen die dunkle Klage und flehende Entschuldigung: »Concepit in iniquitatibus me mater mea![100]«

»Hörst du«, der Höfling deutete nach der Kirche, »die dort wissen es!« Der ganze Haufe schlug eine schallende Lache auf.

Der kluge Bischofsneffe hütete sich in Zorn zu geraten. Mit einem flüchtigen Erröten und einer leichten Wendung des Kopfes sagte er: »Bischof Felix, der im Schatten seiner Berge die aus eurer Schule aufsteigende Sonne der Bildung mit frommem Jubel begrüßt, hat mir den Auftrag gegeben, für seine jung gebliebene Lernbegierde einige Hauptschriften der erwachenden Wissenschaft und insbesondere das unvergleichliche Büchlein der Disputationen[101] des Abtes Alcuin zu erwerben. Nun wird erzählt, dieser große und gute Lehrer habe jeden von euch mit einem kostbaren Exemplare ausgerüstet, und ich meine nur, einer dieser Herren hätte vielleicht Lust einen Handel zu schließen.«

»Du sprichst wahr und weise, Bischofssohn«, parodierte ihn der Höfling, »und wäre mein Alcuin nicht längst unter die Hebräer gegangen, mochte es geschehen, daß wir zweie zu dieser Stunde darum ein kurzweiliges Würfelspielchen machten.«

»In unchristliche Hände! diese göttliche Weisheit!« wehklagte der Räter.

»Weisheit!« spottete der Rotbart, »ich versichere dir: lauter dummes Zeug. Übrigens weiß ich es auswendig. Höre nur, Bergbewohner!« Er krümmte den langen Rücken wie ein verbogener Schulmeister, zog die Brauen in die Höhe und wendete sich an den jüngsten der Bande, einen Krauskopf, der, fast noch ein Knabe, aus südlichen Augen lachend mit Lust und Liebe auf das gottlose Spiel einging.

»Jüngling«, predigte der falsche Alcuin, »du hast einen guten Charakter und einen gelehrigen Geist. Ich werde dir eine ungeheuer schwere Frage vorlegen. Siehe, ob du sie beantwortest. Was ist der Mensch?«

---

[100] Psalm 50, 7: »In Schuld hat mich meine Mutter empfangen.« [101] Gelehrte Streitgespräche.

»Ein Licht zwischen sechs Wänden«, antwortete der Knabe andächtig.

»Welche Wände?«

»Das Links, das Rechts, das Vorn, das Nichtvorn, das Oben, das Unten.« Jeden dieser Räume bezeichnete er mit einer Gebärde: beim fünften starrte er in den leuchtenden Himmel hinauf, als bestaune er einen Engelreigen, und bohrte schließlich einen stieren Blick in den Boden, als entdecke er die verschüttete Tarpeja[102]. Jubelndes Klatschen belohnte die Faxe.

Die wachsende Lustigkeit der Palastschule begann den Bischofsneffen zu ängstigen. Da trat im guten Augenblicke einer aus dem Kreise, ein kühner Krieger, dem an der rechten Seite des stämmigen Wuchses ein seltsam gewundenes Hifthorn hing. »Sei getrost«, sagte er und ergriff die Hand des Räters, »du sollst ein Pergament haben. Das meinige. Es schleppt sich unter dem Gepäcke.« Er führte den Erlösten weg, die Treppe des Kapitols hinunter, sich nicht weiter um seine Gefährten bekümmernd.

Jetzt gingen sie freundlich nebeneinander, wenn auch nicht mehr Hand in Hand. Die des Palastschülers war auf das Hifthorn geglitten, das der Bischofsneffe mit aufmerksamen Blicken betrachtete. »Das hier kommt aus dem Gebirge«, sagte er.

»So«, machte der Behelmte. »Aus welchem Gebirge?«

»Aus unserm, Landsmann. Ich kenne dich an deiner Sprache, wie du mich ebendaran erkannt haben wirst, da du mich, wofür ich dir danke, den Neckereien der Palastschule entzogest. Daß du es wissest, ich bin Graciosus« – der kluge Räter hatte diesen seinen hübschen Namen den Spöttern am Reiterbilde weislich verschwiegen – »oder auf deutsch Gnadenreich, und du bist Wulfrin, Sohn Wulfs, wenn dieses Hifthorn dein Erbteil ist, wie ich vermute.«

Wulfrin runzelte die Stirn. Es mochte ihm nicht willkommen sein, von der Heimat zu hören. Dann musterte er Gnadenreich und fand einen anmutenden wohlgebildeten Jüngling, eine Gott und Menschen gefällige Erscheinung, nicht anders als der Name lautete. Er klopfte ihn auf die runde Schulter, deren Schmiegsamkeit zu dieser beschützenden Liebkosung einlud, und sagte: »Es macht warm.« In der Tat strahlte nicht nur die römische Märzsonne, sie brannte sogar.

»Ja, es macht warm«, wiederholte er, hob den Helm und wischte mit der Hand einen Schweißtropfen. »Leeren wir einen Becher?« und ohne die Antwort zu erwarten, bog er nach wenigen Schritten in den offenen Hofraum eines klösterlichen Gebäudes und warf sich

[102] Fels am Kapitol, über den man Verbrecher hinabstürzte.

dort auf eine Steinbank, wo Graciosus in Züchten sich neben ihn setzte. »Ich darf mich nicht weiter verziehen«, sagte der Höfling, »als das Horn reicht, wann Herr Karl die Schule zusammenruft. Auch liebe ich dieses junge Geschöpf«, scherzte er und zeigte auf eine Palme, welche in geringer Entfernung auf dem Vorsprunge eines Hügels, von leichten Windstößen bewegt, sich im blauen Himmel fächerte und etwa sechzehn Jahresringe zählen mochte. »Hier heißt es ad palmam novellam[103], und Pförtner Petrus schenkt einen herben. He, Petrus!« Dieser, ein Alter mit struppigem Bart, feurigen Augen und zwei riesigen Schlüsseln am Gurte, brachte Kanne und Becher.

»Palma novella ist auch ein Frauenname«, bemerkte Graciosus und netzte den Mund.

»Mag sein«, versetzte Wulfrin. »In Hispanien, wenn mir recht ist, läuft derlei Getauftes oder Ungetauftes herum. Ich habe mich nicht damit befaßt. Ich mache mir nichts aus den Weibern.«

»Deine rätische Schwester heißt auch nicht anders«, sagte Gnadenreich unschuldig.

»Meine – rätische – Schwester?«

»Nun ja, Wulfrin, das Kind der Judicatrix[104], meiner Nachbarin auf Malmort am Hinterrhein. Du hast sie nie von Angesicht gesehen, die Frau Stemma, das zweite Weib deines Vaters?«

»Das dritte«, murrte Wulfrin. »Ich bin von der zweiten.«

»Das weißt du besser. Auch das jähe Ende deines Vaters weißt du, bei seinem Aufritt in Malmort. Palma ist nachgeboren.«

»Es sei«, versetzte Wulfrin verdrossen. »Warum auch sollte es nicht sein? Rührt mich aber nicht. Was mich kümmern konnte, hat mir der Knecht des Vaters, der Steinmetz Arbogast, umständlich berichtet. Ich habe es mit ihm beredet und erörtert mehr als einmal und noch zuletzt am Wachfeuer vor Pertusa, wenige Augenblicke bevor den treuen Kerl der maurische Pfeil meuchelte. Das ist nun fertig und abgetan. Wisse: als Siebenjähriger bin ich daheim ausgerissen – der Vater hatte mir das sieche Mütterlein ins Kloster gestoßen – und über Stock und Stein zu König Karl gerannt. Dorthin hat mir der Arbogast mein Erbe gebracht, das Wulfenhorn, dieses hier. Der Wulfenbecher, der dazu gehört, obschon er heidnisch ist – das Horn ist biblischen Ursprungs – blieb auf Malmort und mag dort bleiben, bis ich freie, und das hat Weile. Sie werden ihn aufgehoben haben. Du hast ihn wohl gesehen, wenn du dort ein- und ausgehst.«

Graciosus nickte.

[103] Zur neuen, jungen Palme. [104] Richterin.

»Verstehe: beide, Horn und Kelch, sind zwei Altertümer, mit Tugenden und Kräften begabt. Den Becher gab einem Wölfling ein Elb[105] oder eine Elbin von denen im Hinterrhein. Solang eines Wolfes Weib ihn ihrem Wolfe kredenzt und den darein gegrabenen Spruch ohne Anstoß hersagt, einmal vorwärts und einmal rückwärts, gefällt und mundet sie dem Wolfe. Über das Hifthorn sind die Meinungen geteilt. Nach den einen ist es gleichfalls ein elbisches Geschenk, und vor dem Burgtor bei der Rückkehr geblasen, zwingt es die Wölfin zu bekennen, was immer sie in Abwesenheit des Gatten gesündigt hat. Andere dagegen behaupten, daß ein Wolf im Gelobten Lande das Horn mit seinem Schwert aus dem erstarrten Pech und Schwefel des Toten Meeres grub. So ist es ein im Getümmel zur Erde gestürztes Harschhorn, von denen, welche die himmlischen Haufen bliesen zum Gericht über Sodom und Gomorra[106].« Wulfrin blickte dem Räter ins Gesicht, der ihm – Schlauheit oder Einfalt – zwei gläubige Augen entgegenhielt.

Eben wurde vom Winde ein Bruchstück der Seelenmesse aus Ara Cöli hergetragen. Zornig und drohend sangen sie dort: »Dies irae, dies illa, dies magna et amara valde!« [107]«

»Schöne Bässe«, lobte Wulfrin. »Um wieder auf den Becher zu kommen, so glaube ich nicht an seine Kraft. Sicherlich hat die Mutter nicht unterlassen, seinen Spruch herzubeten, vorwärts und rückwärts. Es hat nichts gefruchtet. Sie welkte und der Vater verstieß sie.« Er tat einen Seufzer.

»Und das Horn?« fragte Schelm Graciosus.

Der Höfling wog es in den Händen und lächelte. Graciosus lächelte gleichfalls.

»Übrigens ist es das beste Hifthorn im Heere. Das ruft! Höre nur!« und er setzte es an den Mund.

»Um aller Heiligen willen, Wulfrin, laß ab!« schrie Graciosus ängstlich. »Willst du die Stadt Rom in Aufruhr bringen? «

»Du hast recht, ich dachte nicht daran.« Wulfrin ließ das Horn in die tragende Kette zurückfallen.

»Dieses Hifthorn«, sagte jetzt Graciosus bedächtig, »wurde mir beschrieben. Auch hat es der Knecht Arbogast in Stein gemeißelt auf dem Grabmal im Hofe von Malmort, wo er den Comes[108] deinen Vater abbildete und die Wittib daneben.«

»So?« grollte Wulfrin. »Konnte der Vater nicht allein liegen?«

---

[105] Elben, Elfen, personifizierte Naturkräfte in der deutschen Sage und Mythologie. [106] Nach dem alten Testament ist über die sittenverdorbenen Städte Sodom und Gomorra das Strafgericht gekommen. [107] »Tag des Zornes, jener Tag, großer und sehr bitterer Tag!« Sequenz der Totenmesse. [108] Graf.

Graciosus ließ sich nicht einschüchtern. »An den Herrn des Hifthorns habe ich einen Auftrag«, sagte er.

»Du bist voller Aufträge. Von wem hast du diesen?«

»Von der Richterin.«

»Welche Richterin?« Entweder war Wulfrin von harten Begriffen
oder seine Laune verschlechterte sich zusehends.

»Nun, die Judicatrix Stemma, deine Stiefmutter.«

»Was hab' ich mit der Alten zu schaffen! Warum lächelst du,
Männchen?«

»Weil du so mit ihr umgehst, die noch schön und jung ist.«

»Ein altes Weib, sage ich dir.«

»Ich bitte dich, Wulfrin! Dein Vater freite sie als eine Sechzehn-
jährige. Dein Geschwister ist nicht älter. Zähle zusammen! Doch
jung oder alt, sie gab mir den Auftrag, und ich darf ihn nicht unaus-
gerichtet heimbringen.«

Der Höfling verschluckte einen Fluch. »Du verdirbst mir den
Krätzer, er schmeckt wie Galle.« Erbost stieß er den Becher von der
Bank und setzte den Fuß darauf. »So sprich!«

»Frau Stemma«, begann Gnadenreich in bildlicher Rede, »will
sich vor dir die Hände in ihrer Unschuld waschen.«

»Ein Becken her!« spottete Wulfrin, als riefe er in die Gasse hinaus nach einem Bader.

»Wulfrin, stünde sie vor dir, du straftest deine Lippen! Keine in
Rätien hat edlere Sitte. Was sie verlangt, ist gebührlich. Auf der
Schwelle ihres Kastells, vor ihrem Angesichte, jählings ist dein Vater
erblichen. Das ist schrecklich und fragwürdig. Frau Stemma läßt dir
sagen, sie wundere sich, daß sie dich rufen müsse, sie habe dich
längst, täglich, stündlich erwartet, seit du zu deinen mündigen Jahren gekommen bist. Nur ein Sorgloser, ein Fahrlässiger, ein Pflicht-
vergessener – nicht meine Worte, die ihrigen – verschiebe und ver-
säume es, sie zur Rechenschaft zu ziehen.«

Wulfrin blickte finster. »Das Weib tritt mir zu nahe«, sagte er.
»Ich wußte, was man einem Vater schuldig ist. Er hat an meiner
Mutter gefrevelt und sein Gedächtnis – die Kriegstaten ausgenommen – ist mir unlieb: dennoch habe ich mir seine Todesgebärde ver-
gegenwärtigt, den Augenzeugen Arbogast, der das Lügen nicht
kannte, habe ich scharf ins Verhör genommen. Jetzt will ich noch
ein übriges tun und dir die gemeine Sache herbeten, vom Credo bis
zum Amen. Du bist aus dem Lande und kennst die Geschichte. Mangelt etwas daran oder ist etwas zuviel, so widersprich!«

Der Vater kam aus Italien und nächtigte bei dem Judex[109] auf

[109] Richter.

Malmort. Bei Wein und Würfeln wurden sie Freunde, und der Vater, der, meiner Treu, kein Jüngling mehr war – ich habe aus der Wiege seinen weißen Bart gezupft –, warb um das Kind des Richters und erhielt es. Beim Bischof in Cur wurde Beilager gehalten. Am dritten Tage setzte es Händel. Der Räzünser, dessen Werbung der Judex abgewiesen haben mochte, wurde zu spät oder ungebührlich geladen oder an einen unrechten Platz gesetzt oder nachlässig bedient oder schlecht beherbergt oder es wurde sonst etwas versehen. Kurz, es gab Streit, und der Räzünser streckt den Judex. Der Vater hat den Schwieger zu rächen, berennt Räzüns eine Woche lang und bricht es. Inzwischen bestattet das Weib den Judex und reitet nach Hause. Dort sucht sie der Vater, mit Beute beladen. Er stößt ins Horn, der Sitte gemäß. Sie tritt ins Tor, sagt den Spruch und kredenzt den Wulfenbecher, den ihr der Vater in Cur nach wölfischer Sitte als Morgengabe gereicht hatte. Kredenzt ihn mit drei Schlücken. Der Arbogast, der durstig daneben stand, hat sie gezählt: drei herzhafte Schlücke. Der Vater nimmt den Becher, leert ihn auf einen Zug und haucht die Seele aus. War es so oder war es anders, Bischofsneffe?«

»Wörtlich und zum Beschwören so«, bestätigte Graciosus. »Von hundert Zeugen, die den Burghof füllten, zu beschwören! Soviel ihrer noch am Leben sind. Und solches ist geschehen nicht im Zwielichte, nicht bei flackernden Spänen, sondern im Angesicht der Sonne zu klarer Mittagszeit. Der Comes dein Vater war rasend geritten, hatte im Bügel manchen Trunk getan« –

»Und mit fliegender Lunge ins Horn gestoßen, vergiß nicht!« höhnte Wulfrin.

»Er triefte und keuchte« –

»Er lechzte wie eine Bracke!« überbot ihn Wulfrin.

»Er sehnte sich nach seinem Weibe«, dämpfte Graciosus.

»Trunken und brünstig! unter gebleichten Haaren! pfui! Ist das zum Abmalen und an die Wand heften? Was will die Judicatrix? Mich schwören lassen, daß wir Wölfe gemeinhin am Schlage sterben? Was freilich auf die Wahrheit herausliefe.«

»Es ist ihr Wille so, und man gehorcht ihr in Rätien.«

»Seht einmal da! ihr Wille!« hohnlachte Wulfrin. »Mein Wille ist es nicht, und meine Heimat ist nicht ein Bergwinkel, sondern die weite Welt, wo der Kaiser seine Pfalz bezieht oder sein Zelt aufschlägt. Sage du deiner Richterin, Wulfrin sei kein Laurer noch Argwöhner! Sie rühre nicht an die Sache! Sie zerre den Vater nicht aus dem Grabe! Ich lasse sie in Ruhe, kann sie mich nicht ruhig lassen?« Er drohte mit der Hand, als stünde die Stiefmutter vor ihm. Dann spottete er: »Hat das Weib den Narren gefressen an

Spruch und Urteil? Hat es eine kranke Lust an Schwur und Zeugnis? Kann es sich nicht ersättigen an Recht und Gericht?«

»Es ist etwas Wahres daran«, sagte Graciosus lächelnd. »Frau Stemma liebt das Richtschwert und befaßt sich gerne mit seltenen und verwickelten Fällen. Sie hat einen großen und stets beschäftigten Scharfsinn. Aus wenigen Punkten errät sie den Umriß einer Tat, und ihre feinen Finger enthüllen das Verborgene. Nicht daß auf ihrem Gebiete kein Verbrechen begangen würde, aber geleugnet wird keines, denn der Schuldige glaubt sie allwissend und fühlt sich von ihr durchschaut. Ihr Blick dringt durch Schutt und Mauern, und das Vergrabene ist nicht sicher vor ihr. Sie hat sich einen Ruhm erworben, daß fernher durch Briefe und Boten ihr Weistum[110] gesucht wird.«

»Das Weib gefällt mir immer weniger«, grollte Wulfrin. »Der Richter walte seines Amtes schlecht und recht, er lausche nicht unter die Erde und schnüffle nicht nach verrauchtem Blute.«

Graciosus begütigte. »Sie redet davon, ihr Haus zu bestellen, obwohl sie noch in Blüte und Kraft steht. Vielleicht sorgt sie, wenn sie nicht mehr da wäre, könntest du deine Schwester in Unglück stürzen« –

»In Unglück?«

»Ich meine, sie berauben und verjagen unter dem Vorwande einer unaufgeklärten und ungeschlichteten Sache. Darum, vermute ich, will sie dich nach Malmort haben und sich mit dir vertragen.«

Wulfrin lachte. »Wirklich?« sagte er. »Sie hat einen schönen Begriff von mir. Meine Schwester plündern? Das arme Ding! Im Grunde kann es nicht dafür, daß es auf die Welt gekommen ist. Doch auch von ihr will ich nichts wissen.« Während er redete, zählte sein Blick die Jahresringe der jungen Palme. »Fünfzehn Ringe?« sagte er.

»Fünfzehn Jahre«, berichtigte Graciosus.

»Und wie schaut sie?«

»Stark und warm«, antwortete Gnadenreich mit einem unterdrückten Seufzer. »Sie ist gut, aber wild.«

»So ist es recht. Und dennoch will ich nichts von ihr wissen.«

»Sie aber weiß von nichts anderm als von dem fremden, reisigen, fabelhaften Bruder, der sich mit den Sachsen balgt und mit den Sarazenen rauft. ›Wann der Bruder kommt‹ – ›Das gehört dem Bruder‹ – ›Das muß man den Bruder fragen‹ – davon werden ihr die Lippen nicht trocken. Jedes Hifthorn jagt sie auf, sie springt

110 Rat.

nach deinem Becher und damit an den Brunnen. Sie wäscht ihn, sie reibt ihn, sie spült ihn.«

»Warum, Narr?«

»Weil sie dir ihn kredenzen will und dein Vater sich daraus den Tod getrunken hat.«

»Dummes Ding! Du also wirbst um sie?«

Der ertappte Graciosus errötete wie ein Mädchen. »Die Mutter begünstigt mich, aber an ihr selbst werde ich irre«, gestand er. »Kämest du heim, ich bäte dich, ein Wort mit ihr zu reden.«

Wieder musterte Wulfrin den netten Jüngling und wieder klopfte er ihn auf die Schulter. »Sie hält dich zum besten?« sagte er.

»Sie redet Rätsel. Da ich neulich auf mein Herz anspielte« –

»Schlug sie die Augen nieder?«

»Nein, die schweiften. Dann zeigte sie mit dem Finger einen Punkt im Himmel. Ich blinzte. Ein Geier, der ein Lamm davontrug. Unverständlich.«

»Klar wie der Morgen. ›Raube mich.‹ Das Mädchen gefällt mir.«

»Du willst sie sehen?«

»Niemals.«

Jetzt trat ein Palastschüler mit suchenden Blicken in den Hofraum und dann rasch auf Wulfrin zu. »Du«, sagte er, »die Messe ist aus, der König verläßt die Kirche.« Der »Kaiser« wollte ihm noch nicht über die Zunge.

Wulfrin sprang auf. »Nimm mich mit!« bat Graciosus, »damit ich dem Herrn der Erde nahe trete und ihn reden höre.«

»Komm«, willfahrte Wulfrin gutmütig, und bald standen sie neben dem Kaiser, vor welchem ein ehrwürdiger, aber etwas verwilderter Graubart das Knie bog. Gnadenreich erkannte Rudio, den Kastellan auf Malmort, und wunderte sich, welche Botschaft der Räter bringe, denn Karl hielt ein Schreiben in der Hand. Er reichte es dem Abte, und Alcuin las vor:

»Erhabener, da ich höre, Du werdest von Rom nach dem Rheine ziehen, flehe ich Dich an, daß Du Deinen Weg durch Rätia nehmest. Seit Jahren haben sich in unsern verwickelten Tälern versprengte Lombarden eingenistet unter einem Witigis, der sich Herzog nennt. Wir, die Herrschenden im Lande, unter uns selbst uneins und ohne Haupt, werden nicht mit ihnen fertig, ja einige von uns zahlen ihnen Tribut. Ein unerträglicher Zustand. Du bist der Kaiser. Wenn du kommst und Ordnung schaffst, so tust Du, was Deines Amtes ist. Stemma, Judicatrix.«

»Keine Schwätzerin«, sagte der Kaiser. »Meine Sendboten haben

mir von der Frau erzählt.« Alcuin betrachtete die Handschrift.
»Feste Züge«, lobte er.

»Alcuin, du Abgrund des Wissens«, lächelte Karl, »was ist Rätien? Welche Pässe führen dahin?«

Der kleine Abt fühlte sich durch Lob und Frage geschmeichelt, wendete sich aber nicht an den Gebieter, sondern, als der Höfling und der Schulmeister, welcher er war, an die Palastschule, die schon zu einem guten Drittel, den Blondbart inbegriffen, um den Kaiser versammelt stand.

»Jünglinge«, lehrte er und zog die Brauen in die Höhe, »wer seinen Weg durch das rätische Gebirge nimmt, hat, ohne den harten aber in Stücke zerrissenen Damm einer Römerstraße zu zählen, die Wahl zwischen mehreren Steigen, die sich alle jenseits des Schnees am jungen Rheine zusammenfinden. Diese Wege und Stapfen führen im Geisterlicht der Firne durch ein beirrendes Netz verstrickter Täler, das die Fabel mit ihren zweifelhaften Gestalten und luftigen Schrecken bevölkert. Hier ringelt sich die Schlangenkönigin, wie verlockt von einer Schale Milch, einem blanken Wasser zu, gegenüber, aus einem finsteren Borne, taucht die Fei und wehklagt.«

»Lehrer, was hat sie für Gründe dazu?« fragte der Rotbart wißbegierig.

»Sie ahnt das ewige Gut und kann nicht selig werden. Dahinter, zwischen Schnee und Eis, in einem grünen Winkel, weidet eine glokkenlose Herde, und ein kolossaler Hirte, halb Firn halb Wolke, neigt sich über sie. Tiefer unten, bei den ersten Stapfen, verliert die harmlose Fabel ihre Kraft, und menschliche Schuld findet ihre Höhlen und Schlupfwinkel. Hier raucht und schwelt eine gebrochene Burg, dort starrt, von Raben umflattert, ein Mörder in den zerschmetternden Abgrund.«

»Wen hat er hinuntergeworfen?« fragte der Rotbart spöttisch.

»Eheu!« jammerte der Abt, »bist du es, Liebling meiner Seele, Peregrin, mein bester Schüler, dessen Knochen in der rätischen Schlucht bleichen?« Er trocknete sich eine Träne. Dann schloß er: »Gegen beides, Fabel und Sünde, hält Bischof Felix in Cur beschwörend seinen Krummstab empor.«

»In schwachen Händen«, scherzte der Kaiser.

»Er ist sehr schön gearbeitet«, rief Graciosus mit der schallenden Stimme eines Chorknaben, »und in seiner Krümmung neigt sich der Verkündigungsengel mit der Inschrift: Friede auf Erden und an den Menschen ein Wohlgefallen.«

Karl gönnte dem Bischofsneffen einen heitern Blick und wendete sich gegen die Schule: »Stammt einer von euch aus Rätien?«

Wulfrin trat vor. »Ich, Herr. Jung bin ich ausgewandert, doch kenne ich Sprache und Steige.«

»So reite und berichte.«

»Dir zu Dienste, Herr«, verabschiedete sich Wulfrin, wurde aber von dem hartnäckigen Gnadenreich gehalten, der sich seiner bemächtigte und ihn vor den Kaiser zurückbrachte. »Durchlauchtigster«, verklagte er ihn, »er soll auf Malmort bei der Richterin, seiner Stiefmutter, erscheinen, keiner andern als die dir den Brief geschrieben hat, und er will nicht. Sie besteht darauf, sich vor ihm zu rechtfertigen über das jähe Sterben ihres Gemahles des Comes Wulf.«

»Jener?« besann sich der Kaiser. »Er hat mir und schon meinem Vater gedient und verunglückte im rätischen Gebirge.«

»Vor dem Kastell und zu den Füßen seines Weibes Stemma, die ihm den Willkomm kredenzt hatte«, erinnerte Gnadenreich.

Karl verfiel in ein Nachdenken. »Eben habe ich für die Seele meines Vaters gebetet«, sagte er. »Kindliche Bande reichen in das Grab. Mich dünkt, Wulfrin, du darfst bei der Richterin nicht ausbleiben. Du bist es deinem Vater schuldig.«

Wulfrin schwieg trotzig. Jetzt griff der Kaiser rechts nach dem Hifthorn, um die ganze Schule zusammenzurufen und ihr seine Befehle zu geben. Es mangelte. Er hatte es im Palaste vergessen oder absichtlich zurückgelassen, um der Messe als ein Friedfertiger beizuwohnen. »Deines, Trotzkopf!« gebot er, und Wulfrin hob sich sein Hifthorn über das Haupt. Karl betrachtete es eine Weile. »Es ist von einem Elk«, sagte er, hob es an den Mund und stieß darein. Da gab das Horn einen so gewaltigen und grauenhaften Ton, daß nicht nur die Höflinge aus allen Ecken und Enden des Kapitols hervorstürzten, sondern auch, was sich ringsum von römischem Volke gehäuft hatte, erstaunt und erschreckt die Köpfe reckte, als nahe ein plötzliches Gericht. Karl aber stand wie ein Cherub.

Im Gedränge des Aufbruchs machte sich der Bischofsneffe noch einmal an den Höfling. »Auf Wiedersehen in Malmort: du gehorchst?«

»Nein«, antwortete Wulfrin.

Zweites Kapitel

Innerhalb der dicken Mauern eines wie aus dem Felsen gewachse-
nen rätischen Kastells sprudelte ein Quell in klösterlicher Stille.
Durch die Zacken bemooster Ahorne rauschte der Abendwind mächtig über den Hof weg, und schon rückte das Spätrot hinauf an dem
klotzigen Gemäuer. Am Brunnen aber stand ein junges Mädchen
und ließ den heftigen Strahl in einen Becher springen, aus dessen
von Alter geschwärztem Silber er schäumend empor und ihr über
die bloßen Arme spritzte.

»Berg und Wetter sind gut«, murmelte sie. »Mir brannten die
Sohlen von früh an, ihm entgegenzurennen. Kommt er heute noch?
oder erst morgen? oder übermorgen zum allerspätesten! Graciosus
verschwor sich, der Bruder ziehe mit dem Kaiser – nein, er reite
ihm weit voraus! Und der Kaiser ist nahe, was flüchteten sonst die
Lombarden Hals über Kopf? Bum!« machte sie und ahmte den
dumpfen Schlag einer Laue nach, dem bald ein zweiter und noch
der dritte folgte, denn im Gebirge, das in Gestalt einer breiten
blanken Firn über die Firste blickte, hatte es heute in einem fort
gerieselt und geschmolzen.

»Die ihr auf weißen Stürzen in den Abgrund schlittt, seid ihm
hold, bärtige Zwerge! Verberget ihm nicht den Pfad, verschüttet
ihm nicht die Hufen des Rosses! Sprudle, Flut! Spül aus den Hauch
des Todes! Lust und Leben trinke der Bruder!« und sie streckte
den schlanken Arm. Dann hob sie den gebadeten Becher in die
Höhe der Augen und buchstabierte den Elbenspruch, welchen sie
sich deutlicher in das Herz schrieb, als er mit erblindeten Lettern
in das Silber gegraben stand. Der Spruch lautete folgendermaßen:

> »Gesegnet seiest du!
> Leg ab das Schwert und ruh!
> Genieße Heim und Rast
> Als Herr und nicht als Gast!
> Den Wulfenbecher hier
> Dreimal kredenz’ ich dir!
> Erfreue dich am Wein!
> Willkomm . . .«

Hier schloß entweder der zaubertüchtige Spruch, oder dann kam
noch etwas gänzlich Unlesbares, wenn es nicht zufällige Male der
Verwitterung waren.

Eigentlich wußte sie ihn schon lange auswendig. Sie sagte ihn
vorwärts, das ging, rückwärts, das ging auch. Dann sah sie ihn darauf an – zum wievielten Male! – ob er ihr mundgerecht sei und

von der Schwester dem Bruder sich sagen lasse, denn Graciosus hatte es erraten: sie liebkoste den Wunsch, mit dem Wulfenbecher dazustehen und ihn Wulfrin zu kredenzen. Ob es die Mutter erlaube? Diese machte sich mit dem Becher nichts zu schaffen, sie ließ ihn, wo er langeher seinen Platz hatte. Der Spruch gefiel dem Mädchen und es malte sich die Ankunft.

»Das Horn klingt! Oder wäre es möglich, daß er mich still beschliche? mit heimlichen Schritten? Aber nein, er will ja nichts von mir wissen – wenn Graciosus nicht seinen Scherz mit mir getrieben hat. Das Horn dröhnt! Ich ergreife den Becher, fliege der Mutter voran – oder noch lieber, sie ist verritten und ich bin Herrin im Hause – jetzt naht er! jetzt kommt er!« Ihr Herz pochte. Sie begann zu zittern und zu zagen. »Er ist da! er ist hinter mir!« Sie wendete sich zögernd erst, dann plötzlich gegen das Burgtor. In der niedern Wölbung desselben stand kein junger Held, aber lauernd drückte sich dort ein armseliger Pickelhering[111].

Das Mädchen brach in ein enttäuschtes Gelächter aus und trat beherzt der Fratze entgegen. Es war ein Lombarde, das erriet sie aus den ziegelroten Nesteln seiner schmutzig-gelben Strümpfe. In die schreiendsten Farben gekleidet, wie sie Armut und Zufall zusammenwürfeln, trug der Kleine einen langausgedrehten pechschwarzen Spitzbart, der mit den gezackten Brauen und dem verzerrten Gesichte eine possierliche Maske schuf.

»Wer bist du und was willst du?« fragte das Mädchen.

»Nur nicht gerufen, kleine Herrin oder vielmehr große Herrin, denn, bei meiner katholischen Seele! du hast die Mutter dreimal handbreit überwachsen. Wo ist sie?« Er schaute sich ängstlich um. Sein Blick fiel auf etwas Graues. In der Mitte des Hofes und im Schatten der Ahorne stand ein breiter Steinsarg, auf dessen Platte ein gewappneter Mann neben einem Weibe lag, das die Hände über der Brust faltete. »Ei, da hält ja unsere liebe Frau neben ihrem Alten stille Andacht«, spaßte der Lombarde, »und trübt kein Wässerchen, während sie zugleich in ihrer grünen Kraft bergauf, bergab reitet und hängen und köpfen läßt.« Er blickte bedenklich zu dem prächtig gebildeten leuchterförmigen Ast eines Ahorns empor. »Hier würde ich ungerne prangen«, sagte er. »In Kürze: ich bin Rachis der Goldschmied und habe ein Geschäftchen mit dir. Liebst du deinen Bruder, junge Herrin?«

Diese plötzliche Frage setzte das Mädchen kaum in Erstaunen, das sich heute und gestern mit nichts anderem als nur mit diesem selben Gegenstande beschäftigt hatte. »Wie mein Leben«, sagte sie.

---

[111] Narr, Spaßmacher.

»Das ist schön von dir, aber wenig fehlt, so liebst du einen Toten. Wulfrin der Höfling ist in unsere Gewalt geraten.«

»Er lebt?« schrie das Mädchen angstvoll.

»Zur Not. Herzog Witigis zielt auf sein Herz – aber wird uns die Richterin nicht überraschen?«

»Nein, nein, sie ist nach Cur verritten. Rede! schnell!«

»Nun, ich habe ein feines Ohr und weiß auch ein Loch in der Mauer, denn ich bin hier nicht unbekannter als der Marder im Hühnerhof. Also: dein Bruder ist in einen Hinterhalt gefallen. Er schlug um sich wie ein Rasender, und unser Sechse wichen vor ihm, die einen verwundet, die andern, um es nicht zu werden. Doch sein Pferd rollte in den Abgrund, und er selbst verirrte sich auf eine leere Felsplatte, wo wir ein Treiben auf ihn anstellten und ihm hinterrücks ein langes Jagdnetz über den Kopf warfen. Denn der Herzog wollte ihn lebendig fangen, um ihn über die Wege des Franken, unsers Verderbers, auszufragen. Der Trotzkopf aber verschwieg alles, auch den eigenen Namen. Da legte der Herzog den Pfeil auf den Bogen und« – Rachis tat einen grausamen Pfiff.

»Du lügst! er lebt!« rief das Mädchen mutig.

»Vorläufig. Der Herzog drückte nicht ab, denn – jetzt wird die Geschichte lustig – das junge Weib eines der Unsrigen, eine freigegebene Eigene der Richterin, wenig älter als du« –

»Mein Gespiel Brunetta, das Kind Faustinens« –

»Gerade diese sprang dazwischen. ›Bei der durchlöcherten Seite Gottes‹, heulte sie, ›der arme Herr trägt das Wulfenhorn und ist kein anderer als der Sohn des Comes, der im Steinbild auf Malmort liegt. Seine leibliche Schwester, Herrin Palma, hat mir von ihm erzählt, von klein an und in einem fort ohne Aufhören. Du darfst nicht sterben‹, wendete sie sich an den Gebundenen, ›das wäre ihr ein großes Leid und tötete ihr das Herzchen. Denn wisse, du bist ihr Herzkäfer, wenngleich sie dich noch nie mit Augen gesehen hat. Sende hin, und sie löst dich mit ihrem ganzen Geschmeide. Es sind köstliche Sachen. All ihr Kleinod hat die Richterin dem Kinde, sobald es seinen Wuchs hatte, gespendet und dahingegeben.‹

So erfuhr Herzog Witigis den Namen seines Gefangenen und die blonde Rosmunde, die er um sich hat, das Dasein eines herrlichen Schatzes. Sie umhalste den Herzog und erflehte sich das Geschmeide von Malmort. Ihr Stirnband habe seine Perlen und ihr elfenbeinerner Kamm die Hälfte seiner Zähne verloren. Kurz, Goldschmied Rachis wurde an dich geschickt und bietet dir den Tausch. Wähle: Schmuck oder Bruder!«

Ehe noch der Lombarde geendigt hatte, stürzte das Mädchen gegen die Burg, die steile Treppe hinauf, verschwand in der Pforte und kam atemlos wieder, Schimmerndes und Klingendes in dem zur Schürze gefaßten hellen Oberkleide tragend. Dieses hielt sie mit der Linken, während die Rechte Stück um Stück wie aus einem Horte emporhob und den gekrümmten Fingern des Goldschmieds überantwortete. Spangen, Stirnbänder, Gürtel, Perlschnüre verschwanden in dem Sacke, welchen Rachis geöffnet hatte, auch für die blonden Flechten Rosmundens ein kunstvoller Kamm von Elfenbein mit dem Heiland und den Aposteln in erhabener Arbeit. Jedes durch seine Hände wandernde Stück begleitete der Goldschmied mit dem Lobe des Kenners, nicht ohne ein bißchen Bosheit, die dem begeisterten Mädchen seine Verluste fühlbar machen wollte. Sie zuckte nicht einmal mit dem Mund, sie leuchtete vor Freude bei der Hingabe alles ihres Besitzes.

Da kam ihr denn doch ein Zweifel. »Du bist redlich?« sagte sie. »Du schickst mir den Bruder? Es ist besser, ich begleite dich!« und sie machte sich wegfertig.

»Unmöglich, Herrin«, widersprach der Lombarde, »das geht nicht! Du entdecktest unsere Schlupfwinkel und gefährdetest mit dem Leben des Bruders auch das deinige. Die Richterin aber würde dich von uns geraubt glauben. Sei nicht unklug und gib dich nicht in fremde Gewalt!« Er belud sich mit dem Sacke. »Ein Schlummerchen, Fräulein! und wenn du die Augen wieder öffnest, hast du den Bruder, der dich Gold und Gut kostet. Das schwöre ich dir!« Er senkte die drei Finger mit einem grimmigen Blicke gegen den Erdboden. »Bei dem da unten!« gelobte er.

»Ein glaubhafter Schwur!« sprach eine weibliche Stimme. Rachis wendete sich erschrocken und bog das Knie vor einer behelmten Frau mit strengen Zügen, die den Speer, den sie in der Hand getragen, einem bewaffneten Knechte reichte. Die Richterin mochte aus Schonung für ihr ermüdetes Tier den steilen Burgweg zu Fuß erklommen haben. Sie faßte Palma schützend am Arm und blickte geringschätzig auf den Lombarden. »Schwürest du bei Gott und seinen Heiligen«, sagte sie, »so schwürest du falsch; eher schwörst du die Wahrheit bei dem Vater der Lügen. Habet ihr euch nicht bei allem Göttlichen verpflichtet, ihr Lombarden, nie mehr in Rätien zu rauben und zu brennen? Und jetzt da ihr, wie alles Böse, vor den Augen des Kaisers flüchtet, schleudert ihr rechts und links verheerende Flammen! Ich komme von Cur und weiß um eure Taten, Eidbrüchige! Sage du deinem Witigis, die Richterin würde ihm nachjagen und ihn züchtigen, wenn nicht ein Höherer käme, und er ist schon da, dessen Hand ihn erreicht, flöhe er an die Enden der

Erde!« Jetzt fielen ihre Augen auf den Sack des Goldschmieds.
»Was trägst du da weg, Dieb?« fragte sie verächtlich.

»Ein ehrlicher Handel«, beteuerte dieser und öffnete den Sack,
während das Mädchen die Mutter stürmisch umarmte. »Ich kaufe
den Bruder!« rief sie. »Er ist in die Gewalt des Witigis geraten,
der auf ihn zielt, bis ich der Frau Herzogin« – das unschuldige
Kind erhob die blonde Rosmunde in den Ehestand – »meinen
Schmuck gegeben habe, und wie gerne gebe ich ihn!«

Die Richterin machte sich von ihr los und fragte Rachis: »Ist das
wahr?«

»Bei meinem Halse, Herrin!«

»Ich würde dir nicht glauben, wüßte ich nicht, daß der Höfling
Wulfrin dem Kaiser voranreitet, und hätte ich nicht selbst eben
jetzt in Cur gehört, daß die Lombarden einen Höfling gefangen
haben. Dennoch kann es eine Lüge sein, denn es ist kaum glaublich,
daß ein Tischgenosse Karls dem Feinde seinen Namen nennt und
zu einem Mädchen um Lösung sendet.«

»Nein, nein, Mutter, so war es nicht!« rief Palma und erzählte
den Vorgang.

»Ein eitles Weib, dem ein Leben feil ist für einen Schmuck, das
hat mehr Sinn«, meinte die Richterin. Sie schien zu überlegen. Dann
warf sie einen Blick auf das Geschmeide. »Ich will den Höfling mit
Byzantinern[112] lösen«, sagte sie.

»Das steht nicht in meinem Auftrag und würde der Rosmunde
schlecht gefallen.«

»Dann tue ich es nicht.«

»Auch gut«, grinste Rachis. »So lässest du eben den Wulfrin umkommen. Du magst deine Gründe haben. Ganz wie du willst.«

»Das willst du nicht, Mutter!« jammerte Palma und stürzte auf
die Knie.

»Nein, das will ich nicht«, sprach die Richterin mit nachdenk-
lichen Brauen. »Warum auch? Nimm das Zeug!« und Rachis war
weg.

Das jubelnde Mädchen fiel der Mutter um den Hals und bedeckte
den strengen Mund mit dankbaren Küssen. Dann raubte sie ihr den
kriegerischen Helm so ungestüm, daß die Flechten des schwarzen
Haares sich lösten und niederrollend dem entschlossenen Haupte
der Richterin einen jugendlichen und leidenden Ausdruck gaben.
Die nicht enden wollende Freude Palmas ermüdete endlich die
Richterin. »Geh schlafen, Kind«, sagte sie, »es dunkelt.«

»Schlafen? Wer könnte das, bis Wulfrin ruft?«

[112] Geldstücke.

»So wirf dich wie du bist auf das Polster. Was gilt's, ich finde dich schlummern? Zu Bette, Hühnchen! husch! husch!« und sie klatschte in die Hände.

Palma flog die Stiege hinauf, und die Richterin wendete sich zu Rudio, ihrem Kastellan, der schon eine Weile ruhig harrend vor ihr stand. »Was meldest du?« fragte sie.

»Eine Albernheit, Herrin. Ich sah die Tür zu unserm Kerker sperrangelweit offen. Freilich hatte ich sie nicht verriegelt, da gerade niemand sitzt. Ich steige hinab, und auf dem Stroh liegt ein Geschöpf, das ich in der letzten Helle mir nur mühsam enträtsle. Es war die Faustine, welche, wie du dich erinnerst, mit deiner Erlaubnis ihr Kind die Brunetta einem Lombarden, einem leidlichen Manne, den du auf mein Fürwort unter deinem Gesinde duldetest, zum Weibe gegeben hat. Jetzt da das fremde Volk wandert, hat auch ihr Kind sein Bündel geschnürt, und das muß sie irre gemacht haben. Sie hat sich eine Hand in den Kettenring gezwängt und ist übrigens guten Mutes. ›Meister Rudio‹, redete sie zu mir, ›wetze dein Beil am Schleifstein und tue mir morgen nicht weher als recht ist.‹ Ich schelte sie und will ihr den Arm aus der Fessel ziehen. ›Welche Posse!‹ sage ich, ›du bist ja die ehrliche Armut am Rocken und im Rübenfeld, die ihr Kind rechtschaffen großgezogen hat. Hier ist nicht dein Ort. Mit deinesgleichen habe ich nichts zu tun.‹ Sie sperrte sich und sagte: ›Das weißt du nicht, Rudio. Geh und rufe die Richterin. Die wird das Garn schon abwickeln und mir armem Weibe geben, was mir gehört.‹ Sollte ich die Törin zerren? Du steigst wohl hinab und bringst sie zurecht.«

Die Richterin hieß Rudio eine Fackel anbrennen und ihr vorschreiten. In dem tiefen Gelasse saß ein gefesseltes Weib, das der Kastellan beleuchtete. Auf einen Wink der Herrin steckte er den brennenden Span in den Eisenring und ließ die Frauen allein.

Stemma beugte sich über die freiwillig Eingekerkerte und befühlte ihr als geschickte Ärztin den Puls der freien Hand, welchen aber kein Fieber beschleunigte. »Faustine«, sagte sie, »was ficht dich an? was ist über dich gekommen? Dich verwirrt der Schmerz, daß du dich von deinem Kinde trennen mußtest. Willst du ihr folgen? Noch ist es Zeit. Ich gebe dich frei. Du bist nicht länger meine Eigene. Der Kaiser wird den Lombarden feste Sitze weisen, und du behältst deine Brunetta.«

Faustine schüttelte das Haupt. »Das fehlte noch«, sagte sie, »daß ich mich an die Sohlen der Brunetta heftete und auch ihr zum Fluche würde! Richterin Stemma, nimm mir das ab!« Sie wies auf ihren Kopf. »Du weißt ja wohl und langeher, daß ich meinen Mann ermordete.«

Mit ruhigem Blicke prüfte Stemma das grellbeleuchtete knochige Gesicht der gleichaltrigen Räterin. Dann ließ sie sich auf eine Treppenstufe nieder, und Faustine kroch zu ihren Knien, ohne diese zu berühren. Ihre Augen waren gesund. »Herrin«, sagte sie, »du weißt alles, und wenn du mich ein Jahrzehnt und länger gnädig verschont und meine Missetat bedeckt hast, so war es, weil du nicht wolltest, daß die Brunetta, der unschuldige Wurm, zuschanden komme. Ich durfte sie aufziehen, und diese Gunst hast du mir erwiesen, weil ich dein Gespiel gewesen bin. Jetzt aber, da die Brunetta einem Manne folgt, ist kein Grund länger zu trödeln und zu tändeln. Laß uns die Sache ins reine bringen. Gib mir mein Urteil!«

Die Richterin erkannte aus der ganzen Gebärde Faustinens, daß diese bei Sinnen sei, und so sehr sie das schlimme Geständnis überraschte, so wenig gab sie den furchtbaren Ruf ihrer Allwissenheit preis. »Lege Bekenntnis ab«, sagte sie streng. »Das ist der Anfang der Reue.« Und Faustine begann: »Kurz ist die Geschichte. Der Schütze Stenio umwarb mich« –

»Den der Eber, welchen er gefehlt hatte, schleifte und zerriß« –

»Jener. Hernach gab mich der Judex seinem Reisigen Lupulus zur Ehe. Ich bequemte mich und doch« – sie hielt inne, um das reine Ohr Stemmas nicht zu beleidigen. Die Richterin half ihr und sagte ernst und traurig: »Und doch warest du das Weib des Toten.«

Faustine nickte. »Dann, vor dem Altar, plötzlich, zu meinem Entsetzen« –

»Fühltest du, daß du dem Toten gehörtest, du und ein Ungebornes«, half ihr die Richterin.

Wieder nickte Faustine. »Das ist alles, Herrin«, sagte sie. »Lupulus, jähzornig wie er war, hätte mich umgebracht. Das Ungeborne aber verhielt mir den Mund und flüsterte mir Feindseliges gegen den Mann zu.«

»Genug«, schloß Stemma. »Nur eines noch: woher hattest du das Gift?«

»Siehst du, Herrin«, rief das Weib, »daß du weißt, w i e ich ihn tötete! Das Gift hat mir Peregrin gezeigt.«

»Peregrin?« fragte die Richterin mit verhüllter Stimme. »Das ist nicht möglich«, sagte sie.

»Er zeigte es mir und warnte mich davor. Ich irrte verzweifelnd unter den Kiefern von Silvretta. Da sehe ich ihn in seinem langen dunkeln Gewande, der sich bückt und Wurzeln gräbt. Blumen nickten mit braunen Glocken. Er ruft mich herbei und, eine dieser Blumen in der Hand, sagt er zu mir: ›Frau, hüte dich und die Kinder vor diesem Gewächs! Sein Saft tötet außer in den Händen des Arztes.‹ Er meinte es gut mit seinem warnenden Blick unter dem braunen Gelocke hervor und hauchte mir doch einen grimmig bösen Gedanken an. Keine Schuld komme auf seine Seele! Doch ich rede töricht. Er ist ja längst ein Engel Gottes, seit er nach der großen Ebene wandernd im Gebirge unterging, wie sie sagen, und das war nicht lange nach jener Stunde. Du erinnerst dich noch, der Judex dein Vater, dem er die Wunde heilte, hatte ihn abgelohnt, was dir unlieb war, da er dich als ein weiser Kleriker noch vieles hätte lehren können.«

»Schwatze nicht«, gebot die Richterin, »und endige dein Bekenntnis. Am folgenden Tage bist du aus deiner Hütte nach Silvretta gegangen und hast die Wurzeln gegraben?«

»Ja. Du rittest vorüber, und ich duckte mich, damit du mich nicht erkennen möchtest, aber du wendetest dich zweimal im Sattel. Und nun sei barmherzig, Herrin, und gib mir mein Teil.« Sie ließ den Kopf auf die Brust fallen, so daß ihr der üppige schwarze Haarwuchs über das Gesicht sank.

Stemma sann, auf Faustinen niederblickend, und zog ihr mit zerstreuten Fingern einen langen Strohhalm aus dem Haar. »Faustine mein Gespiel«, sagte sie endlich, »ich kann dich nicht richten.«

Die ganze Faustine geriet in Aufruhr. »Warum nicht?« schrie sie empört, »du mußt es, oder ich schreie, daß alle Mauern tönen: Sie hat ihren Mann umgebracht!«

Stemma verhielt ihr den Mund. »Laß das Totengebein!« schalt sie, als drohe sie einem den verscharrten Knochen hervorkratzenden Hunde.

»Sei barmherzig!« flehte Faustine, »laß mir das Haupt abschlagen, nachdem es Gott gekostet und sein Kreuz geküßt hat. Dann wächst es mir im Himmel wieder an und, Stenio rechts, Lupulus links, sitzen wir auf e i n e r Bank und geben uns die Hände. Danach verlangt mich«, und sie streckte den Hals.

»Ich kann dich nicht richten, Törin«, sagte Stemma sanfter. »Aus drei Gründen nicht. Merk auf!

Als du deine Tat begingest, lebte und regierte noch der Judex, mein Vater. Nach seinem Ende und dem des Comes, da ich das Richtschwert erbte, habe ich laut verkündigt: ›Ab ist alles Geschehene! Von nun an sündige keiner mehr!‹ Aber auch wenn ich dieses nicht hätte ausrufen lassen, könnte ich dennoch dich nicht richten und du gingest frei aus, denn seit deiner Tat sind fünfzehn völlige Jahre in das Land gegangen und hier ist uralter Brauch, daß Schuld verjährt in fünfzehn Jahren.«

»Verjährt? was ist das?« fragte Faustine verblüfft.

»Durch die Wirkung der Zeit ihre Kraft verliert.«

Ein höhnisches Lachen lief blitzend über die weißen Zähne der Räterin. »Also zum Beispiel«, sagte sie, »wenn ich gestern noch meinen Mann vergiftet hatte und über Nacht wird die Zeit völlig, so bin ich heute keine Mörderin mehr. Diese Dummheit!«

»Doch, du bleibst eine Mörderin«, belehrte sie Stemma langmütig, »aber du hast mit dem irdischen Richter nichts mehr zu schaffen, sondern nur noch mit dem himmlischen. Sühne durch gute Werke! Du hast den Anfang gemacht: fünfzehn mühselige und rechtschaffene Jahre wiegen.«

»Nichts wiegen sie!« zürnte Faustine. »Ich sehe schon, du willst meiner schonen! Du heißest die Richterin, aber du bist die Ungerechte, du machst Ausnahmen, du siehst die Person an!«

»Schweige!« befahl die Richterin. »Ich bin denn doch klüger als du, und ich sage dir: deine Sache ist nicht mehr richtbar. Noch aus einem letzten Grunde. Ich kann dich nicht verdammen, auch wenn ich dir den Gefallen tun wollte, denn es steht kein Zeuge gegen dich als deine törichte Zunge. Aber weißt du was: gehe nach Cur und beichte dem Bischof. Er ist der Hirte und du bist das Schäflein. Er mag dir die härteste Buße auflegen: Fasten, schwere Dienste, härenes Hemde, blutige Geißelungen. Fordere sie, ist er dir zu milde! Dann aber gib dich zufrieden! Unterwirf dich ganz der Kirche: sie vertritt dich und du hast eine sichere Sache!« Sie sagte das mit einem überzeugenden Lächeln.

»Ich weiß nicht«, schluchzte Faustine, »Gott sei davor, daß eine Missetäterin wie ich seiner heiligen Kirche nicht gehorche. Aber anders wäre es einfacher gewesen. Geplagt habe ich mich schon und im Schweiße meines Angesichtes zerarbeitet fünfzehn Jahre lang mit dem Trost und Vorsatz, sobald mein Kind in sein Alter und an den Mann gekommen, stracks in den Himmel zu fahren. Jetzt verrückst du mir die kurze Leiter und vertrittst mir den Weg.«

»Der nach Cur ist kurz und der an unser Ende ist nicht lang. Gehorche, Faustine!« Sie ergriff die Fackel und schritt die Stufen vorauf. Faustine folgte wie eine Seele in Pein.

Unter dem Burgtor, das sich wie von selbst öffnete, denn der Wärter hatte die wandernde Helle wahrgenommen, blickte die Richterin in die Nacht hinaus und sagte zu Faustinen: »Lege die Schuhe ab und laß die scharfen Kiesel deine Sohlen zerreißen, denn du bist eine große Sünderin!« Weinend trat Faustine ihren dunkeln Weg an.

Frau Stemma hatte recht gesagt. Da sie die hochgelegene Burg-
kammer betrat, schlief Palma. Neben ihren tiefen Atemzügen glomm
auf einem Dreifuß eine hütende Flamme. Das Mädchen lag in ihrem
ganzen Gewande auf dem Polster, die Hand über das Herz gelegt.
Sie hatte das freudig pochende beruhigen wollen und war daran
entschlummert. Die Mutter betrachtete die Gebärde und konnte sich
der Erinnerung nicht erwehren.

Nach dem Tode des Vaters und des Gatten und nach der Geburt
Palmas hatte die noch nicht zwanzigjährige Richterin die Regierung
ihres Erbes mit entschlossener Hand ergriffen. Die dem jungen und
schönen Weibe unter einem verwilderten, begehrlichen Adel von
selbst entstehenden Freier und Feinde hatte sie mit einer über ihre
Jahre scharfsinnigen Politik veruneint und der Reihe nach mit den
Waffen ihrer Lehensleute gebändigt. Helm und Schwert und die
gerechte Sache der mutigen Richterin wurden von dem friedseligen
Bischof Felix in seinem festen Hofe Cur mit weit ausgestreckten
Händen gesegnet. Nach einigen stürmischen Jahren war Stemmas
Herrschaft befestigt, und es trat eine große Stille ein. Jetzt rächte
sich die überhetzte Natur, und Stemma verlor den Schlummer. Wenn
sie nicht selbst ihn verscheuchte mit brennenden Leuchtern und end-
losen Schritten. Nicht weit von dem Lager ihres Kindes, auf einer
schmalen Bank in der tiefen Fensterwölbung saß sie damals oft mit
verschlungenen Armen, oder dann konnte sie lange, lange mit zwei
Fläschchen spielen, welche sie in der Mauer verwahrte, und die der
arzneikundige junge Kleriker Peregrin auf Malmort zurückgelassen
hatte, da er von dannen zog, um spurlos im Gebirge zu verschwinden. Beide waren von starkem Kristall und hatten über den gläser-
nen Zapfen goldene Deckel, auf deren einem das Wort ›Anti-
doton‹[113] mit griechischen Lettern eingekritzelt war, während auf
dem andern ein winziges Schlänglein sich krümmte. Mit diesen
Fläschchen zu spielen, bis der Tag anbrach, wurde Stemma zu einem
Bedürfnis. Da geschah es einmal, daß sie darüber einnickte und, als
das Frühlicht sie weckte, das eine Fläschchen, das unbeschriebene,
aus ihrer halbgeöffneten Hand verschwunden war. Sie geriet in entsetzliche Angst und suchte und suchte. Endlich fand sie es in dem
Händchen ihres Kindes. Die kleine Palma mochte, vor ihr erwacht,
sie auf nackten Sohlen beschlichen, ihr das schmucke Spielzeug ent-
wendet und mit ihm das Lager und den Schlummer wieder gefunden haben. Das Kind hielt den Kristall an das kleine Herz gepreßt,
und vorsichtig löste Frau Stemma Fingerchen um Fingerchen.

Jetzt holte sie, verlockt von der frühern Gewohnheit, die lange

---

[113] Gegengift.

im Verschluß gelegenen Kristalle hervor. Nachdem sie dieselben eine Weile in den Händen gehalten und mit den Fläschchen, sie unablässig wechselnd, nach ihrer alten Weise gespielt hatte, legte sie das eine unter ihren mit Gemsleder beschuhten Fuß und zertrat es auf der steinernen Fliese mit einem kräftigen Drucke zu Scherben. Die ausströmende Flüssigkeit verbreitete einen angenehmen Mandelgeruch. Im Begriffe, den zweiten Kristall unter die Sohle zu legen, besah sie noch seinen goldenen Deckel und erkannte, daß sie sich zwischen den Fläschchen geirrt hatte. Sie glaubte das inschriftlose zuerst zermalmt zu haben und hielt es noch in der Hand. Kopfschüttelnd legte sie das Schlänglein unter die Ferse, doch das festere Glas widerstand hartnäckig. Sie ergriff es wieder und schon hob sie den Arm, um es an der Wand zu zerschmettern, da hielt sie inne, aus Furcht, mit dem klirrenden Wurfe den Schlummer des Mädchens zu stören. Oder mit einem andern Gedanken barg sie es sorgfältig in dem weiten Busen ihres Gewandes.

Frau Stemma wurden die Lider schwer, und sie ließ sich betäubt in einen Sessel fallen. Da sah sie ein Ding hinter ihrem Stuhle hervorkommen, das langsam dem Lager ihres schlummernden Kindes zustrebte. Es floß wie ein dünner Nebel, durch welchen die Gegenstände der Kammer sichtbar blieben, während das blühende Mädchen in fester Bildung und mit kräftig atmendem Leibe dalag. Die Erscheinung war die eines Jünglings, dem Gewande nach eines Klerikers, mit vorhangenden Locken. Das ungewisse Wesen rutschte auf den Knien oder watete, dem Steinboden zutrotz, in einem Flusse. Stemma betrachtete es ohne Grauen und ließ es gewähren, bis es die Hälfte des Weges zurückgelegt hatte. Dann sagte sie freundlich: »Du Peregrin! Du bist lange weggeblieben. Ich dachte, du hättest Ruhe gefunden.« Ohne den Kopf zu wenden und sich wieder um einen Ruck vorwärts bringend, antwortete der Müde: »Ich danke dir, daß du mich leidest. Es ist ohnehin das letzte Mal. Ich werde zunichte. Aber noch zieht es mich zu meinem trauten Kindchen.«

»Seid ihr Tote denn nicht gestorben?« fragte die Richterin.

»Wir sterben sachte, sachte«, antwortete der Kleriker. »Wie denkst du? Die« – er stotterte – »die Seele wird damit nicht früher fertig als der Leib vermodert ist. Inzwischen habe ich mir diesen ärmlichen Mantel geliehen.« Der Schatten schüttelte seine Gestalt wie einen rinnenden Regen. »Ei, was war der irdische Leib für ein heftiges und lustiges Feuer! In diesem dünnen Röcklein friert mich und ich lasse es gerne fallen.«

»Hernach?« fragte Stemma.

»Hernach? Hernach, nach der Schrift« –

Stemma runzelte die Stirn. »Zurück von dem Kinde!« gebot sie dem Schatten, der Palma fast erreicht hatte.

»Harte!« stöhnte dieser und wendete das bekümmerte Haupt. Dann aber, von dem warmen Atem Stemmas angezogen, schleppte er sich rascher gegen ihre Knie, auf welche er die Ellbogen stützte, ohne daß sie nur die leiseste Berührung empfunden hätte. Dennoch belebte sich der Schatten, die schöne Stirn wölbte sich, und ein sanftes Blau quoll in dem gehobenen Auge.

»Woher kommst du, Peregrin?« sagte die Richterin.

»Vom trägen Schilf und von der unbewegten Flut. Wir kauern am Ufer. Denke dir, Liebchen, neben welchem Nachbar ich zeither sitze, neben dem« – er suchte.

»Neben dem Comes Wulf?« fragte die Richterin neugierig.

»Gerade. Kein kurzweiliger Gesell. Er lehnt an seinen Spieß und brummt etwas, immer dasselbe, und kann nicht darüber wegkommen. Ob du ihm ein Leid antatest oder nicht. Ich bin mäuschenstille« – Peregrin kicherte, tat dann aber einen schweren Seufzer. Darauf schnüffelte er, als rieche er den verschütteten Saft, und suchte mit starrem Blicke unter Stemmas Gewand, wo das andere Fläschchen lag, so daß diese schnell den Busen mit der Hand bedeckte.

Da fühlte sie eine unbändige Lust, das kraftlose Wesen zu ihren Füßen zu überwältigen. »Peregrin«, sagte sie, »du machst dir etwas vor, du hast dir etwas zusammengefabelt. Palma geht dich nichts an, du hast keinen Teil an ihr.«

Der Kleriker lächelte.

»Du bildest dir etwas Närrisches ein«, spottete die Richterin.

»Stemma, ich lasse mir mein Kindchen nicht ausreden.«

»Torheit! Wie wäre solches möglich? Was weißt du, Traum?«

»Ich weiß« – der flüchtig Beseelte schien eine Süßigkeit zu empfinden, in sein kurzes und grausames Los zurückzukehren – »wie mich dein Vater überfiel, da ich von meinem Lehrer, dem Abte, weg über das Gebirge zog. Der Judex litt an einer Wunde und hatte von meiner Wissenschaft vernommen. Da hob er mich auf und brachte mich dir mit. Du warest noch sehr jung und o wie schön! mit grausamen schwarzen Augen! Dabei herzlich unwissend. Ich lehrte dich Buchstaben und Verse bilden, doch diese da mochtest du nicht. Lieber regiertest du in den Dörfern, schiedest Händel und machtest die Ärztin bei deinen Eigenen. Ich zeigte dir die Kräfte der Kräuter, lehrte dich allerlei brauen, und du brachtest mir aus dem Schmuckkästchen zwei Kristalle« –

Die Richterin lauschte.

»Stemma, du bist noch jung, und auch ich bin jung geblieben, wenig älter als da wir uns liebten«, schluchzte Peregrin zärtlich.

»Wir liebten uns«, sagte Stemma.

»Du lagest in meinen Armen!«

»Wo dich der Judex überraschte und erwürgte!« sprach sie hart. Peregrin ächzte, und Flecken wurden an seinem Halse sichtbar. »Er lud mich auf ein Maultier, zog mit mir davon und warf mich in den Abgrund.«

»Peregrin, ich habe geweint! Aber besinne dich: dein ist die Schuld! Bin ich nicht dreimal vor dich getreten, mein Bündel in der Hand? Habe ich dich nicht drohend beschworen, mit mir zu fliehen? Wer wollte Fuß neben Fuß in Armut und Elend wandern? Du aber erblaßtest und erbleichtest, denn du hast ein feiges Herz. Ich liebte dich und, bei meinem Leben! – warest du ein Mann – Vater, Heimat, alles hätte ich niedergetreten und wäre dein eigen geworden.«

»Du wurdest es«, flüsterte der Schatten.

»Niemals!« sagte Stemma. »Sieh mich an: gleiche ich einer Sünderin? Blicke ich wie eine Leidenschaftliche und Leichtfertige? Bin ich nicht die Zucht und die Tugend? Und so war ich immer. Du hast mich nicht berührt, kaum daß du mir mit furchtsamen Küssen den Mund streiftest. Wo hättest du auch den Mut hergenommen?«

Da geriet der Schatten in Unruhe. »O ihr Gewalttätigen beide, der Vater und du! Er hat mich geraubt und erwürgt, du, Stemma, locktest mit dem Blutstropfen! Gib den Finger, da sitzt das Närbchen!«

Stemma hob die Achseln. »Es war einmal«, höhnte sie.

Da wiegte Peregrinus, der sich gleich wieder besänftigte, die Locken und sang mit gedämpfter Stimme:

>»Es war einmal, es war einmal
>Ein Fürst mit seinem Kinde,
>Es war einmal ein junger Pfaff
>In ihrem Burggesinde.
>
>Am Mahle saßen alle drei,
>Da riefen den Herrn die Leute:
>›Herr Judex, auf! Zu Roß! Zu Roß!
>Im Tal zieht eine Beute!‹
>
>Er gürtet sich das breite Schwert
>Und wirft mit einem Gelächter
>Den Hausdolch zwischen Maid und Pfaff
>Als einen scharfen Wächter.

Den Judex hat das schnelle Roß
Im Sturm davongetragen,
Zweie halten still und bang
Die Augen niedergeschlagen.

Stemma hebt das Fingerlein,
Sie tut es ihm zuleide,
Und fährt damit wohl auf und ab
Über die blanke Schneide.

Ein Tröpflein warmen Blutes quoll« –

»Stille, Schwächling!« zürnte die Richterin. »Das hast du dir in
deinem Schlupfwinkel zusammengeträumt. Solche Schmach kennt
die Sonne nicht! Stemma ist makellos! Und auch der Comes, er
komme nur! ihm will ich Rede stehen!«

»Stemma, Stemma!« flehte Peregrin.

»Hinweg, du Nichts!« Sie entzog sich ihm mit einer starken Gebärde, und seine Züge begannen zu schwimmen.

»Mein Weib, mein« – »Leben« wollte er sagen, doch das Wort
war dem Ohnmächtigen entschwunden. »Hilf, Stemma«, hauchte
er, »wie heißt es, das Atmende, Blühende? Hilf!« Die Richterin
preßte die Lippen, und Peregrinus zerfloß.

Erwacht stand sie vor dem Lager ihres Kindes. Sie küßte ihm die
geschlossenen Augen. »Bleibet unwissend!« murmelte sie. Dann glitt
sie neben Palma auf das breite Lager und schlang den Arm um
das Mädchen, wie um eine erkämpfte Beute: »Du bist mein Eigentum! Ich teile dich nicht mit dem verschollenen Knaben! Dich
siedle ich an im Licht und umschleiche dich wie eine hütende Löwin!«
Der Traum hatte ihr Peregrin gezeigt nicht anders als sein Bild in
ihr zu leben aufgehört hatte. Längst war der Jüngling, dem sie sich
aus Trotz und Auflehnung mehr noch als aus Liebe heimlich vermählt, an ihrem kasteiten Herzen niedergeglitten und untergegan-
gen, und der einst aus ihrer Fingerbeere gespritzte Blutstropfen
erschien der Geläuterten als ein lockeres und aberwitziges Märchen.
Schon glaublicher deuchte ihr der andere Bewohner der Unterwelt,
und da sie sich auf dem Lager umwendete und das Haupt in die
Kissen begrub, ohne den Arm von der Schulter ihres Kindes zu lösen, erblickte die Entschlummernde den Comes, wie er an den
Speer gelehnt verdrießlich im Schilfe saß und etwas Feindseliges in
den Bart murmelte. Ein Lächeln des Hohnes glitt über ihr verdun-
keltes Gesicht, denn Stemma kannte die Hilflosigkeit der Abgeschiedenen.

Im ersten Lichte weckte die zwei Schlafenden ein jäher Hornstoß und riß sie vom Lager empor. Der gewaltsame Tagruf beleidigte das feine Ohr der Richterin. Sie erriet, wen er meldete, und
mit schnellem Entschluß und festem Schritte ging sie Wulfrin entgegen. Noch vor ihr, den rasch ergriffenen Wulfenbecher in der
Hand, war Palma durch die Tür gehuscht.

In das von Rudio geöffnete Tor tretend, stand Stemma vor dem
Höfling, der sie mit verwunderten Augen betrachtete. Das Antlitz
gebot ihm Ehrfurcht. Er verschluckte ein unziemliches Scherzwort
über sein durch vier Weiber gerettetes Leben. Bewältigt von dem
ruhig prüfenden Blicke und der Hoheit der blassen Züge sagte er
nur: »Hier hast du mich, Frau«, worauf sie erwiderte: »Es hat
Mühe gekostet, dich nach Malmort zu bringen.«

»Wo ist die Schwester, daß ich sie küsse?« fuhr er fort, und diese,
die inzwischen den Becher gefüllt hatte, eilte ihm mit klopfendem
Herzen und leuchtenden Augen zu, obwohl sie vorsichtig schritt
und den Wein nicht verschütten durfte. Sie trat vor den Bruder und
begann den Spruch. Da aber Stemma den Kelch, der dem Comes
den Tod gebracht, in den Händen ihres Kindes erblickte und den
frischen Mund über seinem Rand, empfand sie einen Ekel und einen
tiefen Abscheu. Mit sicherm Griffe bemächtigte sie sich des Bechers,
den das überraschte Mädchen ohne Kampf und Widerstand fahren
ließ, führte ihn kredenzend an den eigenen Mund und bot ihn dem
Höfling mit den einfachen Worten: »Dir und dieser zum Segen!«
Wulfrin leerte den Becher ohne jegliche Furcht.

Palma stand bestürzt und beschämt. Da hieß die Mutter sie die
Glocke ziehen, die hoch oben in einem offenen Türmchen hing und
das Gesinde weither zum Angelus rief. Palma hatte als Kind Freude
gehabt, das leichtbewegliche Glöcklein erschallen zu lassen, und das
Amt war dem Mädchen geblieben. Sie fügte sich zögernd.

»Frau, warum hast du ihr die Freude verdorben?« fragte Wulfrin. Stemma wies ihm die Inschrift des Bechers. »Siehe, es ist der
Spruch eines Eheweibes«, sagte sie. »Davon lese ich nichts«, meinte er.

>   »Erfreue dich am Wein!
>   Willkomm . . . .!«

Der Finger der Richterin zeigte das Verwischte, aus welchem für
ein genauer prüfendes Auge noch drei Buchstaben leserlich hervor-
traten, ein i, ein K, ein l. Wulfrin erriet ohne Mühe:

>   »Willkomm im Kämmerlein!«

»Du hast recht, Frau«, lachte er.

Sie nahm ihn an der Hand und führte ihn vor das Grabmal. Da lag ihm der Vater, die Linke am Schwert, die Rechte am Hifthorn, die steinernen Füße ausgestreckt. Wulfrin betrachtete die rohen aber treuherzigen Züge nicht ohne kindliches Gefühl. Das abgebildete Hifthorn erblickend, hob er in einer plötzlichen Anwandlung das wirkliche, das er an der Seite trug, vor den Mund und tat einen kräftigen Stoß. »Fröhliche Urständ!« rief er dem in der Gruft zu.

»Laß das!« verbot die Richterin, »es tönt häßlich.«

Sie setzte sich auf den Rand des Steinsarges, neben ihr eigenes liegendes Bild, das die betenden Hände gegeneinander hielt, und begann: »Da du nun auf Malmort bist, verlässest du es nicht, Wulfrin, ohne mich – nach vernommenen Zeugen – angeklagt oder freigegeben zu haben von dem Tode des Mannes hier.« Der Höfling machte eine widerwillige Gebärde. »Füge dich«, sagte sie. »Ist es dir keine Sache, so ist es eine Form, die du mir erfüllen mußt, denn ich bin eine genaue Frau.«

»Gnadenreich wird dir ausgerichtet haben«, versetzte der Höfling aufgebracht, »daß ich dich nie beargwöhnte, weder ich noch Arbogast, der mir das Zusammensinken des Vaters beschrieben hat. Ich bin kein Zweifler und möchte nicht leben als ein solcher. Es gibt deren, die in jedem Zufall einen Plan, und in jedem Unfall eine Schuld wittern, doch das sind Betrogene oder selbst Betrüger. Der Himmel behüte mich vor beiden! Hätte ich aber Verdacht geschöpft und Feindseliges gegen dich gesonnen, jetzt da ich dein Antlitz sehe, stünde ich entwaffnet, denn wahrlich du blickst nicht wie eine Mörderin. Wärest du eine Böse, woher nähmest du das Recht und die Stirn, das Böse aufzudecken und zu richten? Dawider empört sich die Natur!«

Ein Schweigen trat ein. »Aber was ist das für ein dumpfes Dröhnen, das den Boden schüttert?« »Das ist der Strom«, sagte die Richterin, »der den Felsen benagt und unter der Burg zu Tale stürzt.«

»Wahr ist es, Frau«, fuhr der Höfling treuherzig fort, »daß ich dich nie leiden mochte, und ich sage dir warum. Dieser Greis hier, mein Vater, war ein roher und gewaltsamer Mann. Ich sage es ungern: er hat an meinem Mütterlein mißgetan, ich glaube, er schlug es. Ich mag nicht daran denken. Ins Kloster hat er es gesperrt, sobald es abwelkte. Da ist es nicht zu wundern, wie wir Menschen sind, daß ich von dir nichts wissen wollte, die es von seinem Platze verstieß.«

»Nicht ich. Hier tust du mir unrecht. Da wir so zusammensitzen, Wulfrin, warum soll ich es dir nicht erzählen? Ich habe deiner Mutter nichts zuleide getan. Kälter und lebloser als die steinerne

154

war meine Hand, da sie gewaltsam in die deines Vater gedrückt
wurde. Aus dem Kerker hergeschleppt, zugeschleudert wurde ich
ihm von dem Judex, der mir einen zitternden und zagenden Liebling von niederer Geburt erwürgt hatte. Nicht jedes Weib würde
dir solches anvertrauen, Wulfrin.«

»Ich glaube dir«, sagte dieser.

»Einer Gezwungenen und Entwürdigten«, betonte sie, »gab dein
Vater sterbend die Freiheit. Und ich wurde Herrin von Malmort.
Du hast Grund, Wulfrin, dir die Sache zu besehen. Sie ist dunkel
und schwer. Betrachte sie von allen Seiten! Denn, du räumst mir
ein, vernichtete ich deinen Vater, so bin ich oder du bist zuviel auf
der Erde.«

»Verhöhnst du mich?« fuhr er auf, »doch nein, du blickst ernst
und traurig. Siehe, Frau, das ewige Verhören und Richten hat dich
quälend und peinlich gemacht und wahrhaftig, ich glaube« – seine
Augen deuteten auf den Stein – »auch eine Frömmlerin bist du.« Er
hatte rings um das Frauenhaupt die Worte gelesen: ›Orate pro
magna peccatrice.[114]‹ »Das hier ist großgetan.«

»Ich bin eine kirchliche Frau«, antwortete Stemma, »doch wahrlich, ich bin keine Frömmlerin, denn ich glaube nur, was ich an dem
eigenen Herzen erfahren habe. Dein Knecht, der Steinmetz Arbogast, fragte mich in seiner einfältigen Art, was er mir um das Haupt
schreiben dürfe. In seiner schwäbischen Heimat sei bei vornehmen
Frauen die Umschrift gebräuchlich: Betet für eine Sünderin. ›Schreibe
mir‹, sagte ich, ›Betet für die große Sünderin‹, denn, Wulfrin, du hast
recht gesagt, was ich tue, tue ich groß.«

»Hübsch!« rief der Höfling, aber nicht als Antwort auf diesen
Selbstruhm, sondern das Haupt in die Höhe richtend, wo Palma
stand und das helltönige Glöcklein zog. Sie hatte sich lange auf der
Wendeltreppe gesäumt und aus den Luken nach dem ihr vorenthal-
tenen Bruder zurückgeblickt. In der weiten Bogenöffnung des von
den ersten Sonnenstrahlen vergoldeten Turmes wiegte sich ein lich-
tes Geschöpf auf dem klingenden Morgenhimmel. Der Höfling sah
einen läutenden Engel, wie ihn etwa in der zierlichen Initiale[115]
eines kostbaren Psalters ein farbenkundiger Mönch abbildet. Eine
Innigkeit, deren er sich schämte, rührte und füllte sein Herz. Hatte
ihn doch dieses lobpreisende Kind vom Tode errettet.

Inzwischen sammelte sich im Burghofe das Gesinde der Richterin, wohl einhundert Köpfe stark, Männer und Weiber, ein finsteres, sehniges, sonneverbranntes Geschlecht, das den Behelmten

[114] »Betet für die große Sünderin.« [115] Anfangsbuchstabe in mittelalterlichen
Handschriften, meist kunstvoll verziert.

eher feindlich als neugierig musterte. Dieser, die wieder zur Erde gestiegene Palma darunter erblickend, machte sich Bahn und als wollte er sich für die flüchtige Andacht rächen, welche er zu einem Geschöpf aus irdischem Stoffe empfunden, legte er ihr die Hand auf die Achsel, und den blühenden Mund findend, küßte er ihn kräftig. Sie zitterte vor Freude und wollte erwidern, doch schneller faßte die Richterin mit der Linken ihre Hand, die Rechte Wulfrin bietend, und führte die beiden in die Mitte ihres Volkes.

»Bruder und Schwester«, verkündigte sie und sich auf die andere Seite wendend noch einmal: »Schwester und Bruder.«

So ungefähr hatten es sich die Knechte und Mägde schon zurechtgelegt, denn die Ähnlichkeit Wulfrins mit dem steinernen Comes war unverkennbar, nur daß sich der Vater in dem Sohne beseelt und veredelt hatte, des Hifthorns an der Seite Wulfrins zu geschweigen, das anschauliches Zeugnis gab von seiner Abstammung.

Nur das runzlige stocktaube Mütterlein, die Sibylle, hatte nichts vernommen und nichts begriffen. Sie trippelte kichernd um das Mädchen, zupfte und tätschelte es, grinste zutulich und sprudelte aus dem zahnlosen Munde: »O du mein liebes Herrgöttchen! Was für einen hat dir da die Frau Mutter gekramt! Zum wieder jung werden. Von Paris ist er verschrieben, aus den Buben, die dem Großmächtigen dienen. Krause Haare, prächtige Ware!«

»Halt das Maul, Drud[116]!« schrie dem Mütterchen der Knecht Dionys ins Ohr, »es ist der Bruder!« und sie versetzte: »Das sage ich ja, Dionys: der Gnadenreich ist ein tröstlicher und auferbaulicher Herr, aber der da ist ein gewaltiger stürmender Krieger! O du glückseliges Pälmchen!« und so unziemlich schwatzte sie noch lange, wenn man sie nicht zurückgedrängt und ihr den frechen Mund verhalten hätte. Denn die Morgenandacht begann, und von einer entfernteren Gruppe wurde schon die Litanei angestimmt. Wie von selbst ordnete sich der Frühdienst, einen Halbkreis bildend, in dessen Mitte die Richterin den schleppenden Gesang leitete, der, dieselben Rhythmen und Sätze immer dringender und leidenschaftlicher wiederholend, den Himmel über Malmort anrief.

Wulfrin, welcher, er wußte nicht wie, an das eine Ende des andächtigen Kreises geraten war, erblickte sich gegenüber die Schwester. Alles hatte sich niedergeworfen, er und die Richterin ausgenommen. Seine Blicke hingen an Palma. Auf beiden Knien liegend, die Hände im Schoß gefaltet, sang sie eifrig mit den jungen rätischen Mägden. Aber das Freudefest, das sie in der vollen Brust mit dem endlich erlangten Bruder, dem neuen und guten Gesellen fei-

[116] Zauberin, Hexe in der germanischen Mythologie.

erte, strahlte ihr aus den Augen und jubelte ihr auf den Lippen,
daß die Litanei darüber verstummte. Die geöffneten gaben durch
die Lüfte den Kuß des Bruders zurück. Und jetzt sich halb erhebend, streckte sie auch die Arme nach ihm. Nur eine flüchtige Gebärde, doch so viel Glut und Jugend ausströmend, daß Wulfrin
unwillkürlich eine abwehrende Bewegung machte, als würde ihm
Gewalt angetan. »Der Wildling!« lachte er heimlich. »Aber die
wird dem wackern Gnadenreich zu schaffen machen! Ich muß ihm
noch das wilde Füllen zähmen und schulen, daß es nicht ausschlage
gegen den frommen Jüngling! Warte du nur!«

Und um die Erziehung zu beginnen, wendete er sich, da die Richterin das Amen sprach und Palma gegen ihn aufsprang, von ihr ab,
geriet aber an Frau Stemma, die seine Hand ergriff, ihn feierlich in
die Mitte führte und mit eherner Stimme zu reden begann: »Meine
Leute! Wer von euch, Mann oder Weib, so alt ist, daß er vor jetzt
sechzehn Jahren hier stand, während ich den Comes empfing, der
davon herkam, euren erschlagenen Herrn, den Judex, zu rächen –
wer so alt ist und dabei gegenwärtig war, der bleibe! Ihr Jüngern,
lasset uns, auch du, Palma!«

Sie gehorchten. Palma zog sich schmollend in den äußersten Burg-
winkel zurück, eine halbrunde Bastei, die, ein paar Stufen tiefer als
der Hof, über dem senkrechten Abgrunde ragte, durch welchen die
Bergflut in ungeheurem Sturze zu Tale fiel. Sie setzte sich auf die
breite Platte der Brüstung, blickte, den Arm vorgestützt, in den
schneeweißen Gischt hinein, der ihr mit seinem feinen Regen die
Wange kühlte, und hörte in dem Tumulte der Tiefe nur wieder den
Jubel und die Ungeduld des eigenen Herzens.

Im Hofe hinter ihr ging inzwischen die rechtliche Handlung ihren
Schritt, und Rede und Gegenrede folgte sich, rasch und doch gemessen, nach dem Winke der Richterin.

»Hier steht der Sohn des Comes. Ihr seid ihm die Wahrheit
schuldig. Saget sie. Habet ihr das Bild jener Stunde?«

»Als wäre es heute« – »Ich sehe den Comes vom Rosse springen« –
»Wir alle« – »Dampfend und keuchend« – »Du kredenztest« –
»Drei lange Züge« – »Mit einem leerte er den Becher« – »Er sank«
– »Wortlos« – »Er lag.«

»Bei eurem Anteil am Kreuze?« fragte sie.

»So und nicht anders. Bei unserm Anteil am Kreuze!« antwortete
der vielstimmige Schwur.

»Wulfrin, ich bitte dich, du blickst zerstreut! Wo bist du? Nimm
dich zusammen!«

Hastig und unwillig erhob er die Hand.

Die Richterin faßte ihn am Arm. »Kein Leichtsinn!« warnte sie. »Frage, untersuche, prüfe, ehe du mich freigibst! Du begehst eine ernste, eine wichtige Tat!«

Wulfrin machte sich von ihr los. »Ich gebe die Richterin frei von dem Tode des Comes und will verdammt sein, wenn ich je daran rühre!« schwur er zornig.

Der Burghof begann sich zu leeren. Wulfrin starrte vor sich hin und vernahm, so überzeugt er von der Unschuld der Richterin war und so erleichtert, mit einer häßlichen Sache fertig zu sein – dennoch vernahm er aus seinem Innern einen Vorwurf, als hätte er den Vater durch seinen Unmut und seine Hast preisgegeben und beleidigt. So stand er regungslos, während die Richterin langsam auf ihn zutrat, sich an seiner Brust emporrichtete und ihm Kette und Hifthorn leicht über das Haupt hob. »Als Pfand meiner Freigebung und unsers Friedens«, sagte sie freundlich. »Ich kann seinen Ton nicht leiden.« Und sie schritt durch den Hof die Stufen hinunter und hinaus auf die Bastei und schleuderte das Hifthorn mit ausgestreckter Rechten in die donnernde Tiefe.

Jetzt kam Wulfrin zur Besinnung und eilte ihr nach, das väterliche Erbe zurückzufordern. Er kam zu spät. In den betäubenden Abgrund blickend, der das Horn verschlungen hatte, hörte er unten einen feindlichen Triumph wie Tuben und Rossegewieher. Sein Ohr hatte sich in den Ebenen der lauten Rede entwöhnt, welche die Bergströme führen. Als er wieder aufschaute, war die Richterin verschwunden. Nur Palma stand neben ihm, die ihn umhalste und herzlich auf den Mund küßte.

»Laß mich!« schrie er und stieß sie von sich.

Drittes Kapitel

An einem Fenster von Malmort, durch welches der Talgrund mit seinen Türmen und Weilern als duftige Ferne hereinschimmerte, stand die Richterin mit Wulfrin und zeigte ihm die Größe ihres Besitzes. »Das beherrsche ich«, sagte sie, »und Palma nach mir. Dich aber, Wulfrin, habe ich schon ehevor dazu ausersehen – wie es auch deine brüderliche Pflicht ist, der Schwester, wenn ich stürbe, dieses weite Erbe zu sichern.«

»Planvoll, aber ferneliegend«, sagte er.

»Fern oder nahe. Du bist ihr natürlicher Beschützer. Ich kann mein Kind keinem Mächtigen dieses Landes vermählen, denn sie sind ein zuchtloses und sich selbst zerstörendes Geschlecht. Ich bände

sie an den Schweif eines gepeitschten Rosses! Ringsherum keine
Burg, an der nicht Mord klebte! Soll mir mein Kind in einem Haus-
zwist oder in einer Blutrache untergehen? Ja, fände ich für sie einen
Guten und Starken wie du bist, dann wäre ich ruhig und könnte
dich freigeben, du hättest weiter keine Pflicht an ihr zu erfüllen.
Ich weiß ihr keinen Gatten als allein Gnadenreich, und der besitzt
das Land, nach der Verheißung, als ein Sanftmütiger, kann es aber
gegen die Gewalttätigen nicht behaupten, deren Zahl hier Legion
ist. Erst seine Söhne werden kraft meines Blutes Männer sein. Bis
diese kommen und wachsen, wirst du schon deine gepanzerte Hand
über Gnadenreich und Palma halten und die Herrschaft führen
müssen. Denn ewig reitest du nicht mit dem Kaiser. Vielleicht auch,
wer weiß, erhebt er dich zum Grafen über diesen Gau, oder dann
erhältst du von mir eine Burg, jene« – sie wies auf einen Turm am
Horizonte – »oder eine andere, nach deinem Gefallen. Oder du
hausest hier auf meinem eigenen festen Malmort.« Sie legte ihm
vertrauend die Hand auf die Schulter.

»Aber, Frau«, sagte er, »du lebst!« und sie erwiderte: »Solang
ich lebe, herrsche ich.«

»Dann hat es keine Eile«, antwortete er. »Daß der Schwester
nichts geschehen darf, versteht sich und gelobe ich dir. Doch jetzt
muß ich reiten, heute! in einer Stunde!«

»Zum Kaiser? Du hast ihm bereits meinen ortserfahrenen Rudio
geschickt mit der sichern Kundschaft, daß die Lombarden sich am
Mons Maurus befestigen und dort noch ein blutiger Sturm wird gegen sie geführt werden müssen. Herr Karl sitzt in Mediolanum, wie
wir wissen. So braucht es dir nicht zu eilen.«

»Ich lag schon zu lange hier, mich verlangt in den Bügel«, sagte
der Höfling, und die Richterin erwiderte nachgiebig: »Dann
schenkst du mir noch diesen Tag. Ich sähe es gerne, wenn du Palma
verlobtest. Warum Gnadenreich sich hier nicht blicken läßt? Er hält
sich wohl in seinem Pratum eingeschlossen, der Lombarden halber,
vorsichtig wie er ist, obschon ich glaube, diese hier verstoben
sind. Weißt du was? Geh und bring ihn. Oder wüßtest du deiner
Schwester einen bessern Mann?«

»Nein, Frau, wenn sie ihn mag! Doch was habe ich dabei zu raten
und zu tun? Das ist deine Sache und die des Pfaffen, der sie zu-
sammengibt. Ich will den Rappen satteln gehen, den du mir ge-
schenkt hast.«

Sie blickte ihn mit besorgten Augen an. »Was ist dir, Wulfrin? Du
siehst bleich! Ist dir nicht wohl hier? Und mit Palma gehst du um
wie mit einer Puppe, du stößest sie weg und dann hätschelst du sie

wieder. Du verdirbst mir das Mädchen. Wo hast du solche Sitte gelernt?«

»Sie ist aufdringlich«, sagte er. »Ich liebe freie Ellbogen und kann es nicht leiden, daß man sich an mich hängt. Sie läuft mir nach und wenn ich sie schicke, weint sie. Dann muß ich sie wieder trösten. Es ist unerträglich! Ich habe die Gewohnheit breiter Ebenen und großer Räume – auf diesem Felsstück ist alles zusammengeschoben. Das Gebirge drückt, der Hof beengt, der Strom schüttert – an jeder Ecke, auf jeder Treppe dieselben Gesichter! Verwünschtes Malmort! Hier hältst du mich nicht. Hier lasse ich mich nicht einmauern. Mache dir keine Rechnung, Frau.«

»Du tust mir wehe«, sagte sie.

Die harte Rede reute ihn. »Frau, laß mich ziehen!« bat er. »Und daß du dich zufrieden gebest, hole ich dir heute noch den Gnadenreich und wir verloben die Schwester. Wo haust er?«

»Ich danke dir, Wulfrin. Graciosus wohnt nicht ferne von hier, in Pratum.« Sie deutete nach einer zerrissenen Schlucht, über welcher eine grüne Alp hoch emporstieg. »Ich gebe dir einen Führer. Den Knaben hier.« Sie zeigte in den Hof hinunter, wo ein Hirtenbube sich damit beschäftigte, eine Sense zu wetzen. Palma stand neben ihm und plauderte.

»Gabriel«, rief ihn die Richterin, »du führst deinen Herrn Wulfrin nach Pratum.«

»Den Höfling? Mit Freuden!« jauchzte der Bube.

»Er träumt davon«, erklärte die Richterin, »hinter dem Kaiser zu reiten. Besieh dir ihn.«

»Darf ich mit?« fragte Palma und hob das Haupt.

»Nein«, sagte die Richterin.

»Bruder!« bat sie und streckte die Hände.

»Schon wieder! Zum Teufel!« fluchte er. Ihre Augen füllten sich mit Tränen. »So komm, Närrchen!«

Da die dreie barhaupt und reisefertig in dem feuchten Tore standen, während ringsum die Sonne brannte, sagte die geleitende Richterin zu Wulfrin: »Ich anvertraue dir Palma: hüte sie!«

»Halleluja! Voran, Engel Gabriel!« jubelte das Mädchen.

Unten am Burgweg sagte der Hirtenbube: »Herr, es gibt zwei Wege nach Pratum. Der eine steigt durch die Schlucht, der andere über die Alp.« Er wies mit der Hand. »Wenn es dir und der jungen Herrin beliebt, so nehmen wir diesen. Oben schaut es sich weit und lustig und es könnte trübe werden gegen Abend. Es ist ein Gewitterchen in der Luft.«

»Ja, über die Alp, Wulfrin!« rief Palma. »Ich will dir dort meinen See zeigen«, und leichtgeschürzt schlug sie sich über eine lichte Matte, die bald zu steigen begann und immer steiler wurde.

Leicht wie auf Flügeln, mit frei atmender Brust ging das Mädchen bergan und blieb unter der sengenden Sonne frisch und kühl wie eine springende Quelle. Der Berg hatte an dem Kinde seine Freude. Glänzende Falter umgaukelten ihr das Haupt, und der Wind spielte mit ihrem Blondhaar.

Wulfrin schaute um nach Malmort, das grau schimmernd kaum aus der Morgenlandschaft hervortrat. »Wie geschah mir«, fragte er sich, »in jenem Gemäuer dort? Wie konnte mich dieses unschuldige Geschöpf beängstigen, dieses fröhliche Gespiel, diese behende Gems mit hellen Augen und flüchtigen Füßen?« Ihm wurde wohl und er mochte es gerne, daß der Knabe zu plaudern begann.

Gabriel erzählte von den Lombarden, welche er als Späher der Richterin beschlichen hatte. Sie seien überall und nirgends. Sie nisten in den Pässen, belauern die Boten und plündern die Säumer. Sie berauschen sich in dem geraubten heißen Weine von drüben, prahlen mit besiegten Waffen, fabeln von der Herstellung der eisernen Krone und leugnen oder lästern den Weltlauf. Sie beten den Teufel an, der das Regiment führe, »und doch«, endigte der Knabe, »sind sie gläubige Christen, denn sie stehlen aus unsern Kirchen alles heilige Gebein zusammen, soviel sie davon erwischen können. Es ist Zeit, daß der Herr Kaiser zum Rechten sehe und ihnen feste Bezirke und einen Richter gebe.«

Da nun Gabriel bei dem Kaiser angelangt war, dessen erneuerte Würde ihren Schimmer bis in dieses wilde Gebirge warf, begeisterten sich seine Augen und er rief: »Diesen und keinem andern will ich dienen! Ich heiße Gabriel und schlage gerne mit Fäusten, lieber hieße ich Michael und hiebe mit dem Schwerte! Recht muß dabei sein, und der Kaiser hat immer Recht, denn er ist eins mit Gott Vater, Sohn und Geist. Er hat die Weltregierung übernommen und hütet, ein blitzendes Schwert in der Faust, den christlichen Frieden und das tausendjährige Reich.«

Nun mußte ihm Wulfrin den Kaiser beschreiben, die Spangen seiner Krone, den blauen langen Mantel, das tiefsinnige Antlitz, das kurzgeschorene Haupt, den hangenden Schnurrbart, »den wir Höflinge ihm nachahmen«, sagte er lachend.

»Wie blickt der Kaiser?« fragte Palma, und Wulfrin antwortete ohne Besinnen: »Milde.«

Die Kinder lauschten andächtig und bestaunten den Mann, der mit dem Herrn der Welt Umgang pflog; sobald aber die Höhe erreicht war, wo sich der Rasen breitete, war es mit der Andacht vor-

bei. Gabriel jauchzte gegen eine ernsthafte Felswand, die den Kna-
benjubel gütig spielend erwiderte, und Palma lief, den Höfling an
der Hand, einem gründunkelklaren Gewässer entgegen, das die
Wand mit ihrem Riesenschatten noch immer vor der schon hohen
Sonne verbarg. Sie umwandelten das mit Felsblöcken besäte Ufer
bis zu einem bemoosten Vorsprung, der weiche Sitze bot. Hier zog
sie ihn nieder, und wie sie so lagerten, sagte sie: »Nun ist das Märchen erfüllt von dem Bruder und der Schwester, die zusammen über
Berg und Tal wandern. Alles ist schön in Erfüllung gegangen.«

»Haust hier unten auch eine?« neckte Wulfrin den Buben. Gabriel
blieb die Antwort schuldig, denn er mochte sich vor dem Höfling
nicht bloßstellen.

»Dumme Geschichten«, lachte dieser, »es gibt keine Elben.«

»Nein«, sagte Gabriel bedenklich und kratzte sich das Ohr, »es
gibt keine, nur darf man sie nicht mit wüsten Worten rufen oder
gar ihnen Steine ins Wasser schmeißen. Aber, Herr, wo hast du
dein Hifthorn? Du trugest es an der Seite, da du nach Malmort
kamst.«

»Es ist in den Strom gestürzt«, fertigte ihn der Höfling ab.

»Das ist nicht gut«, meinte der Knabe.

»Heho, Gabriel!« rief es aus der Ferne, und ein anderer Hirten-
knabe wurde sichtbar. »Ein Fohlen hat sich nach Alp Grun verlaufen, kohlschwarz mit einem weißen Blatt auf der Stirn. Ich wette,
es gehört nach Malmort.«

Gabriel sprang mit einem Satz in die Höhe. »Heilige Mutter
Gottes«, rief er, »das ist unsere Magra, der muß ich nach! Lieber
Herr, entlasse mich. Du wirst dich schon zurechtfinden. Ein Mensch
ist vernünftiger als ein Vieh. Dort«, er deutete rechts, »siehst du
dort den roten Grat? Den suche, dahinter ist Pratum. Auch weiß
die kleine Herrin Bescheid.« Und weg war er, ohne sich um Antwort
zu kümmern.

»Palma«, lachte Wulfrin, »wenn da unten eine Elbin leuchtete?«

»Mich würde es nicht wundern«, sagte sie. »Oft, wenn ich hier
liege, erhebe ich mich, steige sachte ans Ufer nieder und versuche
das Wasser mit der Zehe. Und dann ist mir, als löse ich mich von
mir selbst und ich schwimme und plätschere in der Flut. Aber siehe!«

Sie deutete auf ein majestätisches Schneegebirge, das ihnen gegenüber sich entwölkte. Seine verklärten Linien hoben sich auf dem
lautern Himmel rein und zierlich, doch ohne Schärfe, als wollten
sie ihn nicht ritzen und verwunden, und waren beides, Ernst und
Reiz, Kraft und Lieblichkeit, als hätten sie sich gebildet, ehe die

Schöpfung in Mann und Weib, in Jugend und Alter auseinander-
ging.

»Jetzt prangt und jubelt der Schneeberg«, sagte Palma, »aber
nachts, wenn es mondhell ist, zieht er bläulich Gewand an und redet
heimlich und sehnlich. Da ich mich jüngst hier verspätete, machte
sich der süße Schein mit mir zu schaffen, lockte mir Tränen und zog
mir das Herz aus dem Leibe. Aber siehe!« wiederholte sie.

Eine Wolke schwebte über den weißen Gipfeln, ohne sie zu berühren, ein himmlisches Fest mit langsam sich wandelnden Gestalten. Hier hob sich ein Arm mit einem Becher, dort neigten Freunde
oder Liebende sich einander zu, und leise klang eine luftige Harfe.
Palma legte den Finger an den Mund. »Still«, flüsterte sie, »das
sind Selige!« Schweigend betrachtete das Paar die hohe Fahrt, aber
die von irdischen Blicken belauschte himmlische Freude löste sich
auf und zerfloß. »Bleibet! oder gehet nur!« rief Palma mit jubeln-
der Gebärde, »wir sind Selige wie ihr! Nicht wahr, Bruder?« und
sie blickte mit trunkenen Augen bis in den Grund der seinigen.

Es kam die schwüle Mittagsstunde mit ihrem bestrickenden Zauber. Palma umfing den Bruder in Liebe und Unschuld. Sie schmeichelte seinem Gelocke wie die Luft und küßte ihn traumhaft wie
der See zu ihren Füßen das Gestade. Wulfrin aber ging unter in
der Natur und wurde eins mit dem Leben der Erde. Seine Brust
schwoll. Sein Herz klopfte zum Zerspringen. Feuer loderte vor
seinen Augen . . .

Da rief eine kindliche Stimme: »Sieh doch, Wulfrin, wie sie sich
in der Tiefe umarmen!«

Sein Blick glitt hinunter in die schattendunkle Flut, die Felsen
und Ufer und das Geschwisterpaar verdoppelte. »Wer sind die
zweie?« rief er.

»Wir, Bruder«, sagte Palma schüchtern, und Wulfrin erschrak,
daß er die Schwester in den Armen hielt. Von einem Schauder ge-
schüttelt sprang er empor und ohne sich nach Palma umzusehen,
die ihm auf dem Fuße folgte, eilte er in die Sonne und dem nahen
Grate zu, wo jetzt eine Figur mit einem breiten Hut und einem
langen Stabe Wache zu halten schien.

»Grüß Gott! grüß Gott!« bewillkommte Gnadenreich die Geschwister, ohne einen Schritt vom Platze zu tun. Er streckte ihnen
nur die Hände entgegen. »Ich habe es dem Ohm feierlich geloben
müssen«, erklärte er, »solange die Lombardengefahr dauert, die
Grenze meiner Weiden hütend zu umwandeln, aber nicht zu über-
schreiten, denn Pratum ist ein Lehen des Bistums und die Kirche
hält Frieden. Sei willkommen, Wulfrin, und Palma nicht minder!«

Seine Blicke liefen rasch zwischen dem Höfling und dem Mädchen:
beide schienen ihm befangen. Er wurde es auch, denn er glaubte die
Ursache ihres Weges zu wissen, und da sie schwiegen, begann er
ein großes Geplauder.

»Sie haben dem guten Ohm böse mitgespielt«, erzählte er. »Wir
saßen zu dreien in der Stube beim Nachtische, denn die Richterin
war nach Cur gekommen, um den Bischof gegen die Lombarden in
die Waffen zu treiben, was er ihr als ein Kind des Friedens verweigern mußte. Frau Stemma und der Ohm stritten sich bei den Nüs-
sen, wie sie zuweilen tun, über die Güte der Menschennatur. Nun
hatten sich kürzlich zwei arge Geschichten ereignet. Jucunda, die
junge Frau des Montafuners, welche Bischof Felix gefirmelt hatte« –

»Mit mir. Sie war sein Liebling«, rief Palma, die wieder dicht
neben dem Höfling schritt.

»Still!« sagte dieser ungebärdig, und das Mädchen lief nach einer
Blume.

– »wurde von ihrem Manne mit einem Edelknecht ertappt und
durch das Burgfenster geworfen. Wenige Tage später schlug der
Schamser mitten im Stiftshofe dem Bergüner nach kurzem Wort-
wechsel den Schädel ein, und doch hatten sie eben auf die priesterliche Zusprache des Ohms sich geküßt und miteinander den Leib
des Herrn empfangen. Solches hielt ihm Frau Stemma vor, doch der
Ohm erwiderte: ›Das sind Wallungen und augenblickliche Ver-
finsterungen der Vernunft, aber die Natur ist gut und wird durch
die Gnade noch besser.‹ Der Ohm ist ein bißchen Pelagianer[117], hi,
hi!«

»Pelagianer?« fragte der Höfling zerstreut, denn sein Blick rief
Palma, die ihm gleich wieder zusprang. »Ist das nicht eine Gattung
griechischer Krieger?«

»Nicht doch, Wulfrin, es ist eine Gattung Ketzer. Also: Frau
Stemma und der Ohm stritten über das Böse. Da sieht der Bischof,
der kurzsichtig ist, auf Felicitas – diesen Namen hat er der nahen
Höhe gegeben, wo ihm ein Sommerhaus steht – eine Flamme. ›Wir
feiern den Abzug der Lombarden‹, lächelte er. Frau Stemma blickt
hin und bemerkt in ihrer ruhigen Weise: ›Ich meine, sie sind es selber‹, und richtig tanzten sie auf dem Hügel wie Dämonen um den
Brand.

Da lärmt es auf dem Platz. Ein Bösewicht fällt mit der Türe ins
Haus und redet: ›Bischof, tue nach dem Evangelium und gib mir

[117] Pelagius, irischer Mönch, lebte um 400, verbreitete die Lehre, jeder könne aus
eigener Kraft selig werden; leugnet die Erbsünde.

den Rock, nachdem du seine Taschen mit Byzantinern gefüllt hast, denn deine Mäntel haben wir in der Sakristei drüben schon gestohlen!‹ Der Ohm erstarrt. Jetzt tritt der Lombarde auf Stemma zu, welche im Halbdunkel saß. ›Die Frau da‹, höhnt er, ›hat einen Heiligenschein um das Haupt, her mit dem Stirnband!‹ Da erhebt sich Frau Stemma und durchbohrt den Menschen mit ihren fürchterlichen Augen: ›Unterstehe dich!‹ ›Ja so‹, sagt er, ›die Richterin!‹ und biegt das Knie. Da der arme Ohm endlich aufatmete, nach erbrochenen Kisten und Kasten, rief ihn der Höllenkerl wieder vom Domplatze her ans Fenster. Er ritt mit nackten Fersen den schönsten Stiftsgaul, dem er eine purpurne Altardecke übergelegt – sich selbst hatte er ein Meßgewand umgehangen – und zog dem Kirchenschimmel mit dem entwendeten Krummstab von Cur einen solchen über die blanken Hinterbacken, daß er bolzgerade stieg und der Stab in Trümmer flog. ›Bischof, segne mich!‹ schrie der Lombarde. Der Ohm in seiner Frömmigkeit besiegte sie. ›Ziehe hin in Frieden, mein Sohn!‹ sprach er und hob die Hände.

›Dich, Bischof‹, jauchzte der Lombarde, ›hole der Teufel!‹

›Und dich hole er gleichfalls!‹ gab der Ohm zurück. Ich hätte es eigentlich nicht erzählen sollen«, endete Gnadenreich halb reuig, »es hat den Ohm schrecklich erbost.«

Palma hatte gelacht, auch der Höfling verzog den Mund, und Gnadenreich wurde immer gesprächiger und zutulicher.

»Wir haben uns eine Ewigkeit nicht gesehen, Wulfrin«, sagte er. »Ich verließ Rom bald nach dir, aber was habe ich nicht dort noch erlebt! Welche Bekanntschaften habe ich gemacht! Ich ging dein Büchlein im Palaste holen und traf ihn selbst, der es geschrieben. Welch ein Kopf! Fast zu schwer für den kleinen Körper! Was da alles drinnesteckt! Kaum ein Viertelstündchen kostete ich den berühmten Mann, aber in dieser winzigen Spanne Zeit hat er mich für mein Lebtag in allem Guten befestigt. Dann pochte es ganz bescheiden und leise und wer tritt ein? – ich bitte dich, Wulfrin! – der Kaiser. Ich verging vor Ehrfurcht. Er aber war gnädig und ergötzte sich, denke dir! an deiner Geschichte, Wulfrin, die er sich von mir erzählen ließ« –

Jetzt verstand Graciosus sein eigenes Wort nicht mehr, denn sie gerieten zwischen die Herden, und das grüne Pratum wurde voller Geblöke und Gebrülle. Einer der magern und wolfähnlichen Berghunde beschnoberte den Höfling, sprang dann aber liebkosend an ihm auf und beleckte ihn, wenn Graciosus dem Tiere seine Ungezogenheit nicht verwiesen hätte. Palma aber wurde von den Hirtenmädchen umringt und mit Verwunderung angestarrt. Die junge

Herrin von Malmort war leutselig und frug alle nach ihren Namen und Herden.

»Ich bin gewiß kein Plauderer«, sagte Graciosus, nachdem er Raum geschafft hatte, »aber du begreifst, wenn der Kaiser befiehlt – haarklein mußte ich berichten von Horn und Becher, und zumal die erstaunliche Frau Stemma machte dem hohen Herrn zu schaffen.«

Der Höfling blickte verdrießlich.

»Welch ein Mann!« lobpries Gnadenreich. »Der Inhalt und die Höhe des Jahrhunderts! Wer bewundert ihn genug? Und doch, aber doch – Wulfrin, ich habe von den Höflingen, deren Umgang ich nicht ganz meiden konnte, etwas vernommen, das mich tief betrübt, etwas von einer gewissen Regine . . . weißt du es?«

»Das ist seine Kebsin[118]«, fuhr Wulfrin ehrlich heraus.

»Schlimm, sehr schlimm! Ein Flecken in der Sonne! Kein voll- kommenes Beispiel! Und die Karlstöchter?«

»Alle Wetter und Stürme«, brauste Wulfrin auf, »wer hat mich zum Hüter der Karlstöchter bestellt?«

»Die Karlstöchter!« rief mitten aus den Herden Palma, die in der Entfernung die schallende Rede Wulfrins verstanden hatte. »Sie heißen: Hiltrud, Rotrud, Rothaid, Gisella, Bertha, Adaltrud und Himiltrud. Gnadenreich hat eine Tabelle davon verfertigt.« Die rätischen Mädchen wiederholten die ihnen fremdklingenden Namen und zogen unter jubelndem Gelächter die junge Herrin mit sich fort.

Gnadenreich verlangsamte den Schritt. Traulich suchte er die Hand des Höflings. »Die Ehe ist heilig«, sagte er, »und das sollte der Kaiser nicht vergessen, da er so hoch steht. Du hast erraten, Wulfrin, daß ich außer ihr geboren bin. Deshalb habe ich eine große Meinung von ihr und eine wahre Leidenschaft, in der mei- nigen ein Muster von Tugend zu sein. Ein gutes Mädchen führe nicht schlecht mit mir. Du kennst meine Neigung, an der ich fest- halte, wenn mir auch Palma zuweilen Sorge macht. Jetzt sind wir allein – sie scheint heute lenksam – das könnte die Stunde sein – wenn es dein Wille wäre« –

»Sei nur getrost, Gnadenreich«, ermutigte Wulfrin, »die Sache ist abgemacht.«

Hätte einer der Gewalttätigen, welche auf den rätischen Felsen nisteten, begehrlich nach Palma gegriffen, Wulfrin möchte ihm ins Angesicht getrotzt und das Schwert aus der Scheide gerissen haben, aber Graciosus war zu harmlos, als daß er ihm hätte zürnen kön- nen. Und er selbst fühlte sich mit einem Male von einem dunkeln Schrecken getrieben, die Schwester zu vermählen.

[118] Nebenweib.

»Abgemacht?« fragte Graciosus, »du willst sagen: zwischen dir und der Richterin? Doch wie meinst du – ist Palma nicht am Ende zu wild und groß für mich?«

»Sei nicht blöde und fackle nicht länger! Willst du sie?«

Die Schreitenden hatten eine Hügelwelle überstiegen und erblickten jetzt diejenige wieder, von der sie redeten. Sie hatte sich von den Hirtinnen getrennt und stand vor einem der tiefen und schnell-strömenden Bäche, welche die Hochmatten durchschneiden. Neben ihr irrte ein blökendes Lämmchen, das die Herde verloren hatte, und am Uferrand sitzend löste sich eine kropfige Bettlerin blutige Lumpen von ihrem wunden Fuße und wusch ihn mit dem frischen Wasser. Rasch entledigte sich das Mädchen der Schuhe, stellte dieselben mit einem mitleidigen Blick neben die Kretine[119], hob das Lamm in die Arme, watete mit ihm durch die Strömung und ließ es seiner Herde nachlaufen.

Da kam über Gnadenreich eine Erleuchtung. »Ich wage es! Ich nehme sie!« rief er aus. »Sie ist gut und barmherzig mit jeglicher Kreatur!«

»So gehe voraus und richte das Brautmahl! Ich werde für dich werben. Das ist doch dein Kastell?« In einiger Entfernung stieg aus einem Bezirke von Hürden und Ställen ein neugebauter Rundturm, über welchem gerade der Föhn einen ungeheuerlichen Wolkendrachen emportrieb. Gnadenreich bog seitwärts die Brücke suchend, während der Höfling den reißenden Bach in einem Satze übersprang.

Wulfrin erreichte die Schwester. »Du läufst barfuß, Bräutchen?«

»Ich bin kein Bräutchen, und was nützen mir die Schuhe, wenn ich nicht mit dir durch die Welt laufen darf?«

»Du bist nicht die Törin, das im Ernst zu reden, und die Frau auf Pratum darf nicht unbeschuht gehen.«

»Gnadenreich hat nicht den Mund gegen mich geöffnet.«

»Er wirbt durch den meinigen. Nimm ihn, rat ich dir, wenn du keinen andern liebst.«

Sie schüttelte den Kopf. »Nur dich, Wulfrin.«

»Das zählt nicht.«

Sie hob die klaren Augen zu ihm auf. »Geschieht dir damit ein so großer Gefallen?«

Er nickte.

»So tue ich es dir zuliebe.«

»Du bist ein gutes Kind.« Er streichelte ihr die Wange. »Ich

[119] Die Schwachsinnige.

werde euch schützen, daß euch nichts Feindliches widerfahre, und bei eurem ersten Buben Gevatter stehen.«

Sie errötete nicht, sondern die Augen füllten sich mit Tränen. »Nun denn«, sagte sie, »aber wir wollen langsam gehen, daß es eine Stunde dauert, bis wir Pratum erreichen.« Der Turm stand vor ihnen. Dem Höfling aber wurde es offenbar, jetzt da er die Schwester weggab, daß sie ihm das Liebste auf der Erde sei.

»Hier thronen wir wie die Engel«, sagte Graciosus, nachdem er seine Gäste die Wendeltreppe empor durch die Gelasse seines Turmes und auf die Zinne geführt hatte, wo das Mahl bereitet war. Der Tisch trug neben den Broten eine Schüssel Milch mit dem geschnitzten Löffel und einen Krug voll schwarzdunkeln Weines, ein bischöfliches Geschirr, denn es war mit der Mitra und den zwei Krummstäben bezeichnet. Die dreie saßen auf e i n e r Bank, das Mädchen in der Mitte. Die ringsum laufende Brüstung reichte so hoch, daß sich kaum darüber wegblicken ließ. Nur der Himmel war sichtbar, und an diesem häuften sich unheimliche schwefelgelbe Wolken.

»Die Milch für mich, für dich der Wein, Wulfrin«, sagte Graciosus. »Der verreiste noch glücklich aus dem bischöflichen Keller, ehe ihn die Lombarden leerten. Aber mit wem hält es Fräulein Palma?« »Mit dir«, meinte der Höfling.

Graciosus sprach das Tischgebet. »Nun gleich auch den andern Spruch, frisch heraus, Gnadenreich!« ermunterte Wulfrin.

Da geschah es, daß der Bischofsneffe, so redegewandt er war, sich auf nichts besinnen konnte von alle dem Zärtlichen und Verständigen, was er sich für diesen entscheidenden Augenblick langeher ausgesonnen hatte. Ratlos blickte er in die warmen braunen Augen. Jetzt gedachte er des Lämmchens und der bloßen Füße und kam in eine fromme Stimmung. »Palma novella[120]«, bekannte er, »ich liebe dich von ganzem Herzen, von ganzer Seele und von ganzem Gemüte.«

Das war hübsch. Das Mädchen wurde gerührt und reichte ihm die Hand. Auch Wulfrin mißfiel diese Werbung nicht. »Nun aber wollen wir ein bißchen lustig sein!« rief er aus. »Das bringe ich euch!« Er hob den Krug und trank. Graciosus schöpfte einen Löffel Milch und bot ihn dem Munde seiner Braut. Es war nicht der einzige auf Pratum, aber Gnadenreich wollte eine sinnbildliche Handlung begehen.

Sie öffnete schon die roten Lippen, da sagte sie: »Heute widersteht mir die Milch. Gib du mir zu trinken, Wulfrin.« Er reichte ihr

[120] Vgl. Anm. 103.

den Krug, und sie schlürfte so hastig, daß er ihr denselben wieder aus den Händen nahm. Darauf schien sie ermüdet, denn sie ließ den Kopf auf die Schulter und allmählich in die Arme sinken und nickte ein. Die Föhnluft wurde zum Ersticken heiß. Wulfrin und Graciosus verstummten ebenfalls, und dieser half sich, indem er seine Milch auslöffelte und nach ländlicher Sitte zuletzt die Schüssel mit beiden Händen an den Mund hob. Wulfrin betrachtete den jungen Nacken. Er enthielt sich nicht und berührte ihn mit den Lippen. Sie erwachte.

»Aber wir sitzen auf dem Turm wie die drei Verzauberten«, sagte sie. »Geh, Gnadenreich, hole uns das Buch, wo der Bruder abgebildet ist, das aus dem Stifte – weißt du – welches du bei deinem letzten Besuche der Mutter, der ich über die Schulter blickte, gezeigt hast.« Gnadenreich willfahrte ihr, aber sichtlich ungerne.

Palma suchte und fand das Blatt. Über dem lateinischen Texte war mit saubern Strichen und hellen Farben abgebildet, wie ein Behelmter den Arm abwehrend gegen ein Mädchen ausstreckte, das ihn zu verfolgen schien. Mit dem Krieger deuchte er sich nichts gemein zu haben als den Helm, doch je länger er das gemalte Mädchen beschaute, desto mehr begann es mit seinen braunen Augen und goldenen Haaren Palma zu gleichen. Um die Figur aber stand geschrieben: »Byblis[121]«.

»Erzähle und deute, Gnadenreich«, bat Palma. Graciosus blieb stumm. »Nun, so will ich erklären. Das hier ist der Bruder auf Malmort, wie er anfangs war und mich wegstößt.«

»Das ist nichts für dich, Palma!« wehrte Graciosus ängstlich, »laß!« und er entzog das Buch ihren Händen.

»Ihr seid beide langweilig!« schmollte sie. »Ich gehe lieber. Drüben am Hange sah ich blühende Rosen in dichten Büschen stehen. Ich will mir einen Kranz winden«, und sie entsprang.

Ein blendender Blitz fuhr über Pratum weg und dem Höfling wie Feuer durch die Adern. »Warum hast du ihr das Buch weggenommen?« fragte er gereizt.

»Weil es für Mädchen nicht taugt«, rechtfertigte sich Gnadenreich.

»Warum nicht?«

»Die Schwester im Buche liebt den Bruder.«

»Natürlich liebt sie ihn. Was ist da zu suchen?«

Graciosus antwortete mit einer Miene des Abscheus: »Sie liebt ihn sündig! sie begehrt ihn.«

Wulfrin entfärbte sich und wurde totenbleich. »Schweig, Schurke!«

---

[121] Tochter des Miletus, des Erbauers der Stadt Milet; sie verliebte sich in ihren Bruder und wurde in eine Quelle verwandelt.

schrie er mit entstellten Zügen, »oder ich schleudere dich über die Mauer!«

»Um Gottes willen«, stammelte Graciosus, »was ist dir? Bist du verhext? Wirst du wahnsinnig?« Er war von Wulfrin und dem Buche weggesprungen, in welches dieser mit entsetzten Blicken hineinstarrte. »Ich beschwöre dich, Wulfrin, nimm Vernunft an und laß dir sagen: das hat ein heidnischer Poet ersonnen, leichtfertig und lügnerisch hat er erfunden, was nicht sein darf, was nicht sein kann, was unter Christen und Heiden ein Greuel wäre!«

»Und du liesest so gemeine Bücher und ergötzest dich an dem Bösen, Schuft?«

»Ich lese mit christlichen Augen«, verteidigte sich Gnadenreich beleidigt, »zu meiner Warnung und Bewahrung, daß ich den Versucher kenne und nicht unversehens in die Sünde gleite!«

Die Hände des Höflings zitterten und krampften sich über dem Blatte.

»Bei allen Heiligen, Wulfrin, zerstöre das Buch nicht! Es ist das teuerste des Stiftes!«

»Ins Feuer mit ihm!« schrie der Höfling, und weil kein Herd da war als der lodernde des offenen Himmels, riß er das Blatt in Fetzen und warf sie hoch auf in den wirbelnden Sturm.

Es trat eine Stille ein. Graciosus betrachtete stöhnend das verstümmelte Buch, während Wulfrin mit verschlungenen Armen und unheimlichen Augen brütete. So beschlich ihn die zurückkommende Palma und setzte ihm den leichten von ihr gewundenen Kranz auf das belastete Haupt.

Er fuhr zusammen, da er das Geflechte spürte, zerrte es sich ab, riß es entzwei und warf es mit einem Fluche dem vom Laufe erhitzten Mädchen zu Füßen.

Da flammten ihr die Augen und sie streckte sich in die Höhe: »Du Abscheulicher! Tust du mir so?« Zornige Tränen drangen ihr hervor. »Nun nehme ich auch den Gnadenreich nicht, dir zuleide!«

»Palma«, befahl er, »gleich kehrst du nach Hause! Über die Alp! Wende dich nicht um! Ich gehe durch die Schlucht! Läufst du mir über den Weg, so werfe ich dich in den Strom!«

Sie sah ihn jammervoll an. Seine Todesblässe, das gesträubte Haar, das unglückliche Antlitz erfüllten sie mit Angst und Mitleid. Sie machte eine Bewegung gegen ihn, als wollte sie ihm mit beiden Händen die pochenden Schläfen halten. »Hinweg!« rief er und riß das Schwert aus der Scheide.

Da wandte sie sich. Er blickte über die Brüstung und sah, wie sie in wildem Laufe durch die Alp eilte. Auch er verließ das Kastell

und schlug, von dem nahen Tosen des Stromes geführt, den Weg
gegen die Schlucht ein, die furchtbarste in Rätien. Gnadenreich gab
ihm kein Geleit.

Da er in den Schlund hinabstieg, wo der Strom wütete, und er im
Gestrüpp den Pfad suchte, störte sein Fuß oder der ihm vorleuch-
tende Wetterstrahl häßliches Nachtgevögel auf, und eine pfeifende
Fledermaus verwirrte sich in seinem Haare. Er betrat eine Hölle.
Über der rasenden Flut drehten und krümmten sich ungeheure Gestalten, die der flammende Himmel auseinanderriß und die sich in
der Finsternis wieder umarmten. Da war nichts mehr von den lichten Gesetzen und den schönen Maßen der Erde. Das war eine Welt
der Willkür, des Trotzes, der Auflehnung. Gestreckte Arme schleu-
derten Felsstücke gegen den Himmel. Hier wuchs ein drohendes
Haupt aus der Wand, dort hing ein gewaltiger Leib über den Abgrund. Mitten im weißen Gischt lag ein Riese, ließ sich den ganzen
Sturz und Stoß auf die Brust prallen und brüllte vor Wonne. Wulfrin aber schritt ohne Furcht, denn er fühlte sich wohl unter diesen
Gesetzlosen. Auch ihn ergriff die Lust der Empörung, er glitt auf
eine wilde Platte, ließ die Füße überhangen in die Tiefe, die nach
ihm rief und spritzte, und sang und jauchzte mit dem Abgrund.

Da traf der starre Blick seines zurückgeworfenen Hauptes auf ein
Weib in einer Kutte, das am Wege saß. »Nonne, was hast du gefrevelt?« fragte er. Sie erwiderte: »Ich bin die Faustine und habe
den Mann vergiftet. Und du Herr, was ist deine Tat?«

Lachend antwortete er: »Ich begehre die Schwester!«

Da entsetzte sich die Mörderin, schlug ein Kreuz über das andere
und lief so geschwind sie konnte. Auch er erstaunte und erschrak
vor dem lauten Wort seines Geheimnisses. Es jagte ihn auf und er
floh vor sich selbst. Schweres Rollen erschütterte den Grund, als
öffne er sich, ihn zu verschlingen. Von senkrechter Wand herab
schlug ein mächtiger Block vor ihm nieder und sprang mit einem
zweiten Satz in die aufspritzende Flut.

Der Himmel schwieg eine Weile, und Wulfrin tappte in dunkler
Nacht. Da erhellte sich wiederum die Schlucht, und auf einer über
den Abgrund gestürzten Tanne sah er die Schwester mit nackten
und sichern Füßen gegen sich wandeln, und jetzt lag sie vor ihm
und berührte seine Knie.

»Was habe ich dir getan«, weinte sie, »warum fliehst, warum ver-
wünschest du mich? Bruder, Bruder, was habe ich an dir gesündigt?
Ich kann es nicht finden! Siehe, ich muß dir folgen, es ist stärker als
ich! Ich lief drüben, da sah ich den Steg. Töte mich lieber! Ich kann
nicht leben, wenn du mich hassest! Tue, wie du gedroht hast!«

Er stieß einen Schrei aus, ergriff, schleuderte sie, sah sie im Ge-
witterlicht gegen den Felsen fahren, taumeln, tasten und ihre Knie
unter ihr weichen. Er neigte sich über die Zusammengesunkene. Sie
regte sich nicht und an der Stirn klebte Blut. Da hob er sie auf
mächtigen Armen an seine Brust und schritt ohne zu wissen wohin,
das Liebe umfangend, dem Tale zu.

Er hatte die Klus[122] hinter sich, da sauste es an ihm vorüber und
er erblickte einen Knaben, der ein scheues Roß zu bändigen suchte.
»He, Gabriel«, rief er ihm nach, »sage der Richterin, sie rüste den
Saal und richte das Mahl! Tausend Fackeln entzündet! Malmort
strahle! Ich halte Hochzeit mit der Schwester!« Der Sturm verschlang die rasenden Worte. Malmort mit seinen Türmen stand
schwarz auf dem noch wetterleuchtenden Nachthimmel.

Mit seiner Last den Burgpfad emporsteigend, sah er oben Lichter
hin- und herrennen. Dann begegnete er der geängstigten Mutter,
die ihm halben Weges entgegengeeilt war. »Wulfrin«, flehte sie mit
ausgestreckten Armen, »wo hast du Palma?« »Da nimm sie«, sagte
er und bot ihr die Leblose.

Viertes Kapitel

Da Wulfrin am folgenden Tage erwachte, lag er unter den schwarz-
schattenden Büscheln einer gewaltigen Arve, während die Matten
ringsum schon in der Mittagssonne schimmerten. Er hatte eben noch,
den würzigen Waldgeruch einatmend, heiter und glücklich geträumt
von dem Wettspiel in einer römischen Arena und im Speerwurf
einen Lorbeerkranz davongetragen. Sein Blut floß ruhig und seine
Stirne war hell.

Nachdem er gestern Palma der Mutter in die Arme gelegt, war er
ins Dunkel zurückgewichen. Mit irren Füßen, in ruhelosem Laufe,
kreuz und quer, hatte er das Gebiet von Malmort durchjagt, bis
weit über Mitternacht hinaus, und war dann im Morgengrauen nie-
dergestürzt und in einen bleiernen Schlaf versunken.

Er fand sich auf einer von leichtgeschwungenen Hügeln umgebe-
nen Wiese, fernab von dem Geläute der Herdglocken, in tiefer Einsamkeit. Nur ein Specht hämmerte und zwei Eichhörner tummelten
und neckten sich in der Mitte ihres grünen Bezirkes. Wulfrin rieb
sich den Schlummer aus den Augen und schaute umher. Da entdeckte er über dem Hügelrande die Giebel und Turmspitzen von
Malmort. Er ließ sich auf dem Hange gleiten, und sie verschwanden.

[122] Klause, Schlucht.

Allmählich schlich sich das Gestern an ihn heran, er wehrte es ab, er mißtraute ihm, er wollte, er konnte es nicht glauben. War er nicht der Starke und Freie, der Fröhliche und Zuversichtliche, der dem Feinde ins Auge sah und das Irrsal mit dem Schwerte durchschnitt? Was war denn geschehen? Eine rätselhafte Frau hatte ihn übermocht, zu beschwören, was er nicht bezweifelte. Ein Mädchen, das sich in der langen Weile eines Bergschlosses den vollkommensten Bruder ausgesonnen, war ihm zugesprungen und hatte sich närrisch ihm an den Hals gehängt. Ein tückischer Becher ungewohnten Weines, oder das freche Bild einer ausschweifenden Fabel, oder der heiße Hauch des Föhns oder was es sonst gewesen sein mochte, hatte ihn betört und verstört. Und was er an den Felsen geschleudert, war nicht die Schwester — wie hätte sie den gähnenden Abgrund überschritten? — sondern irgendein Blendwerk der Gewitternacht.

»Und war es die Schwester und habe ich sie zerschmettert, so bin ich ihrer ledig«, trotzte er, und zugleich ergriff ihn ein unendliches Mitleid und die inbrünstigste Liebe zu dem jungen Leben, das er mißhandelt und vernichtet hatte. Er sah sie mit allen ihren Gebärden, jedes ihrer süßen und unschuldigen Worte nahm Gestalt an, er schaute in ihre seligen Augen und in ihre wehklagenden. Jetzt fühlte er sie, die sich weinend und schmeichelnd mit ihm vereinigte, und wußte, daß sie noch lebte und atmete. »Meine Seele! Blut meiner Adern!« rief er und wieder: »Palma, Palma!«

»— alma!« wiederholte das Echo.

»Palma mein Weib!« Das Echo entsetzte sich und verstummmte.

Ein tödlicher Schauer durchrieselte sein Mark. Sich auf die Rechte stützend, hob er sich bald von der Erde und langte mit der Linken nach der blutenden Brust wie auf dem Schlachtfeld. »Es sitzt!« ächzte er. »Ich bin der Schrankenlose, der Übertreter, der Verdammte! Ich muß sterben, damit die Schwester lebe! Doch womit habe ich den Himmel beleidigt? wodurch habe ich die Hölle gelockt?« Rasch übersann er sein Leben, er fand darin keinen Makel, nur läßlichen Fehl. »Nun, wen's trifft, den trifft's! Ich habe eben das schlimme Los aus dem Helme gezogen und verwundere mich nicht, kenne ich ja die Grausamkeiten der Walstatt. Es geht vorüber!« Da schien ihm denn doch das Dasein ein Gut, so leicht er es sonst wertete, jetzt da er, ob auch unter grimmigen Schrecken, seinen tiefsten Reiz und seine geheimste Lieblichkeit gekostet hatte. Er hob die starken Hände vor das Angesicht und schluchzte . . .

Mählich verlängerten sich die Schatten, und es wurde still über der Wiese. Da legte sich ihm eine Hand auf die Schulter. Ohne das Haupt zu wenden, sagte er: »Ich komme«, und wollte sich erheben, denn er wußte, es war der Tod, der zu ihm trat, um ihn an den jähesten Abgrund zu führen.

»Bleibe, Wulfrin!« sprach weich die Stimme der Richterin, »ich setze mich zu dir«, und Frau Stemma ließ sich neben ihm auf das Moos gleiten in einem weiten langen Gewande, das selbst die Spitzen der Füße verhüllte.

»Berühre mich nicht!« schrie er und warf sich zurück. »Ich bin ein Unseliger!«

»Ich suche dich lange«, sagte sie. »Warum bliebest du ferne? Dir ist bange für Palma? Die wurde nur leicht verwundet, hat aber in tiefer Ohnmacht gelegen. Erwachend hat sie erzählt, wie euch gestern das Gewitter in der Schlucht überraschte, wie sie glitt und die Besinnung verlor. Auf deinen Armen hast du sie getragen.«

Wulfrin blieb stumm.

»Oder redete sie unwahr und du warfest sie an den Felsen, um sie zu zerschmettern?«

Er nickte.

Sie schwieg eine Weile, dann hob sie die Hand und berührte wiederum seine Schulter. »Wulfrin, du hassest deine Schwester oder – du liebst sie!« Sie fühlte, wie der Höfling vom Wirbel zur Zehe zitterte.

»Es ist entsetzlich«, stöhnte er.

»Es ist entsetzlich«, sagte sie, »aber unerklärlich ist es nicht. Ihr seid ferne voneinander erwachsen, wurdet eurer Angesichter und Gestalten nicht gewöhnt, und so waret ihr euch frisch und neu, da ihr euch fandet, wie ein fremder Mann und ein fremdes Weib. Mutig! Rufe und rufe es deinen Gedanken und Sinnen zu: Palma und Wulfrin sind eines Blutes! Sie werden schaudern und erkalten und nicht länger die himmlische Flamme der Geschwisterliebe verwechseln mit dem schöpferischen Feuer der Erde.«

Er antwortete nicht, kaum daß er ihre Worte gehört hatte, sondern murmelte zärtlich: »Warum hast du sie Palma novella getauft? Das ist ein gar seltsamer und schöner Name!«

Stemma erwiderte: »Ich habe sie die junge Palme genannt, weil sie aus dem Schutte des Grabes frisch und freudig aufsprießt und, bei meinem Leben! wer an dem schlanken Stamme frevelt, den richte und töte ich! Noch ist Palma unschuldig. Deine rasende Flamme hat ihr nicht ein Härchen der Wimper, nicht den äußersten Saum des Kleides versengt. Unglücklicher, wie ist ein solches Leiden über dich gekommen?«

»Wie eine Seuche, die aus dem Boden dampft! Aber mein Schutzengel warnte mich vor Malmort. Da du mich riefest, verschloß ich das Ohr. Ich bog ab und fiel in die Hände der Lombarden. Warum hast du den Pfeil des Witigis gehemmt?« Er starrte vor sich nieder. Dann schrie er verzweifelnd auf und ergriff und preßte den Arm der Richterin, die finstern Augen fest auf das ruhige Antlitz heftend: »Bei dem Haupte Gottes –«

»Bei dem Haupte Palmas«, sagte sie.

– »ist sie meine Schwester?«

»Wie sonst? Ich weiß es nicht anders. Was denkst du dir?«

»Dann ist mein Haupt verwirkt und jeder meiner Atemzüge eine Sünde!« Er sprang auf, während sie ihn mit nervigen Armen umschlang, so daß sie ihn mit sich emporzog.

»Wohin, Wulfrin? In eine Tiefe? Nein, du darfst diesen starken Leib und dieses tapfere Herz nicht zerstören! Nimm dein Roß und reite! Reite zu deinem Kaiser! Mische dich unter deine Waffenbrüder! Ein paar Tagritte und du bist gesundet und blickst so frei wie die andern!«

»Das geht nicht«, sagte er jammervoll. »Wir leiden nicht den geringsten Makel in unserer Schar, und ich sollte verräterisch die Schande unter uns verstecken?«

»So stachle dein Roß, reite Tag und Nacht, über Berg und Fläche, springe in ein Schiff, bringe ein Meer und ein zweites zwischen sie und dich, und wenn dich Delphin und Nixe umgaukelt, tauchen vor dir aus der Bläue Inseln und Vorgebirge, verwegenes Abenteuer und die Schönheit als Beute!«

»Was hülfe es?« sagte er. »Sie zöge mit mir, die Nixe trüge ihr Angesicht und ich umarmte sie in jedem Weibe! Denn ich bin mit ihr vermählt ewiglich. Nein, ich kann nicht leben!«

»Das ist Feigheit!« sprach sie leise.

Der Schimpf trieb ihm wie ein Schlag das Blut ins Angesicht. Er bäumte sich auf. »Du hast recht, Frau!« schrie er. »Ich darf nicht als ein Feigling umkommen, du selbst sollst mich richten und verurteilen. Am lichten Tag, unter allem Volke, will ich den Greuel bekennen und die Sühne leisten!« So rief er in zorniger Empörung, dann aber besänftigte sich sein Angesicht, denn er hatte die Lösung gefunden, die ihm ziemte.

»Unsinn!« sagte sie. »Solche verborgene Dinge bekennt man nicht dem Tage, denn du bist ein Verbrecher nur in deinen Gedanken. Die Tat aber und nur die Tat ist richtbar.«

»Frau, das wird sich offenbaren! Vernimm, was ich tue. Ich wandere zu dem Kaiser und spreche zu ihm: Siehe, Wulfrin, der Höfling begehrt das eigene Blut, das Kind seines Vaters! Es ist so, er kann nicht anders. Schaffe den Sünder aus der Welt! Und spricht der Kaiser: Die Tat ist nicht vollbracht, so antwortet Wulfrin: Ich vollbringe sie mit jedem Atemzuge!«

»Auf sündiger Geschwisterliebe«, drohte Frau Stemma, »steht das Feuer.«

Wulfrin lachte.

»Und du willst vor dem ganzen Volke dastehen in deiner Blöße?«

»Ich will dastehen«, sagte er, »als der, welcher ich bin.«

»So mangelt dir der Verstand und die Kraft, das Geheimnis der Sünde zu tragen?«

»Das ist Weibes Art und Weibes Lust«, sagte er verächtlich.

»Und du wirst mit dem Kaiser kommen, und ich soll dich richten?«

»Du!«

»Das werde ich!« sagte sie und entfernte sich langsam.

Jetzt, da Wulfrin sein Schicksal entschieden und vollendet glaubte, kam die Ruhe des Abends über ihn. Er blieb unter seiner Arve, bis die Sonne niederging und der Tag ihr folgte. Und wie sie mit gebrochenen Speeren sich legte und ihr Blut am Himmel verströmte, erlosch er mit ihr und sah sich die Schwester, wie das Spätlicht, im grünen Gewande und auf stillen Sohlen nachschreiten. Das aufgegebene Schwert reute ihn nicht. »Sie werden drüben einen Krieger brauchen«, sagte er sich und wandelte schon unter den seligen Helden.

Wie es Nacht war und der Mond leuchtete, ging er sachte bergab, denn er gedachte ein Seitental zu gewinnen und seinen Kaiser zu erreichen, ohne daß er Malmort und die Stapfen der Schwester berühre. Beide wollte er nur am Gerichtstage wiedersehen. Er gelangte an den Strom, der hier ohne Gewalt und Sturz Klippen und Felsen breit überflutete. Das Mondlicht verlockte ihn, sich auf ein Felsstück zu lagern und wunsch- und schmerzlos mit den Wellen dahinzufließen. Er wurde sich selbst zum Traume.

Da sah er Elb oder Elbin tauchen. Es schwamm weiß im Strome, ein Nacken schimmerte und jetzt hob der blanke Arm ein Hifthorn in die Höhe, das der Mond versilberte. Er erkannte sein entwendetes Erbteil und trat ohne Hast und Erstaunen dem freundlichen Wunder nahe.

»Herr Wulfrin«, jubelte eine Knabenstimme, »freue dich! Glück über dir! Ich halte dein Horn!« und Gabriel, der sein Hirtenhemde wieder umgeworfen hatte, sprang zu ihm empor.

»Schon heute mittag«, erzählte er, »sah ich es beim Fischen auf dem Grunde. Ich kannte es gleich, doch war ich nicht allein und mußte die Nacht erwarten. Hat es schon lange gelegen?« Er schüttelte das Horn und ließ das Wasser sorgfältig aus der Bauchung abtropfen. »Wenn es nur nicht verdorben ist!« Er hob es an den Mund und stieß darein, daß die Berge widerhallten. »Hier, Herr!« sagte er. »Wahrhaftig, es hat ihm nichts getan. Ein wackeres Schlachthorn!«

Wulfrin ergriff es und hing es sich um. Als er sich aber einen Goldring – irgendein Beutestück von der Hand ziehen wollte, um den Knaben abzulohnen, wehrte Gabriel. »Nein, Herr, lege lieber ein Wort für mich ein, daß mich der Kaiser mitreiten läßt! Doch jetzt muß ich heim! Ich habe noch in den Ställen zu tun. Kommst du mit? Ich weiß Stapfen an dem Felsen empor, und wir gelangen durch ein Hinterpförtchen noch einmal so rasch in den Hof als auf dem Burgwege.«

Und Wulfrin folgte. Die Handlichkeit und Herzlichkeit des Buben hatte seine Sinne und Geister erwärmt. Der Wiedergewinn seines Erbes weckte das Bild des Vaters und die kindliche Gesinnung auf. Und obwohl aus dem Elben ein Menschenknabe geworden war, zitterte doch über dem Strom ein Schimmer von Geisterhilfe. »Am Ende ist es der Vater«, sagte er sich, »und er wird mir beistehen, wenn er kann. Wenn er noch irgend da ist, läßt er mich nicht elend umkommen. Ich will ihn rufen. Vielleicht antwortet er. Es ist ein Glaube, daß der Tote aus dem Grabmal mit seinen Kindern redet. Ich wage es! Ich blase ihn wach! Dann frage ich nichts als: Vater, ist Palma dein Kind? Redet er nicht, so nickt er wohl oder schüttelt das Haupt.« Obschon der Höfling an Stemma nicht zweifelte, deren Wesen über ihn Gewalt hatte, focht ihn doch der Widerspruch zwischen dem Glauben an die Lebendige und der Frage an den Toten wenig an. Er fühlte einfach, daß er den Vater – wenn dieser zu erreichen sei – befragen und beraten müsse, ehe er sich anklage und sich richten lasse. Aber seine Ruhe war weg, sein Geist gespannt, und er hörte kein Wort von dem, was der Knabe unterwegs plauderte.

Ebenso unruhig schritt Stemma hinter dem erhellten Fenster, das der Emporklimmende über dem Burgfelsen aufsteigen sah. Aus der Ferne und Tiefe war ein Ton zu ihr hergedrungen, den sie haßte und den sie vernichtet zu haben glaubte. Während ihr Kind auf dem Lager schlummerte, ging sie rastlos auf und nieder. Sie vergegenwärtigte sich Wulfrin, wie er vor Kaiser und Volk eines seltenen, ja unglaublichen Frevels sich beschuldigte, und ihr wurde bange, daß sie und wie sie über ihn richten werde.

War es denkbar, daß sich die Natur so verirrte? daß ein so lauterer Mensch in eine solche Sünde verfiel? War es nicht wahrscheinlicher, daß hier Irrtum oder Lüge Bruder und Schwester gemacht hatte? So hätte die Richterin ohne Zweifel geforscht und untersucht, wäre sie nicht Stemma und Palma nicht ihr Kind gewesen.

Aber sie durfte nicht untersuchen, denn sie hätte etwas Vergrabenes aufgedeckt, eine zerstörte Tatsache hergestellt, ein Glied wieder einsetzen müssen, das sie selbst aus der Kette des Geschehenen gerissen hatte.

Jetzt begann es mit einem Male vor ihr aufzutauchen, die Sünde des Unschuldigen sei das gegen sie selbst heranschreitende Verhängnis. »Gilt es mir? Wird ein Plan gegen mich geschmiedet? Ist eine Verschwörung im Werke?« rief sie ins Dunkel hinein.

Da hatte sie ein Gesicht. Sie erblickte mit den Augen des Geistes durch die dämmernde Wand, weit in der Ferne und doch ganz nahe, ein gewaltiges Weib von furchtbarer Schönheit. Diese saß in langen blauen Gewanden, eine Tafel auf das übergelegte Knie gestützt, einen Griffel in der Hand, schreibend oder zählend, irgendeine Lösung suchend. Nach einigem Sinnen ging ein stilles langsames Lächeln über den strengen Mund und schien zu sagen: So ist es gut und siehe, es ist so einfach!

Da glaubte die Richterin eine Feindin sich gegenüber zu sehen und trotzte ihr, Weib gegen Weib. »Das bringst du nicht heraus! Du findest keine Zeugen!« Die Fremde aber hob die Tafel mit beiden Händen empor über die sonnenhellen Augen und verschwand. »Du hast keine Zeugen!« rief ihr die Richterin nach. Ihr antwortete ein erschütternder Ruf, der aus allen Wänden, aus allen Mauern drang, als werde die Posaune geblasen über Malmort.

Stemma erbebte. Sie sprang an das Lager ihres Kindes, um es fest in den Armen zu halten, wenn Malmort unterginge. Palma war nicht erwacht, sie schlief ruhig fort. Die Richterin besann sich. Hatte der grauenhafte Ton in Tat und Wahrheit diese Luft, diese Räume, diese Mauern erschüttert? Müßte Palma nicht aus dem tiefsten Schlummer aufgefahren sein? Es war unmöglich, daß der gewaltige Ruf sie nicht geweckt hätte. Frau Stemma war nicht unerfahren in solchen unheimlichen Dingen: sie kannte die Schrecken der Einbildung und die Sprache der überreizten Sinne. Sie hatte es erfahren an den Schuldigen, die sie richtete, und an sich selbst. »Das Ohr hat mir geklungen«, sagte sie, die noch am ganzen Leibe zitterte.

Hätte sie durch Dielen und Mauern blicken können, so sah sie den bleichen Wulfrin, der an der Gruft des Vaters kniete, ins Horn stieß, ihn rührend beschwor, ihm herzlich zusprach, Rede zu stehen. Sie hätte gesehen, wie Wulfrin, da der Stein schwieg, das Horn zum andern Male an den Mund setzte und endlich verzweifelnd über die Mauer sprang.

Wieder schütterte Malmort in seinen Tiefen, stärker noch als das erstemal. Da war kein Zweifel mehr, es war das Wulfenhorn, das sie mitten in Gischt und Sturz geschleudert und in unzugängliche Tiefen hatte versinken sehen. Sie sann an dem ängstlichen Rätsel und konnte es nicht lösen. Sie sann, bis ihr die Stirnader schwoll und das Haupt stürmte.

Da fiel ihr zur bösen Stunde der Comes ein, wie er murmelnd im Schilfe sitze und mit dem schweren Kopfe unablässig daran herumarbeite, ob Frau Stemma ihm ein Leides getan. »Er besucht sein Grabmal und stößt in sein Horn! Er stört die Nacht! Er verwirrt Malmort! Er schreckt das Land auf! Das leide ich nicht! Ich verbiete es ihm! Ich bringe den Empörer zum Schweigen!« Und der Wahn gewann Macht über diese Stirn.

Ohne sich nach Palma umzusehen, stürzte sie zornig die Wendeltreppe hinab und betrat den Hof, wo der Comes und ihr eigenes Bild auf der Gruft lagen. Darüber webte ein ungewisser Dämmer, da eine leichte Wolke den Mond verschleierte. Der Comes ließ sein Horn zurückgleiten, und die steinerne Stemma hob die Hände als flehe sie: Hüte das Geheimnis!

Aufgebracht stand die Richterin vor dem Ruhestörer. »Arglistiger«, schalt sie, »was peinigst du mein Ohr und bringst mein Reich in Aufruhr? Ich weiß, worüber du brütest, und ich will dir Rede stehn! Keine Maid hat dir der Judex gegeben! Ich trug das Kind eines andern! Du durftest mich nie berühren, Trunkenbold, und am siebenten Tage begrub dich Malmort! Siehst du dieses Gift?« Sie hob das Fläschchen aus dem Busen. »Warum ich leben blieb, die dir den Tod kredenzte? Dummkopf, mich schützte ein Gegengift! Jetzt weißt du es! Palma novella unter meinem Herzen hat dich umgebracht! Und jetzt quäle mich nicht mehr!«

So grelle und freche Worte redete die Richterin.

Durch ihr lautes Schelten zu sich selbst gebracht, betrachtete sie wieder den Comes, der jetzt im klarsten Mondenlichte lag. Die furchtbare Geschichte kümmerte ihn nicht, er lag regungslos mit gestreckten Füßen. Jetzt sah sie, daß sie zum Steine gesprochen, und schlug eine Lache auf. »Heute bin ich eine Närrin!« sagte sie. »Ich will zu Bette gehen.«

Sie wandte sich. Palma novella stand hinter ihr, weiß, mit entgeisterten Augen, das Antlitz entstellt, starr vor Entsetzen. Der zweite Hornstoß hatte sie geweckt, und sie war der Mutter auf besorgten Zehen nachgeschlichen.

Zwei Gespenster standen sich gegenüber. Dann packte Stemma den Arm des Mädchens und schleppte es in die Burg zurück. Sie selbst hatte ihrem Geheimnisse einen Mund und einen Zeugen gegeben, und dieser Zeuge war ihr Kind.

Fünftes Kapitel

Seit der Höfling aus Malmort verschwunden war, lastete auf den schweren Mauern Schweigen und Kümmernis. Das Gesinde munkelte allerlei und Knechte und Dirnen steckten die Köpfe zusammen. Die junge Herrin sei krank. Es sei ihr angetan worden. Irgendein Zauber – ob sie einer Drude begegnet oder ein giftiges Kraut verschluckt oder aus einem schädlichen Quell getrunken – habe die Ärmste der Vernunft beraubt. Ihr mangle der Schlummer, sie weine unablässig und lasse sich weder trösten noch auch nur berühren. Ihr widerstehe Speise und Trank und sie schwinde zum Gerippe. Die Laute und Wilde sei gar still und zahm und ihr Lebensfaden zum Reißen dünn geworden. Die bekümmerte Richterin folge ihr auf Schritt und Tritt und dürfe sie nicht aus den Augen lassen.

Zwei Mägde standen am Brunnen zusammen und flüsterten. Benedicta war der jungen Herrin unversehens im Flur begegnet und wollte ihr gebührlich die Hand küssen. Palma sei angstvoll zurückgewichen und habe aufgeschrien: »Rühre mich nicht an!« Veronica hatte durch das Schlüsselloch gespäht und was erblickt? etwas ganz Unglaubliches: die stolze Frau Stemma vor ihrem Kinde niedergeworfen, ihm liebkosend die Knie umfangend und um die Gnade flehend, daß es den Mund öffne und einen Bissen berühre.

Die Mägde verstummten, hoben sich die Krüge zu Haupte und drückten sich, eine hinter der andern, während langsam die Richterin mit Palma aus der Pforte trat und die Stufen herunterschritt. Frau Stemma stützte das Mädchen, das, elend und zerstört, sich selbst nicht mehr gleichsah. Palma ging mit gebeugtem Rücken und unsichern Knie. Groß, doch ohne Strahl und Wärme, traten die Augen aus dem vermagerten Antlitz. »Komm, Kindchen«, sagte Frau Stemma, »du mußt Luft schöpfen«, und sie öffnete ein Gatter, das auf eine zirpende und summende Wiese führte, die einen weiten leicht geneigten Vorsprung der Burghöhe bekleidete und über die Grenzlinie der unsichtbaren Tiefe hinweg in eine lichte Ferne verlief.

Sie setzten sich auf eine Bank, und Frau Stemma betrachtete ihr Kind. Da ergrimmte sie und weinte zugleich in ihrem Herzen über die Verwüstung des einzigen, was sie liebte. Aber sie blieb aufrecht und gürtete sich mit ihrer letzten Kraft. »Wie«, sagte sie sich, »mit gelänge es nicht, dieses Gehirnchen zu betören, dieses Herzchen zu überwältigen?«

»Mein Kind«, begann sie, »hier sind wir allein. Laß uns noch einmal recht klar und klug miteinander reden« –

»Wenn du willst, Mutter.«

– »miteinander reden von dem Wahne jener Nacht. Ich wachte, du schliefest. Da lärmte es im Hofe. Ich gehe hinunter, es war nichts, und ich lache über meinen leeren Schrecken. Ich wende mich. Du stehst vor mir nachtwandelnd, mit offenen stieren Augen. Ich ergreife dich und führe dich in das Haus zurück. Und du erwachst aus dem abscheulichen Traume, der dich jetzt peinigt und zugrunde richtet.«

»Ja und nein, Mutter. Mich weckte ein Ruf, ich sehe dich hinauseilen und folge dir auf dem Fuße. Du standest im Hofe vor den Steinbildern und schaltest den Vater und erzähltest ihm« – sie hielt schaudernd inne.

»Was erzählte ich?« fragte die Richterin.

»Du sagtest« – Palma redete ganz leise – »daß ich nicht sein Kind bin. Du sagtest, daß ich schon unter deinem Herzen lag. Du sagtest, daß du und ich ihn getötet haben.«

»Liebe Törin«, lächelte Frau Stemma, »nimm all dein Denken zusammen und verliere keines meiner Worte. Ich hätte mit einem Steine geredet? als eine Abergläubische? oder eine Närrin? Kennst du mich so? Und du wärest nicht das Kind des Comes? Mit wem war ich denn sonst vermählt? Habe ich dir nicht erzählt, daß ich eine Gefangene war auf Malmort, bis mich der Comes freite? Und ich hätte den Gatten getötet? Ich, die Richterin und die Ärztin des Landes, hätte Gifte gemischt? Kannst du das glauben? Hältst du das für möglich?«

»Nein, Mutter, nein! Und doch, du hast es gesagt!«

»Palma, Palma, mißhandle mich nicht! Sonst müßte ich dich hassen!«

Palma brach in trostlose Tränen aus und warf sich gegen die Brust der Mutter, die das schluchzende Haupt an sich preßte. »Du bringst mich um mit deinem Weinen«, sagte sie. »Glaube mir doch, Närrchen!«

Palma hob das Angesicht und blickte um sich. »Weidet hier am Rande ein Zicklein, Mutter?«

»Ja, Palma.«

»Läutet dort Maria in valle?« Sie wies ein im Tale schimmerndes Kloster.

»Ja, Palma.«

»Ebenso wahr, als ich jetzt nicht träume und das Zicklein weidet und das Kirchlein läutet, ebensowenig habe ich geträumt, daß du vor Wulfrins Vater gestanden und ihn angeredet hast. Es war so, es ist so. Du sprachest immer die Wahrheit, Mutter.«

»Ich sage dir, Palma, es ist ein Traum. Und ich will, daß es ein Traum sei!«

Palma erwiderte sanft: »Belüge mich nicht, Mutter! Habe ich doch vorhin, da du mich an dich preßtest, den scharfen Kristall empfunden, welchen du aus dem Busen gezogen und dem Comes gezeigt hast.«

Die Richterin schnellte empor mit einem feindseligen Blicke gegen ihr Kind, glitt aber langsam auf die Bank zurück und nachdem sie eine Weile in den Boden gestarrt, sagte sie: »Wäre es so und hätte ich so getan, so wäre es deinetwegen.«

»Ich weiß«, sagte Palma traurig.

»Habe ich es getan«, wiederholte Stemma, »so tat ich es dir zuliebe. Ich tötete, damit mein Kind rein blieb.«

Palma zitterte.

»Warum hast du dich in mein Geheimnis gedrängt, Unselige?« flüsterte Stemma ingrimmig. »Ich hütete es. Ich verschonte dich. Du hast es mir geraubt! Nun ist es auch das deinige und du mußt es mir tragen helfen! Lerne heucheln, Kind, es ist nicht so schwer, wie du glaubst! Aber wo sind deine Gedanken? Du bist abwesend! Wohin träumst du?«

»Was ist aus Wulfrin geworden?« fragte sie leise, und eine schwache Röte glomm und verschwand auf den gehöhlten Wangen.

»Ich weiß nicht«, sagte die Richterin.

»Jetzt verstehe ich, daß er mich verabscheut«, jammerte Palma. »O ich Elende! Er stößt mich von sich, weil er Mord an mir wittert. Mir graut vor meinem Leibe! Läge ich zerschmettert!«

»Ängstige dich nicht! Wulfrin hat keinen Argwohn. Er ist gläubig und er traut.«

»Er traut!« schrie Palma empört. »Dann eile ich zu ihm und sage ihm alles wie es ist! Ich laufe, bis ich ihn finde!« Sie wollte aufspringen, die Mutter mußte sie nicht zurückhalten, erschöpft und entkräftet sank sie ihr in den Schoß.

»Ich verrate dich, Mutter!«

»Das tust du nicht«, sagte Stemma ruhig. »Mein Kind wird nicht als Zeugin gegen mich stehen.«

»Nein, Mutter.«

Die Richterin streichelte Palma. Diese ließ es geschehen. Darauf sagte sie wieder: »Mutter, weißt du was? Wir wollen die Wahrheit bekennen!«

Frau Stemma brütete mit finsteren Blicken. Dann sprach sie: »Foltere mich nicht! Auch wenn ich wollte, dürfte ich nicht. Dieser wegen!« und sie deutete auf ihr Gebiet. »Würde laut und offenbar, daß hier während langer Jahre Sünde Sünde gerichtet hat, irre würden tausend Gewissen und unterginge der Glaube an die Gerechtigkeit! Palma! Du mußt schweigen!«

»So will ich schweigen!«

»Du bist meine tapfere Palma!« und die Richterin schloß ihr den Mund mit einem Kusse. »Aber Kind, Kind, wie wird dir?« Palmas Augen waren brechend, und das Herz klopfte kaum unter der tastenden Hand der Mutter. Diese bettete die Halbentseelte und eilte verzweifelnd in die Burg zurück.

Sie kam wieder mit einer Schale Wein und einem Stücklein Brot. Sie kniete sich nieder, brach und tunkte den Bissen und bot ihn der Entkräfteten. Diese wandte sich ab.

Da bat und flehte die Richterin: »Nimm, Kind, deiner Mutter zuliebe!« Jetzt wollte Palma gehorchen und öffnete den entfärbten Mund, doch er versagte den Dienst.

Stemma sah eine Sterbende. Da starb auch sie. Ihr Herz stand stille. Ein Todeskrampf verzog ihr das Antlitz. Eine Weile kniete sie starr und steinern. Dann verklärte sich das Angesicht der Richterin, und ein Schauer der Reinheit badete sie vom Haupt zur Sohle.

»Palma«, sagte sie zärtlich, und dieser warme Klang hob die Lider des Kindes, »Palma, was meinst du? Ich lade den Kaiser ein nach Malmort. Wir treten vor ihn Hand in Hand, wir bekennen und er richtet.« Da freuten sich die Augen Palmas, und ihre Pulse schlugen.

»Nimm den Bissen«, sagte die Richterin und speiste und tränkte ihr Kind.

Sie führte die Neubelebte in den Hof zurück. In der Mitte desselben stand Rudio, noch keuchend vom Ritte. »Heil und Ruhm dir, Herrin!« frohlockte er. »Ich melde den Kaiser! Der Höchste sucht dich heim! Er naht! Er zieht mächtig heran und mit ihm ganz Rätien!«

»Dafür sei er gepriesen!« antwortete die Richterin. »Komm, Kind, wir wollen uns schmücken!«

Da Kaiser Karl mit allem Volke den Burgweg erstiegen hatte, hieß er Gesinde und Gefolge vor dem Tore zurückbleiben und betrat allein den Hof von Malmort. Stemma und Palma standen in weißen Gewändern. Die Richterin schritt dem Herrscher entgegen und bog das Knie. Palma hinter ihr tat desgleichen. Karl hob die Richterin von der Erde und sagte: »Du bist die Frau von Malmort. Ich habe deine Botschaft empfangen und bin da, Ordnung zu schaffen, wie du gefordert hast. Hier ist Freiheit in Frevel und Kraft in Willkür entartet. Ich will diesem Gebirge einen Grafen setzen. Weißt du mir den Mann?«

»Ich weiß ihn«, antwortete die Richterin. »Es ist Wulfrin, Sohn Wulfs, dein Höfling, ein treuer und tapferer Mann, zwar noch leichtgläubig und unerfahren, doch die Jahre reifen.«

»Ich führe ihn mit mir«, sprach der Kaiser, »aber als einen, der sich selbst anklagt und dein Gericht begehrt, sich so großen Frevels anklagt, daß ich nicht daran glauben mag. Frau, heute ist mir unter diesem leuchtenden Berghimmel ein Zeichen begegnet. Vor deiner Burg hat mein Roß an einer Toten gescheut, die mitten im Wege lag. Ich ließ sie aufheben. Es ist deine Eigene. Sie harrt vor der Schwelle.«

Er dämpfte die Stimme: »Frau, was verbirgt Malmort? Wärest du eine andere, als die du scheinest, und stündest du über einem begrabenen Frevel, so wäre deine Waage falsch und dein Gericht eine Ungerechtigkeit. Lange Jahre hast du hier rühmlich gewaltet. Gib dich in meine Hände. Mein ist die Gnade. Oder getraust du dich, Wulfrin zu richten?«

»Herr«, antwortete sie, »ich werde ihn und mich richten unter deinen Augen nach der Gerechtigkeit.«

Karl betrachtete sie erstaunt. Sie leuchtete von Wahrheit. »So walte deines Amtes«, sagte er.

Dann ging er auf das kniende Mädchen zu. »Palma novella!« sagte er und hob sie zu sich empor. Sie blickte ihn an mit flehenden und vertrauenden Augen, und sein Herz wurde gerührt.

»Rudio«, gebot die Richterin, »bringe Faustinen her!« Der Kastellan gehorchte und trug die Bürde herbei, die er an den Grabstein lehnte. »Jetzt tue auf das Tor und öffne es weit! Alles Volk trete ein und sehe und höre!«

Da wälzte sich der Strom durch die Pforte und füllte den Raum. Die Höflinge scharten sich um den Kaiser, Alcuin und Graciosus unter ihnen, während die Menge Kopf an Kopf stand und selbst Tor und Mauer erklomm, ein dichter und schweigender Kreis, in dessen Mitte die Gestalt des Kaisers ragte, in langem blauem Mantel, mit strahlenden Augen. Neben ihm Stemma und ihr Kind. Vor den dreien stand Wulfrin und sprach, den Blick fest und ungeteilt auf Stemma geheftet: »Jetzt richte mich!«

»Gedulde dich!« sagte sie. »Erst rede ich von dieser«, und sie wies auf die entseelte Faustine, die mit gebrochenen Augen und hangenden Armen an der Gruft saß.

»Räter«, sprach sie und es wurde die tiefste Stille, »ihr kennet jene dort! Sie hat unter euch gewandelt als eine Rechtschaffene,

wofür ihr sie hieltet. Nun ist ihr Mund verschlossen, sonst riefe er:
Ihr irret euch in mir! Ich bin eine Sünderin. Ich, die das Kind eines
andern im Schoße barg, habe den Mann gemordet« –

»Frau«, schrie Wulfrin ungeduldig, »was bedeutet die Magd!
Mich laß reden, meinen Frevel richte, damit ein Ende werde!«

»Nun denn! Aber zuerst, Wulfrin – nicht wahr, wenn diese hier«
– sie zeigte Palma – »nicht das Kind deines Vaters, nicht deine
Schwester, sondern eine andere und Fremde wäre, dein Frevel zer-
fiele in sich selbst?«

»Frau, Frau!« stammelte er.

»Kaiser und Räter«, rief Stemma mit gewaltiger Stimme, »ich
habe getan wie Faustine. Auch ich war das Weib eines Toten! Auch
ich habe den Gatten ermordet! Die Herrin ist wie die Eigene. Hört!
Nicht ein Tropfen Blutes ist diesen zweien gemeinsam!« Sie streckte
den Arm scheidend zwischen Wulfrin und Palma. »Hört! hört!
Kein Tropfen gleichen Blutes fließt in diesem Mann und in diesem
Weibe! Zweifelt ihr? Ich stelle euch einen Zeugen. Palma novella,
das Kind Stemmas und Peregrins des Klerikers, hat das Geheimnis
meiner Tat belauscht. Sie glaubt daran und stirbt darauf, daß ich
wahr rede. Gib Zeugnis, Palma!«

Aller Augen richteten sich auf das Mädchen, das mit gesenktem
Haupte dastand. Palma bewegte die Lippen.

»Lauter!« befahl die Richterin.

Jetzt sprach Palma hörbar den Vers der Messe: »Concepit in
iniquitatibus me mater mea . . .«[123]

Da glaubte das Volk und entsetzte sich und stürzte auf die Knie
und murmelte: »Miserere mei!«[124] Wulfrin streckte die Arme und
rief gen Himmel: »Ich danke dir, daß ich nicht gefrevelt habe!«
Karl aber trat zu Palma und hüllte sie in seinen Mantel.

»Nun richte du, Kaiser!« sprach Stemma.

»Richte dich selbst!« antwortete Karl.

»Nicht ich«, sagte sie, wendete sich zu dem Volke und rief: »Gottesurteil! Wollt ihr Gottesurteil?«

Es redete, es rief, es dröhnte: »Gottesurteil!«

Da sprach die Richterin feierlich: »Erstorbenes Gift, erstorbene
Tat! Lebendige Tat, lebendiges Gift« und hatte den Kristall aus
dem Busen gehoben und geleert.

Eine Weile stand sie, dann tat sie einen Schritt und einen zweiten wankenden gegen Wulfrin. »Sei stark!« seufzte sie und brach
zusammen. Rudio neigte sich über die Tote, hob sie auf seine Arme

[123] Vgl. Am. 100. [124] Erbarme Dich! (Gott).

und trug sie zu Faustinen. Dort saß sie am Grabe, die Hörige aber neigte sich und legte das Antlitz in den Schoß der Herrin.

Jetzt enthüllte der Kaiser das Mädchen, das einen jammervollen Blick nach der Mutter warf, faltete die Hände und gebot: »Oremus pro magna peccatrice!«[125] Alles Volk betete.

Dann sagte er mit milder Stimme: »Was wird aus diesem Kinde? Ich ziehe nicht, bis ich es weiß. Wie rätst du, Alcuin?«

»Sie tue die Gelübde!« rief der Abt.

»Ehe sie gelebt hat?« schrie Wulfrin angstvoll.

»Dann weiß ich ein anderes. Graciosus« – der Abt hielt ihn an der Hand – »Dieser hier, ein frommer Jüngling, hat ein Wohlgefallen an der Ärmsten« –

»Herr Abt«, unterbrach ihn der aufgeregte Gnadenreich, »das geht über Menschenkraft. Mir graut vor dem Kinde der Mörderin. Alle guten Geister loben Gott den Herrn!«

Wulfrin sprang in die Mitte. »Kaiser und ihr alle«, rief er, »m e i n ist Palma novella!«

Da redete Karl: »Sohn Wulfs, du freiest das Kind seiner Mörderin? Überwindest du die Dämonen?«

»Ich ersticke sie in meinen Armen! Hilf, Kaiser, daß ich sie überwältige!«

Karl hieß das Mädchen knien und legte ihr die Hände auf das Haupt. »Waise! Ich bin dir an Vaters Statt! Begrabe, die deine Mutter war! Dieser folge mir ins Feld! Gott entscheide! Kehrt er zurück und stößt er ins Horn, so freue dich, Palma novella, fülle den Becher und vollende den Spruch! Dann entzündet Rudio die Brautfackel und schleudert sie in das Gebälke von Malmort!«

---

[125] Laßt uns für die große Sünderin beten!

Das Leiden eines Knaben

Jahrelang hat sich Meyer mit dem Stoff der 1883 erschienenen Novelle ‚Das Leiden eines Knaben‘ beschäftigt. 1878 ist in einem Brief von einer »höchst ergreifenden Knabengeschichte« die Rede, und 1881 heißt es, daß einige Zeilen in den Memoiren des französischen Schriftstellers Saint-Simon die Anregung gegeben hätten. Doch weitere zwei Jahre mußten vergehen, ehe Meyer, auf Bitten eines Bekannten, den Plan ausführte. In der ersten Hälfte des Jahres 1883 befaßte er sich intensiv mit der Novelle und diktierte schon am 18. Juli seinem Vetter Fritz die letzten Seiten, so daß das Werk im September in einem Familienblatt erscheinen konnte. Im November folgte die Buchausgabe.

1883, als Meyers Frau mit dem Kind verreist gewesen war, hatte er sich »unendlich still und ruhig und nachdenklich und allein« gefühlt. Und in dieser Abgeschlossenheit gegen jede Störung von außen war eines seiner persönlichsten Werke, *Das Leiden eines Knaben*, entstanden. Die Not seiner verfehlten Jugend, die Tage in der Irrenanstalt Préfargier, die drohende Umnachtung der Mutter und das Unverständnis der Welt, unter dem er so zu leiden hatte, erschienen noch einmal vor den Augen des Dichters. Die eigenen Erlebnisse kamen ihm aus der historischen Gestalt des jungen Boufflers gleichsam noch einmal entgegen, im fremden Antlitz erblickte er sein Gesicht, so, wie es ausgesehen hätte, wäre er nicht im letzten Augenblick dem Zwang und der Drohung einer feindlichen Mitwelt entkommen. Meyer hat aus der Notiz Saint-Simons etwas ganz anderes als eine ausführlichere Neufassung gemacht, denn hier bot sich ihm ein Rahmen für das, was in ihm selbst war, das er aber nicht direkt aussprechen konnte und wollte. So schlüpfte er wieder in eine Maske.

Meyer erzählt mehr oder weniger seine eigene Geschichte, die des »armen Conrad«, des unverstandenen Jungen, der sein Talent nicht gebrauchen darf und zu Arbeiten gezwungen wird, die er nicht zu leisten vermag. Er ist verwundbar und ehrgeizig, doch er kann mit den anderen nicht mithalten, weil er eben anders ist, weil er langsamer denkt und handelt. Aber was kann er dafür, warum soll er Strafe für etwas erwarten, das zu ändern nicht in seiner Macht steht? Wo gibt es in einer Welt, von der die geistlichen Erzieher erzählen, sie werde von Gott in weiser Voraussicht geleitet, eine Gerechtigkeit, wenn die Unschuldigen leiden müssen, wenn ihnen das Leben zur Hölle gemacht wird, wo allein Liebe und Verständnis sie aus ihrer seelischen Einsamkeit herausführen könnten? Es sind die Fragen des jungen Meyer, die hier ausgesprochen werden, und es wird eine Antwort auf die Sinnlosigkeit der unschuldigen Leiden eines Kindes verlangt.

Wie später in der Novelle *Die Hochzeit des Mönchs* ist im *Leiden eines Knaben* die eigentliche Erzählung in eine Rahmenhandlung eingefügt. Der Arzt Fagon erzählt dem Sonnenkönig und Madame de Maintenon die Leidensgeschichte des jungen Julian Boufflers. Veranlaßt wird er zu dieser Erzählung dadurch, daß er in dem vom König neuberufenen Beichtvater Père Tellier jenen Jesuiten erkennt, der vor Jahren den Jungen in den Tod getrieben hatte. So wird die Rede Fagons, der sich vor dem König zum Anwalt der Menschlichkeit wider eine unwürdige Erziehungsmethode macht, zu einem Aufruf für das Recht der Schwachen gegenüber der Macht. Fagon weiß, daß es in der Hand des Königs liegt, neues Unrecht zu verhindern und altes zu bestrafen.

Man hat Meyer vorgeworfen, er mache sich in seiner Novelle zu einem Sprecher des Jesuitenhasses; demgegenüber betont der Dichter, daß er »nicht die geringste Tendenz beabsichtigte«. Und selbst dann, wenn ein geringer Rest von Tendenz bliebe – verständlich aus der Situation des späten 19. Jahrhunderts, das den Jesuiten nicht wohlgesinnt war –, so wiegt sie doch gering im Vergleich zu der entscheidenden Frage: Wo bleibt die Liebe und Gerechtigkeit Gottes, wenn solches Unrecht geschehen darf? Das Leiden ist nur annehmbar als Kreuz, als furchtbares Schicksal, das vielleicht der tapfere Tod überwindet. Noch einmal ist die Religiosität Meyers, die auch nach den Erschütterungen der Jugend nicht zur Frömmigkeit der Mutter zurückgefunden hatte, auf die Probe gestellt. Die Antwort ist: Es gibt einen Sieg im Untergang, das Kreuz allein kann dem sinnlosen Leiden antworten.

Der bereits vom Tode gezeichnete Boufflers sieht sich in seinen Fieberträumen als Held auf dem Schlachtfeld sterben. »Vive le roi, es lebe der König« sind seine letzten Worte. Und als der König sagte: »Armes Kind«, entgegnete Fagon heiter: »Warum arm, da er hingegangen ist als ein Held?«

Die Hochzeit des Mönchs

Viele Pläne beschäftigten Meyer in den Jahren um 1880. Sein besonderes Interesse galt der mittelalterlichen Kaisergeschichte; er dachte unter anderem an ein Drama über den großen Staufer

Friedrich II., doch nur Fragmente, Entwürfe und Gedichte sind geblieben, vielleicht weil den Dichter ein neues Thema fesselte: die Geschichte eines Mönches, der seine Gelübde bricht und in das weltliche Leben zurückkehrt. Die Handlung sollte zur Zeit Barbarossas in Avignon oder Nürnberg spielen. Dann aber wurde die Ausführung des Plans verschoben; die Arbeiten an den Novellen *Gustav Adolfs Page* und *Das Leiden eines Knaben* sowie die Vorbereitungen zum Druck der Gedichte nahmen Meyers ganze Zeit in Anspruch, so daß er erst 1882 zum *Mönch* zurückkehrte. Und nun hatte sich auch eine Verschiebung des historischen Schauplatzes ergeben. Im Sommer 1883 stand es fest, daß die Novelle nicht im Mittelalter, sondern in der Frührenaissance spielen sollte, einer Zeit, die dem Thema mehr angepaßt war.

Vom Sommer bis zum Oktober 1883 arbeitete Meyer intensiv und beinahe ausschließlich an dieser Novelle. In einem Brief vom August heißt es: »Diesmal treibt mich wahrhaftig der Geist«, und in einem anderen Brief: »Meine Novelle beschäftigt mich Tag und Nacht.« Rasch wurde das Gerüst der Handlung konzipiert, die Erzählung in den Hauptteilen festgelegt, einzelne, weniger bedeutende Stellen nur skizziert, andere Kapitel endgültig ausgeführt, bis schließlich nach einer nochmaligen Durcharbeit das Ganze fertig war. Im Dezember 1883 und Januar 1884 erschien die Novelle in der ›Deutschen Rundschau‹. Meyer selbst, wenn er auch wie immer an seinem Werk ein wenig zweifelte, war doch überzeugt, daß er nun einen »größeren Stil« als in den »bisherigen Sachen« erreicht habe. Doch brachte er für die im Oktober 1884 erschienene Buchausgabe noch eine Anzahl kleinerer Korrekturen an.

Manche Zeitgenossen haben Meyer die Knappheit und Prägnanz gerade dieser Novelle zum Vorwurf gemacht. Gottfried Keller glaubte in ihr einen »leisen Hang zur Affektation des Stiles« zu bemerken. Die Handlung sei überhastet, hieß es, und vor allem wollte man die Bedeutung Dantes, den Meyer zum Erzähler der Novelle gemacht hatte, nicht wahrhaben. Für das durchschnittliche Publikum, das historische Romane im Stile Felix Dahns bevorzugte, war die Knappheit und Meisterschaft der Meyerschen Sprache ungewohnt. Auch der Verleger versuchte, den Dichter für die Buchausgabe zu einer breiteren Darstellung, zu einer Ausmalung der Details zu veranlassen, doch Meyer ließ es bei der ursprünglichen Gestalt bewenden.

Unverkennbar ist die Entwicklung, die von den frühen Novellen, etwa vom *Amulett*, zur *Hochzeit des Mönchs* führt. Erst hier hat sich Meyer dem Vorbild der italienischen ›novella‹, die Boccaccio zur höchsten Vollendung geführt hatte, ganz angenähert. Souverän beherrscht er die dramatische Führung der Handlung und verzichtet bewußt auf Nebensächlichkeiten und schmückendes Beiwerk. Die »unerhörte Begebenheit« steht im Mittelpunkt, rasch wird der einzige Konflikt nach einer knappen Exposition zur Peripetie, zum plötzlichen, unerwarteten Umschlag der Ereignisse, geführt. Dadurch erreicht Meyer einen im Sinne der aristotelischen Poetik architektonisch dramatischen Aufbau und klassischen Stil. Diese nach strengen Gesetzen gegliederte Form bedingt die höchst mögliche Objektivität der Erzählung, der sich die epische Breite des Romans in der Personen- und Landschaftsschilderung verbietet. Goethe hat in den *Unterhaltungen deutscher Ausgewanderten* auf den Faktor des Überraschenden, Interessanten in der Novelle nebenbei hingewiesen. Er sagt, es sei bedeutend, »weil es ohne Zusammenhang Verwunderung erregt und unsere Einbildungskraft einen Augenblick in Bewegung setzt, unser Gemüt nur leicht berührt und unseren Verstand völlig in Ruhe läßt«. Auch Meyer will Verwunderung erregen und die Einbildungskraft in Bewegung setzen, doch ebenso das Gemüt berühren. Denn bei ihm kommt der äußeren Objektivität der Erzählung ein inneres Engagement entgegen. Das heißt, daß ihm die Novelle nicht nur oder nicht vorzüglich eine gesellschaftliche Unterhaltungskunst ist, sondern ihm unter der Maske der Objektivität Spiegelungen seiner Persönlichkeit ermöglicht. Auch in der *Hochzeit des Mönchs* ist die Möglichkeit zu solchen Spiegelungen gegeben, aber sie werden weniger deutlich als im *Leiden eines Knaben* oder in der *Richterin*, denn die nun erreichte Klassizität der Form und des Ausdrucks bedingt oder schafft den vollkommenen Ausgleich zwischen Subjektivität und Objektivität. Renaissance, das heißt hier Leidenschaft bis zum Äußersten, Verbrechen und Sakrileg, aber eine Leidenschaft, die sich selbst einem Formgesetz unterwirft.

Dante, der Dichter der *Göttlichen Komödie*, erzählt bei Meyer die Geschichte des »entkutteten Mönchs«. Damit erhält die Erzählung eine Rahmenhandlung, in der, und gerade das ist die Kunst Meyers, die Erzählung selbst gespiegelt wird. Paul Heyse hat eingewandt, Meyer zeichne Dante anders, als dieser sich selbst in der *Vita nuova* dargestellt habe. Doch dieser Einwand übersieht, daß die Novelle keine streng historische Erzählung sein will, sondern die Leiden und Leidenschaften einer vergangenen Epoche in ihren großen Gestalten schildern und sie so ins zeitlos Gültige erheben möchte. Die Problematik des entkutteten Mönchs ist keine historische, sondern zeitlos menschliche. Dante, der in der Abendgesellschaft Cangrandes seine Geschichte zum besten gibt, ist eine lebendige Renaissancefigur, und er ist auch der Dante der *Göttlichen Komödie*, denn wie dort, hält er hier seinen Zuhörern einen Spiegel vor. Cangrande spiegelt sich in dem Ezzelin der Novelle, die Fürstin in Diana, Cangrandes Freundin in Antiope, Isotta in Antiopes Zofe. Das Persönlichste der Zuhörer ist angesprochen, aber nicht aufgedeckt, und so kommt es zu einem Spiel auf zwei Ebenen. Man vermeint die Gestalten der Novelle plötzlich in den Zuhörern handeln zu sehen, persönlichste Verbindungen deuten sich an. Man hat das Gefühl, als ob Dante sich ein Vergnügen daraus mache, im Laufe seiner Erzählung seine Bekannten immer mehr mit den Möglichkeiten ihres Schicksals vertraut zu machen, sie gleichsam wie in der *Göttlichen Komödie* in den Himmel oder die Hölle zu schicken. So erhält der Rahmen nicht nur eine dekorative Bedeutung, sondern bestimmt die ganze Thematik mit.

Mit der unausweichlichen Dramatik der Stücke Shakespeares ist in Meyers Novelle die Handlung vorangetrieben. Er »shakespearisiere«, schrieb ihm eine Freundin, und wirklich folgt hier das Schicksal erbarmungslos auf die Tat. Die Menschen werden von ihren Leidenschaften zu Tode gehetzt, eine Schuld erzeugt die andere. Da wird keine Moral von außen herangetragen, da gibt es kaum die Frage nach dem Recht, denn unentwirrbar gehen Schuld und Unschuld ineinander, und unaufhaltsam führt die Erfüllung der Liebe in den Tod. Blitzhaft sind die Entscheidungen, für eine kurze Zeit des Genusses wird die lange Dauer der ›rechten‹ Bindung eingetauscht. Das Gesetz liegt in den Menschen selbst, und kein Gelübde hat in dem Mönch die Leidenschaft seines Herzens töten können, deren er sich erst bewußt wird, nachdem seine Bande durch das Wort des Vaters und den Wunsch des Papstes gelöst sind. Es hilft ihm nichts, daß er vom Volk wegen seiner frommen Übungen beinahe wie ein Heiliger verehrt wurde. Die gewohnte Frömmigkeit vermag gegen die Leidenschaft nichts auszurichten. In dem Augenblick, als der Mönch Astorre nach dem tragischen Tod des Bruders gezwungen wird, seine Schwägerin zur Frau zu nehmen, damit das Geschlecht weiterbestehe, erwacht er zu sich selbst. Er gehorcht und glaubt Diana zu lieben, doch bald muß sie erkennen, daß Antiope ihren Platz eingenommen hat.

Der Mönch verfällt der Welt, aber um sie ganz genießen zu können, muß er selbst die Rache des Schicksals über sein Unrecht heraufrufen. In Antiope erkennt er, schon an Diana gebunden, die volle Erfüllung seiner Sehnsucht, ihr folgt er blind und löst sich nun freiwillig aus seinem Eheversprechen, wie er sich gezwungen aus dem Mönchsgelübde gelöst hatte. Nun will er seiner Natur folgen, »mit voller Hingabe des Lebens und der Seele«. Und er ist bereit, für diese volle Hingabe den Preis zu bezahlen. Die Rache, die Diana an Antiope vollzieht, ist nur das Zeichen für den Beginn des vergeltenden Schicksals, das nun die Akteure des Spiels verschlingt.

Am Ende ist nichts gerechtfertigt, nichts bedauert, nichts gefragt. Wie am Ende von Shakespeares Schicksalsdramen steht der Zuschauer vor dem Abgrund, den die Tragödie menschlicher Leidenschaften aufgerissen hat. Alle Leidenschaft ist am Schluß vor das Gericht gefordert – und die Richter sind im Grunde die handelnden Personen selbst.

Die Richterin

Kaum an einer Novelle hat Meyer so viel gearbeitet wie an der *Richterin*. Lange hat er sich mit dem Stoff beschäftigt und sich Notizen zu den einzelnen Episoden gemacht, ehe er den Handlungsablauf im ganzen skizzierte.

Ende des Jahres 1881 hatte der Plan so weit Gestalt angenommen, daß Meyer hoffte, die Novelle in kurzer Zeit vollenden zu können. Er selbst nennt sie jetzt »eine leidenschaftliche Fabel«, in der »zwei junge Leute in Liebe und Haß sich begegnen«, ein »durchaus dramatisch gedachtes Werk«. In den Briefen aus dem Jahre 1882 ist immer wieder von einem Drama um Friedrich II. die Rede, ein Stoff, der Meyer ganz gefangennahm. Doch bald trat der Kaiser neben der »gewalttätigen Normannin« zurück. Das Drama wandelte sich in eine dramatische Novelle. Wieder wurde die Arbeit unterbrochen und erst Ende 1883 erneut aufgenommen. Anfang 1884 erfuhr der ursprüngliche Plan die endgültige Umbildung zur Novelle und wurde aus der Zeit Friedrichs II. in die Karls des Großen verlegt. 1885 rang Meyer noch immer mit dem »furchtbar schweren Thema«, hoffte aber, daß diese Novelle seine beste werden würde. Und jetzt heißt es: »Die Richterin trage ich zehn Jahre mit mir herum, sie ist aus zehnerlei Kombinationen herausgewachsen. Jetzt sehe ich sie vor mir, Zug um Zug, jetzt könnte ich nicht das Geringste mehr verändern, denn jetzt glaube ich an sie.« Im Mai und Juni 1885 diktierte der Dichter den endgültigen Text, im Oktober und November erschien die Novelle in der ›Deutschen Rundschau‹ und im Dezember des gleichen Jahres als Buch.

Stilistisch setzt *Die Richterin* die Tendenz der *Hochzeit des Mönchs* fort. Auch hier ist Zug um Zug das Unwesentliche weggelassen. Die »zehnerlei Kombinationen« haben zu einer überaus strengen Komposition und einer knappen Ausdrucksweise geführt. Es ist bei Meyer schwer, von einem Jugend- und Altersstil zu sprechen, hat er doch erst in späten Jahren zu schreiben begonnen; eine Entwicklung zu immer strengeren Formen und einer bewußten Stilisierung ist indes nicht zu verkennen. Die Gebärden der einzelnen Figuren sind ausgeprägter, zwischen Statik und Dynamik ist das künstlerische Gleichgewicht erreicht, und damit wird ein Ideal angestrebt, wie es Meyer vor allem in der bildenden Kunst der Renaissance vorfand. Renaissancehaft bleibt die Grundstimmung der *Richterin,* auch wenn sie im frühen Mittelalter spielt. Auch entstehungsgeschichtlich gehört sie in den Umkreis der Renaissancenovellen *Die Hochzeit des Mönchs, Die Versuchung des Pescara* und *Angela Borgia.*

Vielleicht noch ausgewogener und klarer als in der *Hochzeit des Mönchs* ist in der *Richterin* die Sprache. In oft kurzen Sätzen sind einzelne, präzise Aussagen aneinandergefügt. Dabei ist die Rede stets dramatisch bewegt und in der scheinbar engen Form nur um so leidenschaftlicher. Die einzelnen Vorgänge ergeben ein klar umgrenztes Bild, etwa wenn die Richterin mit ihrer Tochter im Burghof steht, wenn Wulfrin, Palma und Gnadenreich zu dritt auf einer Bank sitzen und in das aufziehende Gewitter blicken. Diese gehäuften Bilder treten zueinander in dramatische Korrespondenz, sie sind jeweils symbolisch für ein inneres Geschehen. Wie *Huttens letzte Tage* aus einzelnen Bildern, einer Reihe von Gedichten, sich aufbaut, so auch *Die Richterin,* nur daß die Form der Prosa die einzelnen Teile nicht in der gleichen Weise sichtbar werden läßt.

Eine entscheidende Rolle spielt in dieser Novelle die Natur. Sie wird zum Spiegel des Menschen. Das heißt, daß die durch das Gewitter in Aufruhr geratene Natur den Aufruhr in Wulfrin widerspiegelt, oder daß »die schwüle Mittagsstunde mit ihrem bestricken-den Zauber« das »Feuer« der Geschwisterliebe deutet. Doch immer ist diese Landschaft architektonischer, dramatischer und weniger lyrisch als vergleichsweise bei einem Romantiker, etwa Eichendorff.

Das Motiv der Geschwisterliebe erhält in der Novelle eine zentrale Bedeutung, ein Thema, das für Meyer zu den problematischsten zählte. Ohne sagen zu dürfen, daß er in der *Richterin* sein Verhältnis zur Schwester dargestellt habe, muß man doch eine sehr enge Verknüpfung mit persönlichen Schwierigkeiten annehmen. Eine Bemerkung Betsys mag das bestätigen: »Die Richterin ist meines Erinnerns das einzige Gedicht meines Bruders, von dem er mir, während er es komponierte, niemals sprach ... Er gab mir das Bändchen mit den Worten: ›Mich wundert, was du dazu sagen wirst. Du wirst nicht begreifen, wie ich dazu komme, diese Gewissenskonflikte anzufassen. – Es ist eine Abrechnung.‹« Aus »unaufhörlichen stillen Angriffen« sei die Novelle gewachsen, bekannte Meyer der Schwester, auch aus »Angriffen« und »Gewissenskonflikten«, die mit seiner Ehe zu tun hatten. Denn stärker als seiner Frau war er der Schwester verbunden.

In der Novelle ist dieser Bezug wieder verdeckt: Die Geschwister erfahren durch ein Schuldbekenntnis der Mutter, daß sie sich lieben dürfen, weil sie nicht von den gleichen Eltern abstammen. Scheinbar wird die kühne Exposition ins Normale, Bürgerliche zurückgeführt, und man könnte glauben, die ganze Tragik hebe sich damit auf. Aber auch das Ende steht noch unter dem Zeichen des Dämonischen. Als der Sohn der Richterin gefragt wird, ob er sich zutraue, die »Dämonen« in dem Mädchen zu überwinden, entgegnet er: »Ich ersticke sie in meinen Armen.« Das Dämonische, die böse Leidenschaft ist das Thema der Novelle, in der Schuld und Unschuld geheimnisvoll verstrickt sind.

Da ist die scheinbar untadelige Richterin Stemma, die über ihr Land in Liebe und Gerechtigkeit in einer unruhigen Zeit vorbildlich herrscht. Niemand weiß, daß sie ihren Mann ermordet hat, doch sie kann der Schuld nicht entgehen, und schließlich sühnt sie ihr Verbrechen durch den Freitod. Da sind die Geschwister, die sich ihrer sündigen Liebe bewußt werden. Die Schwester »blickte mit trunkenen Augen bis in den Grund der seinigen«, und der Bruder ruft: »Ich begehre die Schwester.«

Ebenso entscheidend wie der Konflikt zwischen Bruder und Schwester ist das Schicksal der Richterin, ihr Gewissenskonflikt. Kann oder soll sie eine verjährte Schuld bekennen, die sie wiederum als einen Gewissensentscheid auf sich genommen hatte, um nicht größere Schuld und Schande auf sich zu laden? »Es ist das arbeitende Gewissen, das die Richterin überwältigt«, schreibt Meyer an Luise von François; es ist das Gewissen einer Frau, die ihr Leben nur nach der Unausweichlichkeit der Ereignisse einrichten kann. Das Schwergewicht der Darstellung liegt damit im Psychologischen, in der großartigen Durchleuchtung der Persönlichkeit dieser vielleicht größten Frauengestalt im Werk Meyers.

Vom *Leiden eines Knaben* zur *Richterin* führt der innere Weg Meyers. In beiden Novellen wird deutlich, wie ihm am Ende oder auf der Höhe seines Schaffens die eigene Existenz wieder fragwürdig wurde und wie sehr er noch immer gefährdet ist.

Zum Text der Auswahl

Der Text der Novellen folgt den letzten von Meyer selbst besorgten Ausgaben. Orthographie und Interpunktion wurden der heutigen Schreibweise angeglichen, abgesehen von einzelnen kennzeichnenden Eigentümlichkeiten.

Walter Flemmer

INHALT

———

Zur Unterrichtung des Lesers

Goldmanns Taschenbücher sind in der ganzen Welt bekannt. Sie sind die größte aller Taschenbuchreihen in deutscher Sprache. Jeden Monat werden 18 bis 20 neue Bände veröffentlicht. Etwa jedes vierte Taschenbuch ist ein Goldmann-Taschenbuch.

Goldmanns GELBE Taschenbücher bilden eine Universalreihe. Sie bieten die unvergänglichen Werke der griechischen und römischen Antike sowie der neueren Literaturen - jenes Schrifttum, das den Begriff Weltliteratur verkörpert. Aber auch moderne Romane, Reisebücher, Gesetzesausgaben, Sachbücher sowie Veröffentlichungen aus den Bereichen der Wissenschaft und der Religion geben dieser Reihe ihr Gepräge. - Die Bandnummern bei Goldmanns GELBEN Taschenbüchern laufen von 301–1000 und beginnen dann wieder bei 1301.

Goldmanns Taschen-KRIMI sind so sehr bekannt, daß sie einer besonderen Empfehlung kaum mehr bedürfen. Sie sind die meistgekauften Kriminal-Romane in deutscher Sprache; innerhalb dieser Literaturgattung bietet keine andere Buchreihe eine größere Auswahl. Der Verlag achtet mit Umsicht und Sorgfalt darauf, daß nur solche Kriminal-Romane aufgenommen werden, die moralischen Maßstäben standhalten und literarischen Ansprüchen genügen. Mit Recht wird gesagt: „Wer Goldmanns Taschen-KRIMI liest, zeigt, daß er auf Niveau achtet." - Die Bandnummern bei Goldmanns Taschen-KRIMI laufen von 1 bis 300, von 1001 bis 1299, dann weiter ab 2001.

Goldmanns WELTRAUM-Taschenbücher sind eine neuartige Reihe auf dem deutschen Büchermarkt. Die in ihr erschienenen Romane und Erzählungen bieten wissenschaftlich begründete Ausblicke in die Welt von morgen. Nur die Werke der besten internationalen Autoren der Science-Fiction-Literatur erscheinen in dieser Reihe.

Alle Buchhandlungen sowie die Bahnhofsbücherstände führen Goldmanns Taschenbücher in großer Auswahl. An dem G auf dem Buchrücken sind sie leicht zu erkennen.

Überall dort, wo deutsche Bücher verkauft werden, sind Goldmann-Bücher vorrätig. Der Verlag liefert die Neuerscheinungen regelmäßig in 46 Staaten; nach fast allen anderen Ländern der Erde erfolgen Einzellieferungen.

Ein vollständiger illustrierter Katalog wird jedem Interessenten auf Anforderung kostenlos zugeschickt. Wenn auch Sie ihn wünschen, schreiben Sie bitte an den Wilhelm Goldmann Verlag, Postfach 205, 8 München 8.

Nach den Büchern fragen Sie bitte bei Ihrer Buchhandlung oder bei einer Bahnhofsbuchhandlung, die Ihre Wünsche jederzeit erfüllen können.

Johann Wolfgang von Goethe

Ausgewählte Werke in 22 Bänden

Fortsetzung ›Goethe, Ausgewählte Werke‹

Tagebücher. Auswahl. Band 940/41

Gespräche mit Goethe in den letzten Jahren seines Lebens. Von Johann Peter Eckermann. Auswahl. Band 950/51

Briefe. Auswahl. Band 702/03

Briefwechsel mit Schiller. Auswahl. Band 920/21

Diese Taschenbuchausgabe Ausgewählter Werke Goethes in 22 Bänden enthält jene Dichtungen, Schriften, Gespräche und Briefe Goethes, die der gebildete und bildungshungrige Mensch kennen sollte. Mit ihnen verbindet sich aufs engste der Begriff der deutschen Klassik. Seit der Begründung der Reihe Goldmanns GELBE Taschenbücher bildet die klassische Literatur ihren Mittelpunkt und gibt ihr das unverwechselbar eigene Gepräge. Erst durch das Taschenbuch sind die unvergänglichen Werke der Klassik und, im weiteren Sinne, der Weltliteratur dem Volke wieder zugänglich geworden. Das Taschenbuch dient der Bildung breitester Leserkreise. An diesem Prozeß der Volksbildung haben Goldmanns GELBE Taschenbücher hohen und entscheidenden Anteil. Um dem offenkundigen Bedürfnis vieler Leser aller Schichten Rechnung zu tragen, sich mit den unvergänglichen Werken, die den Begriff Klassik und Weltliteratur verkörpern, vertraut zu machen und des reichen Erbes zu versichern, werden in Goldmanns GELBEN Taschenbüchern nach und nach systematisch alle klassischen Dichter nicht nur der griechischen und römischen, sondern der gesamten abendländischen Literatur, insbesondere auch der deutschen Literatur, erscheinen. Es ist das Bestreben des Verlages, in der Reihe Goldmanns GELBE Taschenbücher insbesondere das Vermächtnis der klassischen Literatur zu bewahren und die Bildung auf breitester Basis zu fördern.

WILHELM GOLDMANN VERLAG MÜNCHEN

Friedrich Schiller

Ausgewählte Werke in 8 Bänden

Gedichte und Balladen. Auswahl. Band 450

Jugenddramen. Die Räuber; Kabale und Liebe; Don Carlos. Band 416

Wallenstein. Wallensteins Lager; Die Piccolomini; Wallensteins Tod. Band 434

Dramen. Die Jungfrau von Orleans; Maria Stuart; Wilhelm Tell. Band 488

Dramen der Spätzeit. Die Braut von Messina; Demetrius. Band 915

Erzählungen. Eine großmütige Handlung; Der Verbrecher aus verlorener Ehre; Spiel des Schicksals; Der Geisterseher. Band 904

Schriften zur Ästhetik, Literatur und Geschichte. Über den Grund des Vergnügens an tragischen Gegenständen; Über das Pathetische; Zerstreute Betrachtungen über verschiedene ästhetische Gegenstände; Über den moralischen Nutzen ästhetischer Sitten; Über das Erhabene; Schema über den Dilettantismus; Briefe über Don Carlos; Über Egmont, Trauerspiel von Goethe; Was heißt und zu welchem Ende studiert man Universalgeschichte? Eine akademische Antrittsrede; Etwas über die Erste Menschengesellschaft nach dem Leitfaden der Mosaischen Urkunde; Die Gesetzgebung des Lykurgus und Solon. Band 925

Schriften zur Philosophie und Kunst. Die Schaubühne als eine moralische Anstalt betrachtet; Über Anmut und Würde; Über die ästhetische Erziehung des Menschen; Über naive und sentimentalische Dichtung. Band 524

Diese Taschenbuchausgabe Ausgewählter Werke Schillers in acht Bänden bietet jene Dichtungen und Schriften, die der gebildete und bildungshungrige Mensch kennen sollte. Als Ergänzung dieser Schiller-Ausgabe ist in der Reihe Goldmanns GELBE Taschenbücher erschienen:
Bernt von Heiseler, Schiller. Leben und Werk. Band 927

WILHELM GOLDMANN VERLAG MÜNCHEN

Goldmanns GELBE Taschenbücher

Heinrich von Kleist

Ausgewählte Werke in 5 Bänden

SÄMTLICHE NOVELLEN

Michael Kohlhaas; Die Marquise von O....; Das Erdbeben in
Chili; Die Verlobung in St. Domingo; Das Bettelweib von
Locarno; Der Findling; Die Heilige Cäcilie oder die Gewalt der
Musik; Der Zweikampf · Band 386

AUSGEWÄHLTE DRAMEN

Prinz Friedrich von Homburg; Der zerbrochene Krug; Das
Käthchen von Heilbronn · Band 400

AMPHITRYON. PENTHESILEA
Band 720

ÜBER DAS MARIONETTENTHEATER
und andere Schriften

Aufsatz, den sichern Weg des Glücks zu finden; Echte Aufklärung
des Weibes; Über die allmähliche Verfertigung der Gedanken
beim Reden; Satirische Briefe; Lehrbuch der französischen Jour-
nalistik; Katechismus der Deutschen; Gebet der Zoroaster;
Anekdote aus dem letzten preußischen Kriege; Betrachtungen
über den Weltlauf; Anekdote aus dem letzten Kriege; Brief
eines Malers an seinen Sohn; Allerneuester Erziehungsplan;
Brief eines jungen Dichters an einen jungen Maler; Von der
Überlegung; Über das Marionettentheater; Brief eines Dichters
an einen anderen; u. a. Schriften. Gedichte · Band 988

BRIEFE AUS DEN JAHREN 1799–1811
Auswahl · Band 989

WILHELM GOLDMANN VERLAG MÜNCHEN

Goldmanns GELBE Taschenbücher

Clemens Brentano

Ausgewählte Werke in 5 Bänden

WILHELM GOLDMANN VERLAG MÜNCHEN

Adalbert Stifler

Ausgewählte Werke in 10 Bänden

STUDIEN I
Der Kondor; Feldblumen; Das Heidedorf; Der Hochwald.
Band 964

STUDIEN II
Die Narrenburg; Die Mappe meines Urgroßvaters · Band 994

STUDIEN III
Abdias; Das alte Siegel; Brigitta · Band 1306

STUDIEN IV
Der Hagestolz; Der Waldsteig · Band 1312

STUDIEN V
Zwei Schwestern; Der beschriebene Tännling · Band 1313

BUNTE STEINE
Granit; Kalkstein; Turmalin; Bergkristall;
Katzensilber; Bergmilch · Band 1375

DIE DREI SCHMIEDE IHRES SCHICKSALS
und andere Erzählungen
Die drei Schmiede ihres Schicksals; Der Waldgänger; Prokopus.
Band 1376

DER WALDBRUNNEN
und andere Erzählungen
Der Waldbrunnen; Der Kuß von Sentze; Der fromme Spruch.
Band 1377

DER NACHSOMMER
Band 1378/79/80

BRIEFE
Auswahl · Band 1381

WILHELM GOLDMANN VERLAG MÜNCHEN

Religion und Religionsgeschichte

DER BABYLONISCHE TALMUD

Ausgewählt, übersetzt, eingeleitet und erklärt von Reinhold Mayer.

Der Talmud, ein Werk des nachbiblischen frühen Judentums, bildet neben der hebräischen Bibel die Grundlage der Synagoge. Neben den Regeln, die das Leben normieren, steht Erzählgut in Form von Legenden, Gleichnissen und Sprüchen, weiter erbaulicher Vortrag und Gebet. Jüdisches Leben vieler Jahrhunderte spiegelt sich darin wider.
»Hier ist der geglückte Versuch gemacht, ein nach Geist und Text schwieriges Werk auch dem christlichen Laien-Leser nahezubringen ... Eine kluge Einleitung gibt Daten über die Bestimmung, Geschichte und Form des Talmud. Die ausgewählten Legenden, Lehren, Sprüche und Kommentare sind nach historischen, theoretischen und den Alltag regelnden Themen geordnet. Die Sorgfalt, mit der dieser Band bearbeitet und mit der in über dreitausend Fußnoten Quellenangaben zur Vertiefung des Studiums beigesteuert sind, ist über jedes Lob erhaben.« (Wiesbadener Tagblatt) Band 1330/31/32.

DER KORAN

Vollständige Ausgabe. Nach der Übertragung von Ludwig Ullmann, neu bearbeitet, eingeleitet und erläutert von Leo Winter. 4. Auflage. Der Koran, das heilige Buch des Islam, ist äußerst vielschichtig; Gebete, Predigten und rechtliche Anweisungen stehen neben der Glaubens- und Sittenlehre. »... ein in sich geschlossenes, sorgfältig erwogenes und erklärtes Werk.« (Christ und Welt, Stuttgart). Band 521/22.

BUDDHA

Die Lehre des Erhabenen

Aus dem Palikanon ausgewählt und übertragen von Paul Dahlke. Mit einem Vorwort von Martin Steinke-Tao Chün. Diese Ausgabe umfaßt die wichtigsten Kapitel aus dem Kanon der Lehre Buddhas, der Mönchsregeln, Lehrreden und die Grundlagen der Dogmatik des Buddhismus enthält. Band 622/23.

WILHELM GOLDMANN VERLAG MÜNCHEN

Hermann Oldenberg

BUDDHA

Herausgegeben, Nachwort und Anmerkungen von Helmuth von Glasenapp. Diese Darstellung des Religionsforschers Hermann Oldenberg ist ein Grundwerk der modernen Indienkunde. Sie behandelt das Leben, die Lehre und die Gemeinde Buddhas und ist eine wertvolle Ergänzung zu dem Band »Buddha. Die Lehre des Erhabenen«. Dieser Ausgabe liegt die 13. Auflage zugrunde, die von Helmuth von Glasenapp herausgegeben und mit einem kritischen Nachwort versehen wurde. Band 708/09.

WORTE DES KONFUZIUS

Bearbeitet und eingeleitet von Rudolf Wrede. Das zugrunde liegende »Buch der Gespräche« ist die beste Quelle für die Kenntnis des chinesischen Philosophen Konfuzius und seiner Lehre. Der Herausgeber Rudolf Wrede berichtet in der Einleitung ausführlich über Konfuzius und seine Zeit. Band 914.

Gustav Mensching

LEBEN UND LEGENDE DER RELIGIONSSTIFTER

Der Religionswissenschaftler Gustav Mensching hat in diesem Buch historische Berichte und Legenden zusammengestellt, die sich auf das Leben und das Wirken der großen Religionsstifter Moses, Jesus, Mohammed, Zarathustra, Buddha, Konfuzius und Laotse beziehen. Einleitungen zu den einzelnen Kapiteln und eine vergleichende Zusammenfassung geben Einblick in das Wesen der Religionen. Band 829/30.

Gustav Mensching

DIE RELIGION

Gustav Mensching gibt eine umfassende Darstellung des Phänomens Religion, ihrer Erscheinungsformen, Strukturtypen und Lebensgesetze, indem er die einzelnen Kultformen von den verschiedensten Aspekten her betrachtet. Band 882/83.

WILHELM GOLDMANN VERLAG MÜNCHEN

R. C. ZAEHNER

DER HINDUISMUS

Übertragen von Gerald Frodl. Einer der namhaftesten englischen Indologen der Gegenwart gibt in diesem Buch, unter besonderer Berücksichtigung der literarischen Quellenwerke, der hinduistischen heiligen Schriften, eine komprimierte, einprägsame Darstellung des Hinduismus, seiner Ursprünge, seiner vier Jahrtausende alten Geschichte und seiner Lehre. Band 1458.

WILFRIED NÖLLE

WÖRTERBUCH DER RELIGIONEN

Eine Darstellung der Glaubenslehren der Völker. Ein wertvoller Beitrag zum Verständnis der verschiedenen Glaubensweisen. Die großen Religionen der Menschheit – Hinduismus, Buddhismus, Konfuzianismus, Taoismus, Judentum, Christentum und Islam – werden besonders ausführlich behandelt. In der Einleitung erläutert der Verfasser die Theorien vom Ursprung der Religionen. Band 642/43.

AUGUSTINUS

BEKENNTNISSE

Übertragen und eingeleitet von Hermann Endrös. Imprimatur des Ordinariats des Erzbistums München und Freising. Diese Ausgabe bietet alle 13 Bücher der »Confessiones« in einer neuen Übertragung. Die »Confessiones« sind das Glaubensbekenntnis des zum Christentum Bekehrten. Augustinus (354–430) gibt beispielhaft Zeugnis von seinem Weg zu Gott, der reich war an inneren und äußeren Kämpfen und erleuchtet wurde von vielfachen Beweisen göttlicher Gnade. Die »Bekenntnisse«, eines der großen Werke der Weltliteratur, sind Beichte und Rechenschaftsbericht zugleich. In allen Jahrhunderten haben sie einen nachhaltigen Einfluß auf die Christenheit ausgeübt. Als eines der ergreifendsten Zeugnisse des Glaubens vermögen sie Geist und Gemüt auch des heutigen Menschen zu wecken. Band 997/98.

WILHELM GOLDMANN VERLAG MÜNCHEN

Thomas von Kempen

DIE NACHFOLGE CHRISTI

Übertragen von Felix Braun. Die zwischen 1380 und 1425 verfaßte
»Imitatio Christi«, das Buch vom inneren Trost, spiegelt den Geist der
›devotio moderna‹ wider, einer Bewegung, die ausging von Gerhard
Groote, dem Begründer der Bruderschaft vom gemeinsamen Leben, und
vorangetragen wurde von dem Kreis, dem Thomas von Kempen ange-
hörte. Sie ist nach der Bibel das weitestverbreitete Buch der christlichen
Welt. Band 944.

Martin Luther

TISCHREDEN

Ausgewählt und eingeleitet von Karl Gerhard Steck. Die Tischreden,
die Luther in seinem gastlichen Heim hielt, in dem viele bedeutende
Persönlichkeiten des 16. Jahrhunderts verkehrten, und die meist von
Schülern des Reformators nachgeschrieben wurden, enthalten die wichtigsten Grundsätze der evangelischen Glaubenslehre in volkstümlicher,
allgemeinverständlicher Form und geben auch Aufschluß über die
Persönlichkeit Luthers. Dieser Ausgabe liegt die Aurifabersche Fassung
der »Tischreden« zugrunde. Band 549.

Martin Luther

An den christlichen Adel deutscher Nation

Von der Freiheit eines Christenmenschen

Ein Sendbrief vom Dolmetschen

Herausgegeben und eingeleitet von Karl Gerhard Steck. Dieser Band
vereinigt drei der wichtigsten Schriften Martin Luthers aus den
Jahren 1520 und 1530. Sie geben Zeugnis vom Wirken des großen
Reformators, das dem Ziel diente, das Leben der Christenheit von der
Heiligen Schrift her neu zu bestimmen und neu zu ordnen. Sie führen
auch den heutigen Leser an die Hauptfragen des Reformationsgesche-
hens heran: an die Frage vom Verhältnis zwischen Kirche und Staat,
welche das Kernstück der Schrift »An den christlichen Adel deutscher
Nation« bildet, an die innersten Fragen des religiösen Glaubens, wie
sie die Schrift »Von der Freiheit eines Christenmenschen« darlegt, und
an die Probleme einer rechten Übersetzung der Bibel, mit der Luther
Christenheit und Sprache im deutschen Bereich durch Jahrhunderte am
stärksten bestimmt hat. Band 973.

WILHELM GOLDMANN VERLAG MÜNCHEN

Goldmanns Illustrierte Weltgeschichte
8 Doppelbände

Band 1
Eduard von Tunk
Der antike Orient / Die Welt der Griechen

Etwa 3000–146 v. Chr.: Frühgeschichte · Die Völker des antiken Orient ·
Ägypten · Das Babylonische Reich · Das Volk Israel · Das Persische
Großreich · Sparta und Athen im Werden · Der Perserkrieg · Das Zeitalter des Perikles · Der Peleponnesische Krieg · Der Alexanderzug · Die
hellenistischen Staaten (Band 1501/02)

Band 2
Eduard von Tunk
Das Römische Imperium / Das Oströmische Reich

500 v. Chr. – 800 n. Chr.: Die Stadt Rom · Die Unterwerfung Italiens · Der Punische Krieg · Der Makedonische Krieg · Das Jahrhundert
der Revolution · Caesar · Die Epoche des Prinzipates · Augustus · Die
Zeit des Dominates · Konstantin der Große · Die Reichsteilung · Ost-
Rom (Band 1503/04)

Band 3
Eduard von Tunk / Albert Renner
Das Werden des christlichen Abendlandes

5.–11. Jahrhundert: Der Untergang des Weströmischen Reiches · Goten ·
Vandalen · Die Merowinger · Die Karolinger · Das Reich Karls des
Großen · Die Ottonen · Kaiser und Päpste im Kampf (Band 1505/06)

Band 4
Albert Renner / Eduard von Tunk
Europa im Hoch- und Spätmittelalter / Der Islam

12.–15. Jahrhundert: Die Hohenstaufen · Die westlichen Königreiche ·
Kultur des Hochmittelalters · Umgestaltung des Deutschen Reiches · Die
europäischen Randstaaten · Das Byzantinische Reich · Die Völker Ost-
und Nordeuropas · Die islamischen Völker und Reiche (Band 1507/08)

WILHELM GOLDMANN VERLAG MÜNCHEN